JN203248

脳血管内治療の進歩
ブラッシュアップセミナー2018

Brush-up Seminar of Neuroendovascular Therapy 2018

くも膜下出血のすべて
-再開通療法の新時代-

■編 集
坂井信幸　神戸市立医療センター中央市民病院脳神経外科部長
江面正幸　国立病院機構仙台医療センター臨床研究部長
松丸祐司　筑波大学脳神経外科脳卒中予防治療学講座教授
宮地 茂　愛知医科大学脳神経外科主任教授
吉村紳一　兵庫医科大学脳神経外科講座主任教授

診断と治療社

序 文

　脳血管内治療ブラッシュアップセミナー（Brushup Seminar of Neuroendovascular Therapy：BSNET）は，脳血管内治療技術と機器研究会が運営する脳血管内治療の最新情報の提供と教育を目的としたセミナーで，2010年にそれまで代表幹事（発足当時，坂井信幸，瓢子敏夫，宮地　茂）が運営してきた3つのセミナーをまとめて発足しました．2014年から仙台セミナーの合流を受けて瓢子敏夫先生に代わって江面正幸が加わって現体制になりました．

　2018年は「くも膜下出血のすべて」と「再開通療法の新時代」をテーマとしてライブ供覧とレクチャーを展開し，セミナーで行われた講演がこの講演集に収められています．

　「くも膜下出血のすべて」では，破裂脳動脈瘤と未破裂脳動脈瘤の違い，破裂椎骨動脈解離や母血管閉塞のおさらい，治療成功のヒント，脳血管攣縮について，「再開通療法の新時代」では，症例選択と1 pass TICI3への道など，臨床のノウハウを満載しました．

　ミニレクチャー「破裂脳動脈治療，成功のヒント（塞栓術）」では，10名のエキスパートが珠玉のテクニックや対応法を紹介しています．

　これから脳血管内治療に積極的に取り組もうとされる先生はもちろんのこと，すでに経験を積んだ先生方にも大いに参考になる企画となったと思います．このイヤーブックが脳血管内治療の発展に少しでも貢献できることを願っています．すべての関係各位に厚く御礼を申し上げます．

2019年6月

脳血管内治療ブラッシュアップセミナー　代表幹事

江面正幸，坂井信幸，宮地　茂

同　運営幹事

松丸祐司，吉村紳一

[CONTENTS]

執筆者一覧

● 編　集

坂井信幸	神戸市立医療センター中央市民病院脳神経外科部長
江面正幸	国立病院機構仙台医療センター臨床研究部長
松丸祐司	筑波大学脳神経外科脳卒中予防治療学講座教授
宮地　茂	愛知医科大学脳神経外科主任教授
吉村紳一	兵庫医科大学脳神経外科学講座主任教授

● 執筆者（50 音順）

有村公一	九州大学大学院医学研究院脳神経外科
飯原弘二	九州大学大学院医学研究院脳神経外科
石井　暁	京都大学大学院医学研究科脳神経外科
石橋敏寛	東京慈恵会医科大学脳神経外科脳血管内治療部
泉　孝嗣	名古屋大学医学部脳神経外科
井上　学	国立循環器病研究センター脳血管内科
今井啓輔	京都第一赤十字病院脳神経・脳卒中科
今村博敏	神戸市立医療センター中央市民病院脳神経外科
榎本由貴子	岐阜大学医学部脳神経外科
大島共貴	愛知医科大学脳血管内治療センター
金子直樹	ロナルドレーガン UCLA メディカルセンター神経血管内治療部
川西正彦	香川大学医学部脳神経外科
岐浦禎展	県立広島病院脳神経外科・脳血管内治療科
キッティポン スィーワッタナクン	東海大学医学部付属病院脳神経外科
工藤與亮	北海道大学病院放射線診断科
坂井信幸	神戸市立医療センター中央市民病院脳神経外科
坂本　誠	鳥取大学医学部脳神経医科学講座脳神経外科学分野
佐藤　徹	国立循環器病研究センター脳神経外科
庄島正明	埼玉医科大学総合医療センター脳神経外科・脳血管センター
杉生憲志	岡山大学病院脳神経外科
高原正樹	福岡大学医学部脳神経外科
竹内昌孝	西湘病院脳神経外科
立嶋　智	ロナルドレーガン UCLA メディカルセンター神経血管内治療部・UCLA 脳卒中センター
田中美千裕	亀田総合病院脳神経外科
津本智幸	国立病院機構九州医療センター脳血管内治療科
鶴田和太郎	虎の門病院脳神経血管内治療科
長谷川　仁	新潟大学脳研究所脳神経外科学教室
濱中正嗣	京都第一赤十字病院脳神経・脳卒中科
早川幹人	筑波大学医学医療系脳卒中予防・治療学講座／筑波大学付属病院脳卒中科
東　登志夫	福岡大学筑紫病院脳神経外科
平野照之	杏林大学医学部脳卒中医学
廣畑　優	久留米大学医学部脳神経外科
藤中俊之	国立病院機構大阪医療センター脳神経外科
村井　智	岡山大学病院脳神経外科
連　乃駿	九州大学大学院医学研究院脳神経外科
山上　宏	国立病院機構大阪医療センター脳卒中内科
吉村紳一	兵庫医科大学脳神経外科学講座

1 頭部 CTA 後の体幹部 CT のすすめ

県立広島病院脳神経外科・脳血管内治療科　**岐浦禎展**

*E*ssential Point

- 急性期の脳血管治療において頭部 CTA 後に体幹部 CT を行い，アクセスルートを評価する.
- アクセスルートの評価のポイントとして，①大腿動脈から動脈瘤まで血管異常（拡張，狭窄，閉塞，蛇行など）の有無，②大動脈弓のバリエーションがあげられる.
- Bovine Arch における左側内頚動脈系に対する脳血管内治療では，右上腕動脈穿刺によるアクセスが容易である.

1 はじめに

　くも膜下出血の予後を左右する因子の一つに破裂した脳動脈瘤の再破裂があげられる. 破裂脳動脈瘤の再破裂の予防処置として開頭術または脳血管内治療が選択され，速やかに予防するためにもどちらかの治療方法を迅速に決定せねばならない. 脳血管内治療が選択される因子として，動脈瘤の形状・サイズ，ネック，分岐血管の有無，アクセスルートなどがあげられる. これらの決定には CTA が有用である. アクセスルートの評価のためには体幹部 CTA を行う必要があるが，急性期に体幹部 CTA を施行すると，その後に脳血管内治療を行う際には大量の造影剤の使用となる. 本稿では当施設における造影剤使用量の低減に向けた取り組みについて詳説する.

2 当施設における重症脳卒中患者に対する検査の流れ（図 1）

　当施設では重症患者で脳卒中を疑った場合の検査では CT first としている. 頭部単純 CT 施行後に頭部 CTA を行い，くも膜下出血の場合は動脈瘤の形状・サイズ，ネック，分岐血管の評価など，脳出血の場合は出血源の同定や leakage sign の有無など，脳梗塞の場合は閉塞血管の同定など，を行っている. また，くも膜下出血，脳主幹動脈閉塞の場合はその後の脳血管内治療を想定して体幹部 CT を施行している. この場合は新たに造影剤を静注するのではなく，頭部 CTA の際に施行して造影剤が体内に残存している間に速やかに撮影して造影剤の使用を低減させている. すなわち，重症患者で脳卒中を疑った場合の検査では頭部 CT，頭部 CTA，体幹部 CT の撮影プログラムを組んでおき，体幹部 CT が不要と判断した場合のみ体幹部 CT をスキップしている. 脳出血の場合は典型的な

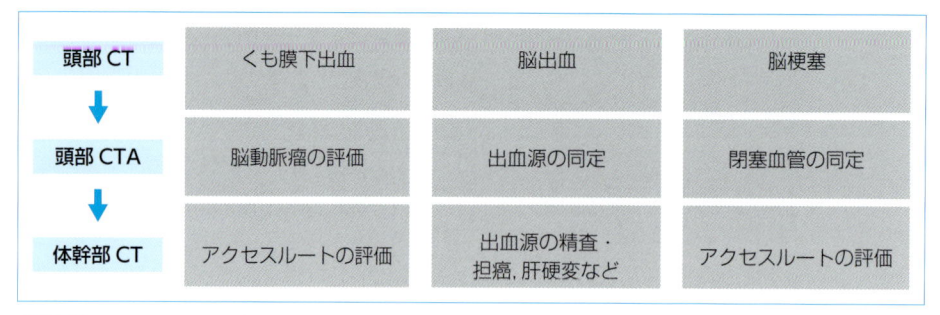

頭部 CT	くも膜下出血	脳出血	脳梗塞
↓			
頭部 CTA	脳動脈瘤の評価	出血源の同定	閉塞血管の同定
↓			
体幹部 CT	アクセスルートの評価	出血源の精査・担癌, 肝硬変など	アクセスルートの評価

図1 当院における重症脳卒中が疑われる患者に対する検査の流れ

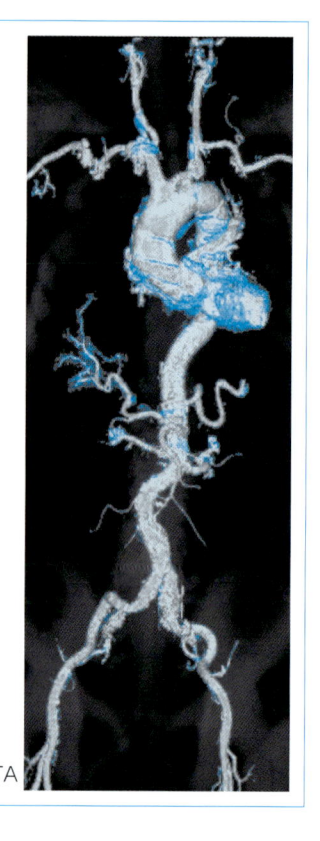

● **大動脈病変**
- 腹部大動脈瘤
- 閉塞性動脈硬化症
- FF バイパス後
- 大腿動脈の高度石灰化（穿刺困難）
- 大動脈プラーク（Shaggy aorta など）

● **大動脈弓のバリエーション**
- Bovine arch
- Type III aortic arch
- 右側大動脈弓

CTA

図2 大腿動脈からのアプローチが困難な要因

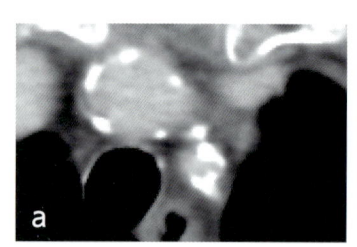
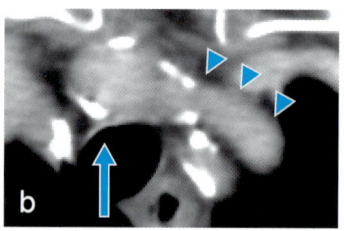
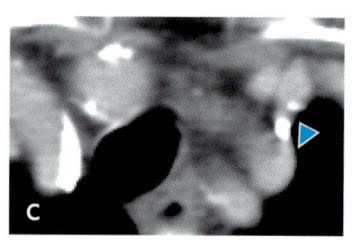

図3 症例1：89歳女性．Bovine arch の体幹部 CT
a, b, c：体幹部 CT では左総頸動脈（矢頭）は腕頭動脈（矢印）から分岐し右側から左側に向け走行している.

高血圧性脳出血の場合は体幹部 CT をスキップしているが，非典型的な脳出血の場合で，血液検査にて担癌状態や肝硬変などが疑われる際に全身検索として体幹部 CT を施行している．なお，CT 検査の場合には必ず検査に同行し，体幹部 CT で体幹部 CTA が必要と判断した際には適宜追加している．

3　大腿動脈からのアクセスが困難な症例

大腿動脈からのアクセスが困難な病態を図2 に示す．大動脈弓のバリエーションにおいて，左側病変における Bovine Arch があげられる．次に大動脈病変において，胸・腹部大動脈瘤を有する場合にはカテーテル誘導の可否について慎重な検討が必要である．また総腸骨動脈などの狭窄病変については，狭窄のない側からの穿刺が必要である．しかしながら F-F バイパス後や穿刺部の大腿動脈の高度石灰化は動脈穿刺が困難であり，大動脈プラークなどの Shaggy aorta の症例ではカテーテル誘導は末梢塞栓のリスクが高く，上腕動脈アプローチが推奨される．これらは体幹部CTA でなく，頭部 CTA 後の体幹部 CT でも十分に判断が可能である．

4　体幹部 CT の読影ポイント

頭部 CTA 後の体幹部 CT では造影剤量が不十分で簡易的な VR では評価は困難である．そのため元画像での読影となる．読影のポイントとして，①大腿動脈から動脈瘤まで血管異常（拡張，狭窄，閉塞，蛇行など）の有無，②大動脈弓のバリエーションがあげられる．注意深く 1 枚ずつ画像を閲覧し，大腿部から動脈瘤まで連続して血管を追えるかどうかがポイントとなる．頸部で静脈と見分けがつか

ない場合には大動脈弓から読影するとよい．

特に大切なのは左側内頸動脈系の脳動脈瘤に対する Bovine arch の存在である．Bovine arch は正確には 2 通りあり，無名動脈と左総頸動脈が共通幹から分岐する場合は 13 ％，左総頸動脈が無名動脈から起始する場合は9 ％で認める[1]．若年者の患者では多少の工夫でガイディングカテーテルの誘導は可能であるが，高齢者の患者の場合は困難で，むしろ上腕動脈からのアプローチが容易である．胸部 CT で左総頸動脈が腕頭動脈から分岐しているのが確認できる（図3）．また左総頸動脈が正中より右側で分岐している場合にはこれを疑ったほうがよい．時間的余裕があればワークステーションで coronal 画像を再構成するとよい．

5　代表症例

■症例 1：89 歳女性（図 3，4）

数日前に突然の頭痛があり，近医を受診後，当科紹介となった．来院時意識清明，明らかな神経脱落症状は認めなかった．頭部 CT にてくも膜下出血を認め，頭部 CTA にて左内頸動脈後交通動脈分岐部に最大 7 mm 大のブレブを伴う脳動脈瘤を認めた．体幹部 CT にて Bovine arch と診断したため，全身麻酔下にて右上腕動脈穿刺による脳動脈瘤コイル塞栓術を企図した．右上腕動脈穿刺を行い，5 Fr Fubuki dilator kit を血管内に挿入し，4 Fr Cerulean ＋ Terumo 0.035 guidewire stiff の co-axial method にて左内頸動脈に誘導・留置した．Balloon assist technique にて計 7 本のコイルを使用して脳動脈瘤を塞栓した．穿刺部は"とめ太くん®"を用いて止血した．術後経過は良好で，独歩退院となった．

■症例 2：73 歳男性（図 5）

10 年前にくも膜下出血，近医で前交通動

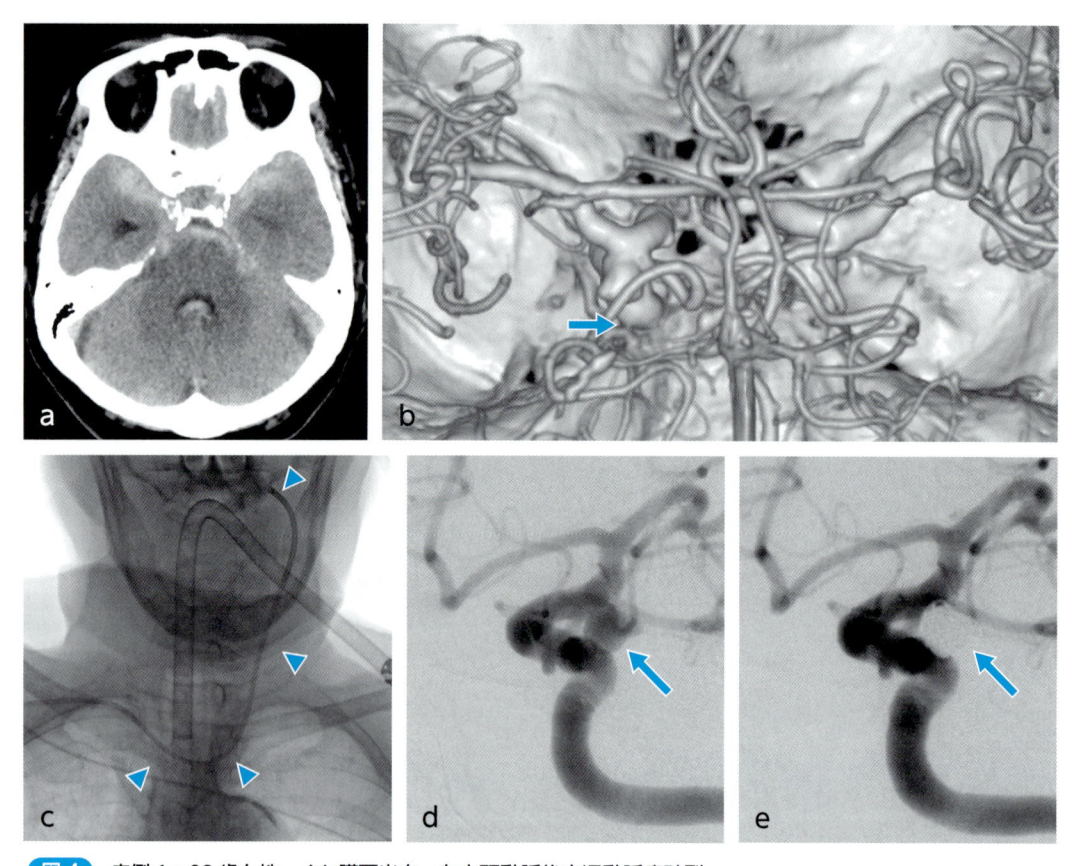

図4 症例1：89歳女性．くも膜下出血，左内頚動脈後交通動脈瘤破裂
a：頭CTにて，くも膜下出血を認める．b：頭CTAにて左内頚動脈後交通動脈分岐部脳動脈瘤（矢印）を認める．c：ガイディグカテーテル（矢頭）が右上腕動脈から腕頭動脈，左総頚動脈を経て左内頚動脈に誘導されている．d：脳動脈瘤コイル塞栓前（矢印）．e：脳動脈瘤コイル塞栓後（矢印）

脈瘤の脳動脈瘤コイル塞栓歴がある．突然の頭痛・嘔吐にて近医に搬送された．頭部CTでくも膜下出血を認め，血管撮影で前交通動脈瘤の再発を認めた．その際に右総腸骨動脈の解離をきたし，covered stentが留置された．その後の治療のため当院に紹介となった．腹部CTでは右総腸骨動脈にステントが留置されていたが，ステントは腹部大動脈まで突出が疑われたため，腹部CTAを追加した．腹部CTAではステントは腹部大動脈に突出しており，右側穿刺はおろか左側穿刺でもガイディングカテーテルはステント部の通過が困難と判断し，右上腕動脈穿刺で脳動脈瘤コイ

ル塞栓術を企図した．6 Fr Fubuki dilator kitを右上腕動脈穿刺にて挿入した．Co-axial methodでinner catheterにシモンズ型の6 Fr Envoyを用い左総頚動脈起始部に誘導した．シモンズ形状を保ちつつ0.035 inch Radifocus stiff wireを左総頚動脈に誘導し，inner catheterとともにガイディングシースを総頚動脈に慎重に誘導した．4 Fr Ceruleanを中間カテーテルとして用い，simple techniqueにて前交通動脈瘤のコイル塞栓を行った．

■症例3：71歳女性（図6）

突然の意識障害にて当院に救急搬送された．意識レベルは当初JCS300であったが，

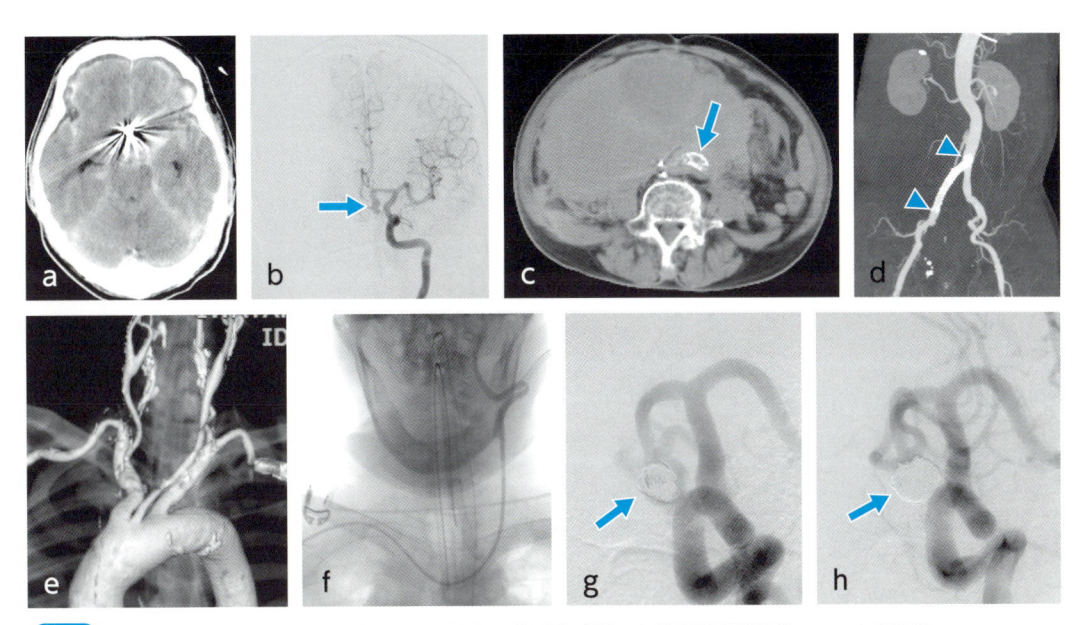

図5　症例2：73歳男性．くも膜下出血，前交通動脈瘤破裂，右総腸骨動脈解離ステント留置後
a：頭部CTにてくも膜下出血を認める．b：右総頚動脈撮影にて前交通動脈瘤（矢印）を認める．c：腹部単純CTにて総腸骨動脈にステント（矢印）を認める．d:腹部CTAにてステントは腹部大動脈から右総腸骨動脈にかけて留置されている(矢頭)．e：胸部CTA．f：右上腕動脈経由にて左総頚動脈へガイディングカテーテルが留置されている．g：脳動脈瘤コイル塞栓前(矢印)．h：脳動脈瘤コイル塞栓後(矢印)．

JCS20まで改善した．頭部CTではびまん性にくも膜下出血を認めた．頭部CTAでは両側の内頚動脈後交通動脈分岐部と脳底動脈先端部に計3個の脳動脈瘤を認めた．腹部CTでは解離性大動脈瘤を認めた．いずれの動脈瘤が破裂したか判断できず，それぞれの動脈瘤に対し治療が必要と判断し，脳動脈瘤コイル塞栓術を企図した．腹部解離性大動脈瘤のため右上腕動脈穿刺による脳動脈瘤コイル塞栓術を考慮したが，3つの動脈瘤とも母動脈が異なりそれぞれにカテーテル誘導が必要なことから，右大腿動脈穿刺を選択した．慎重にカテーテル操作を行い，解離性大動脈瘤を通過させ，それぞれの脳動脈瘤に対して脳動脈瘤コイル塞栓術を行った．

■症例4：76歳男性．（図7）

突然の頭痛，意識障害（JCS10）にて当院に救急搬送された．頭部CTでくも膜下出血，

脳底動脈先端部脳動脈瘤を認めた．体幹部CTで腹部大動脈に左側に突出する小さな動脈瘤と右総腸骨動脈の狭窄を認めた．脳動脈瘤コイル塞栓術を検討したところ，右総腸骨動脈の中枢への延長上に動脈瘤が存在し狭窄もあることから，右大腿動脈穿刺では動脈瘤破裂の危険性があることから，左大腿動脈を選択し脳動脈瘤コイル塞栓術を行った．

6　結語

頭部CTA後の体幹部CTはコツをつかめばアクセスルートの評価に有用であり，体幹部CTAに比し造影剤の低減が可能である．本稿が治療の一助となれば幸いである．

［文献］
1）小宮山雅樹：脳脊髄血管の機能解剖　第2版，メディカ出版，2011：64-65.

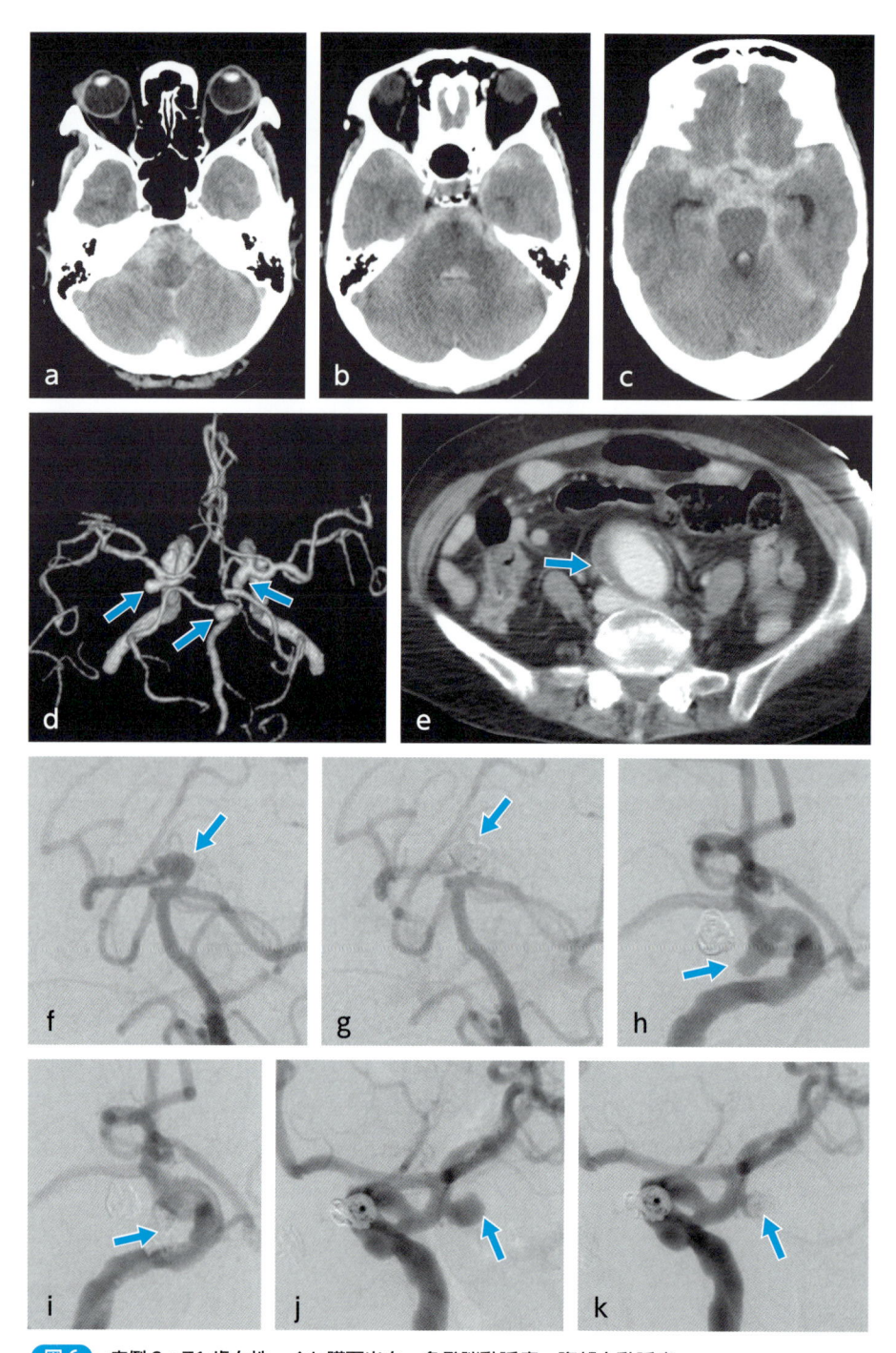

図6 症例3：71歳女性．くも膜下出血，多発脳動脈瘤，腹部大動脈瘤

a,b,c: 頭部CTにてびまん性にくも膜下出血を認める．d: 頭部CTAにて両側内頚動脈後交通動脈分岐部と脳底動脈先端部に脳動脈瘤を認める（矢印）．e: 腹部CTにて解離性大動脈瘤を認める．f: 脳底動脈瘤に対するコイル塞栓前．g: 同コイル塞栓後．h: 右内頚動脈後交通動脈分岐部脳動脈瘤に対するコイル塞栓前．i: 同コイル塞栓後．j: 左内頚動脈後交通動脈分岐部脳動脈瘤に対するコイル塞栓前．k: 左同コイル塞栓後．

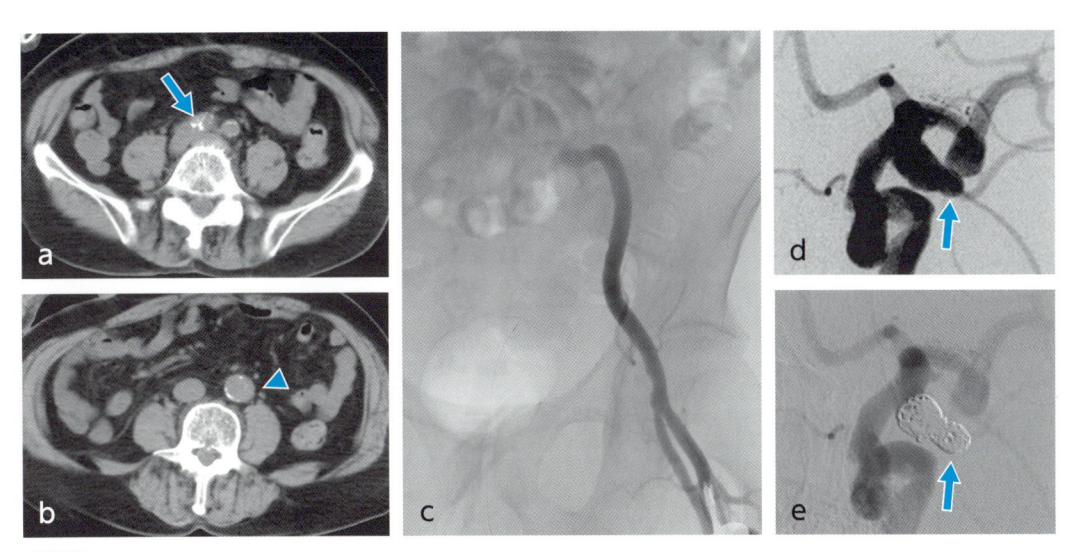

図7　症例 4：76 歳男性．くも膜下出血，左内頚動脈後交通動脈分岐部脳動脈瘤，右総腸骨動脈狭窄，腹部大動脈瘤

a: 腹部 CT にて右総腸骨動脈の石灰化を伴う狭窄を認める．b: 腹部 CT にて腹部大動脈左側に突出する膨隆を認める．c: 左大腿動脈穿刺．d：脳動脈瘤コイル塞栓前（矢印）．e：脳動脈瘤コイル塞栓後（矢印）．

2 安全な塞栓術のためのガイディングシステム，マイクロカテーテルシェイピング，挿入法

国立病院機構九州医療センター脳血管内治療科　**津本智幸**

> ***E**ssential Point*
> - ガイディングシステムを高くまで上げておくと，マイクロカテーテルの操作がより安定する．
> - マイクロカテーテルのシェイピングは大きくなる傾向にある．実寸大の 3D-DSA を見ることで動脈瘤の大きさを実感できる．また先端 1mm 曲げ，ミニらせん曲げなどが有効な場合がある．
> - マイクロカテーテルのシェイピングが動脈瘤に合っていれば，マイクロカテーテルを挿入時，半引き戻し法が有効である．

1 はじめに

破裂脳動脈瘤の塞栓術においては，小型の動脈瘤を対象とすることが多いこと，一度破裂した動脈瘤であり，術中破裂の可能性が未破裂動脈瘤に比較して高いことなどが治療に際しての注意点である．これらに対して，ガイディングシステム，マイクロカテーテルシェイピング，マイクロカテーテル挿入法を工夫することにより，より安全な塞栓術を行うことができる．

本稿ではわれわれの行っている破裂脳動脈瘤に対する安全な塞栓術のためのガイディングシステム，マイクロカテーテルシェイピング，挿入法について解説する．

2 ディスタルアクセスカテーテル

ディスタルアクセスカテーテル（Distal Access Catheter：DAC）は，ガイディングシステムとマイクロカテーテルとの間に留置するカテーテルであり，マイクロカテーテルのサポートをより得たいときに用いる．また，DAC を使うことで，動脈瘤までの距離が近くなり，マイクロカテーテルの操作性が向上する[1,2]．

現在 DAC には 3.2 Fr, 4 Fr, 4.2 Fr ,6 Fr のものがある．3.2 Fr, 4 Fr, 4.2 Fr DAC は，マイクロカテーテルやバルーンカテーテル（3.2 Fr には挿入できない）との coaxial system で DAC を誘導できる．

6 Fr DAC は，130 cm の 4.2 Fr DAC などをインナーカテーテルとして誘導するが，インナーカテーテルの長さの関係で止血弁，T コネクタを使うなどの工夫が必要となる（図1a）．また，内頚動脈錐体部への屈曲部で6 Fr DAC の挿入が難しいことがあり，末梢への誘導にこだわりすぎると動脈解離を起こす危険性がある．解決法として，6 Fr DAC の先端に小さな強いカーブをつけてシェイピ

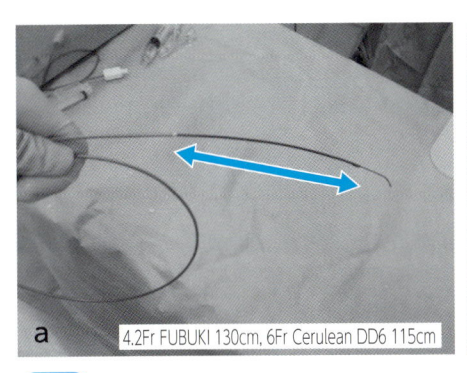
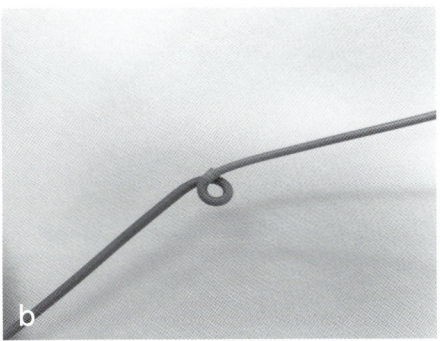

図1 6 Fr DAC
a: coaxial system. b: シェイピング.

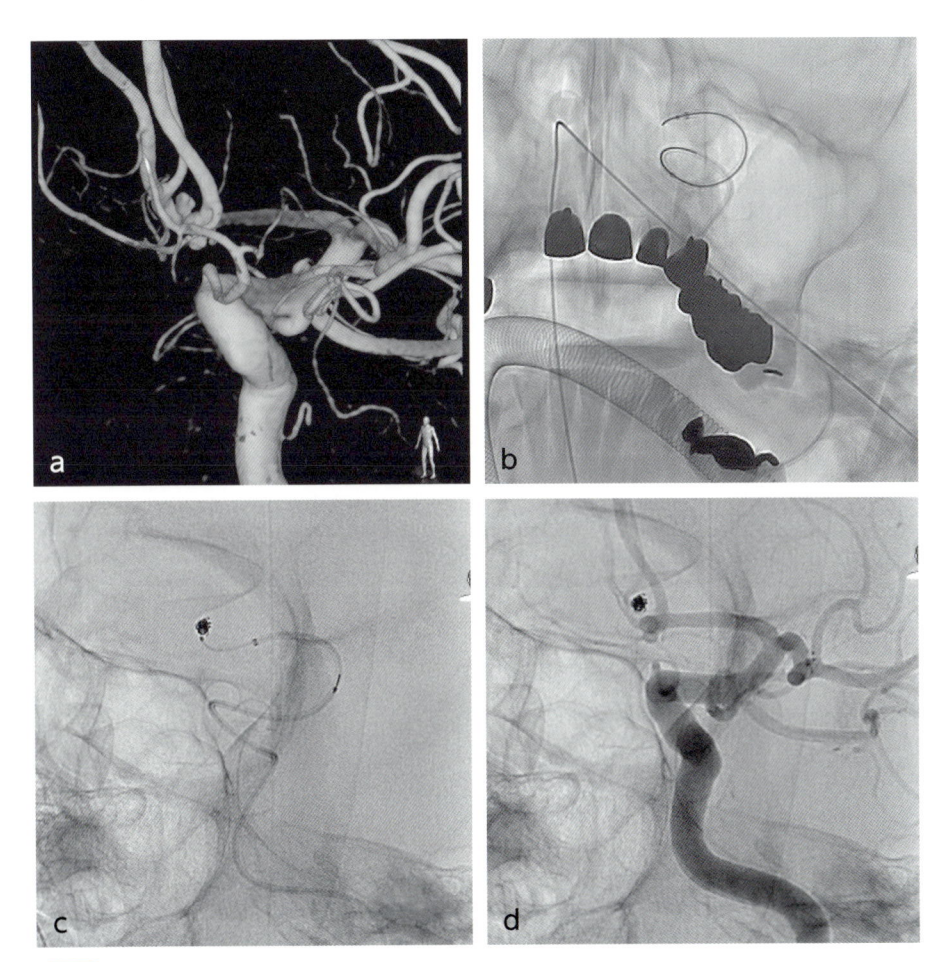

図2 3.2 Fr DAC を併用した破裂小型前交通動脈瘤の症例
a: 術前．上向きの破裂前交通動脈瘤．下向きの動脈瘤が A1 にあるが，血腫の分布から未破裂動脈瘤と判断している．b: SL10 と Tactics 120 cm の coaxial system で進めたところ，眼動脈分岐部で Tactics が引っかかるため，Headway 21 に替えたところ，左 A1 まで誘導できている．c: SL10 を動脈瘤内に誘導するが，動脈瘤までの距離は短く，操作性は良好である．d: 術後．3 本のコイルで塞栓されている．

表1　各種 DAC

	内腔	外径	有効長
TACTICS	0.89 mm/0.035 inch	1.14 mm/0.045 inch	120,130,150 cm
セルリアン G 4 Fr	1.02 mm/0.040 inch	1.40 mm/0.055 inch	115,125,130 cm
FUBUKI 4.2 Fr	1.10 mm/0.043 inch	1.40 mm/0.055 inch	120,125,130 cm
セルリアン G 5 Fr	1.27 mm/0.050 inch	1.70 mm/0.067 inch	115,125 cm
セルリアン DD 6 Fr	1.83 mm/0.072 inch	2.06 mm/0.082 inch	115 cm

ングしておくこと，6 Fr DAC をねじって回してみること，インナーカテーテルのワイヤーを抜いた状態で 6 Fr DAC を進めることなどで対処できる（図 1b）.

また，DAC が誘導しにくいもう一つの原因にマイクロカテーテルと DAC との間にできる ledge の問題がある．ledge を減らすため，DAC の中に入れるマイクロカテーテルが太いほうがよい．ちなみに 3.2 Fr DAC の中に入る最大径のマイクロカテーテルは Headway 21 であり，代表例を図 2 に示す．また，各種 DAC のスペックに関して表 1 に示す.

3　破裂脳動脈瘤コイル塞栓術でのガイディングシステムの工夫

破裂脳動脈瘤コイル塞栓術では，術中破裂に備えてバルーンカテーテルを誘導できるようにしておくことがより安全であり，複数のシステムが誘導できるようなガイディングシステムが必要である．いくつかの方法を示す（図 3）.

1　6,7 Fr ガイディングシース＋ 3.2, 4, 4.2 Fr DAC を用いる方法（図 3a）

ガイディングシースと DAC の隙間からバルーンカテーテルを通し，balloon remodeling technique ができ，術中破裂にも対応できる．また 3.2, 4, 4.2 Fr DAC がより動脈瘤の近くま

で誘導できるため，マイクロカテーテルの操作性が向上する.

前述，図 2b のように破裂小型動脈瘤に対して，よりマイクロカテーテルの操作性を重視したい場合や，内頚動脈が細くて屈曲しているため，6 Fr DAC を誘導しにくい場合などに有効な方法である（図 4）.

2　6 Fr DAC を用いる方法（図 3b）

内頚動脈が太くて，屈曲していない場合に有効である．balloon remodeling, double catheter technique にも十分対応可能となるし，カテーテル，バルーン両者が動脈瘤により近いところから誘導できるメリットがある.

3　DAC を使用せずに 6,7 Fr ガイディングシースを用いた方法（図 3c）

3 本のデバイスを 1 本のシステムから誘導してコイル塞栓術を行う場合に有効である．ただし，内頚動脈の太さや屈曲の程度によってはスパズムなどを起こしてしまうため，ガイディングシースを遠位まで誘導することは困難である．近位部からでもマイクロカテーテルの操作が容易な場合に限定される．マイクロカテーテル 2 本＋ balloon remodeling もしくは stent assisted coiling に対応できる.

4　右手からガイディングシース＋ DAC を用いる方法（図 3d）

大腿動脈経由では椎骨動脈へのアクセスが

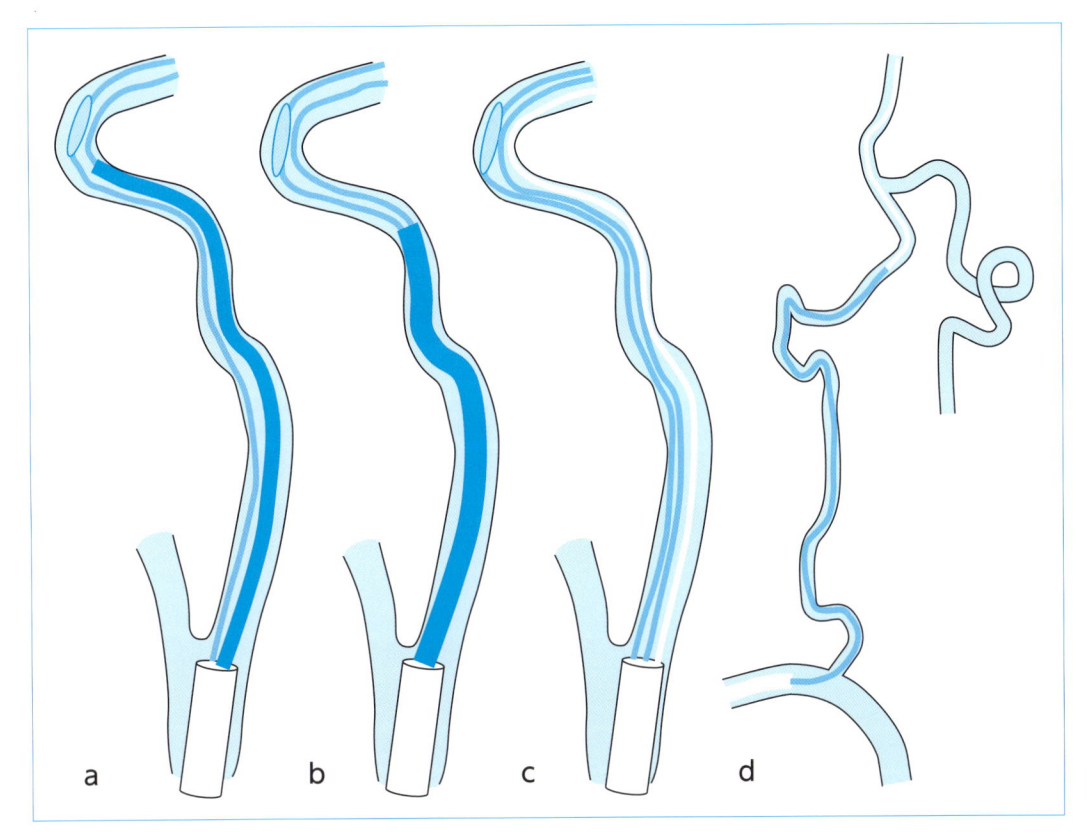

図3　ガイディングシステムの工夫

不良な場合，上腕動脈経由で容易にアクセスできる場合が少なくない．

4　マイクロカテーテルシェイピング

　大型の動脈瘤，特に未破裂脳動脈瘤であればワイヤー先行でマイクロカテーテルを瘤内に誘導することが多くなるが，破裂小型動脈瘤ではワイヤーを十分瘤内深くに誘導することはできない．このため，先に述べた 3.2, 4, 4.2 Fr DAC を用いて十分足元を固め，マイクロカテーテルを誘導することと，ワイヤー先行のみでなく，カテーテルのシェイピングによる瘤内留置が必要となってくる．シェイピングの方法に関してはテキストなどでいろいろと紹介されているが，ここでは3点紹介

する．

1 ▶ 実寸大 3D-DSA シェイピング（図 5a）

　マイクロカテーテルのシェイピングを行ううえでの注意点として，実際の動脈瘤のサイズよりも大きくイメージしてしまうことがあげられる．大きなイメージでシェイピングをすると，どうしても動脈瘤にフィットしない．それを解決するために 3 D プリンタが有効であることが報告されているが，破裂脳動脈瘤症例での時間的制限やコストなどが問題となる[3]．簡便な方法として，いつもは拡大して見てしまう 3 D-DSA を実寸大にして見る方法がある．実寸大にして複数方向からシェイプしてみると，少なくともサイズ感はよいシェイピングができる．

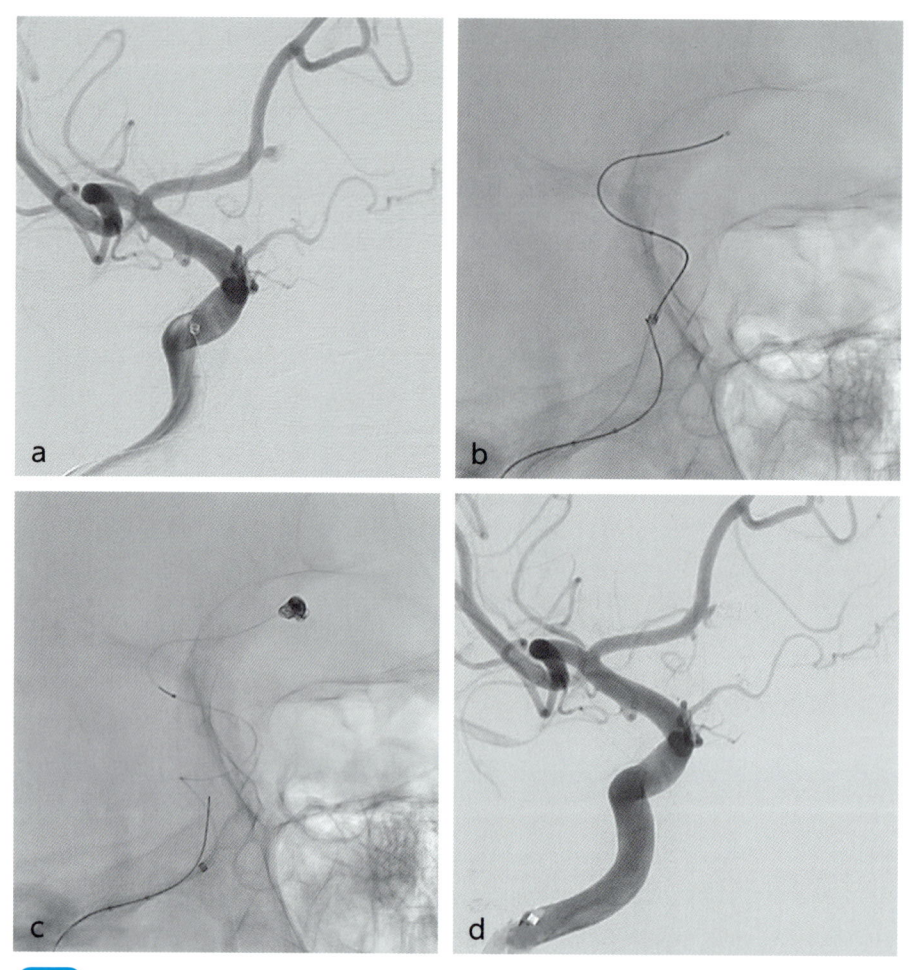

図4 7 Fr ガイディングシースと 4.2 Fr DAC を用いた破裂前交通動脈瘤の症例
a: 術前. 破裂前交通動脈瘤. 動脈瘤ドームは一部血栓のため, 描出不良である. b: SL10 と 4.2 Fr FUBUKI 120 cm の coaxial system で動脈瘤内に誘導する. 万が一の破裂に備えて, SHORYU バルーンを 7 Fr ガイディングシースと 4.2 Fr DAC の間から挿入し, 近位で待機させている. c: 6 本のコイルで塞栓を行っている. d: 術後. Neck remnant で動脈瘤は塞栓されている.

2 ▶ ミニらせん曲げ（図 5b, c）

上向きの小さな Acom 動脈瘤に有用な方法である. 通常, カテーテルを数か所の点で支えるシェイピングをつけると挿入時に思った方向と逆向きになったり, 瘤内に入っても支点が弱く, コイル挿入時にカテーテルが反転してしまったりすることがある. この際, A1 内でらせんを描くように面状でカテーテルを支えるシェイピングをつけると安定する.

「らせん曲げ」のオリジナルは傍鞍部内頚動脈瘤で報告されているが, それよりも小さならせんをイメージしたシェイピングである[4]. 上向き Acom 動脈瘤を奥に見て, 後傾している場合は右らせん周り, 前傾している場合は左らせん周りのイメージでシェイピングする.

3 ▶ 1 mm 先端曲げ（図 6）

塞栓術終盤, たいていカテーテルが inflow zone に戻ってくるが, 先端 1 mm 程度を瘤

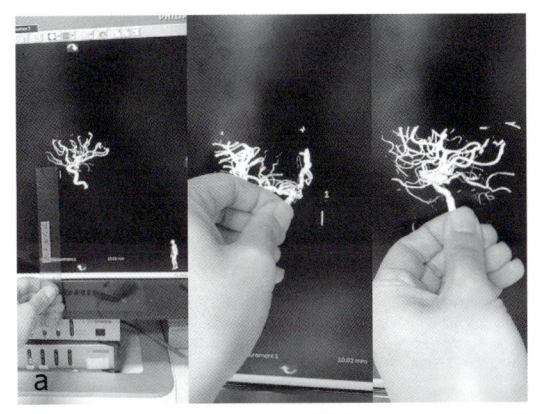
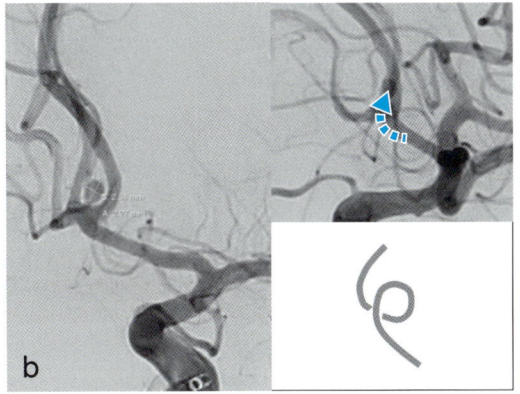
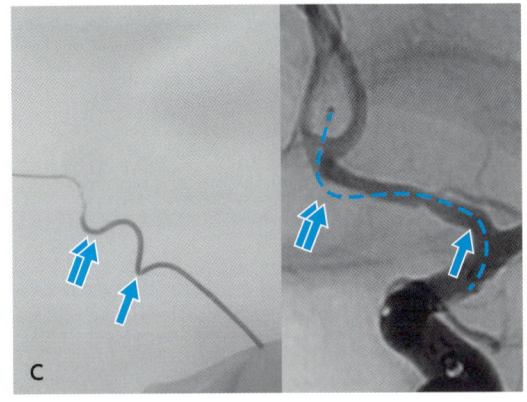

図5 マイクロカテーテルシェイピングの工夫

a：実寸大シェイピング．b，c：ミニらせん曲げ．
a：画面の縮尺を実寸大にして，多方向からシェイピングを行う．b：上向きの小さな Acom 動脈瘤．動脈瘤を奥に向かって横から眺めると上向きでやや後傾している（右上）．それに合わせたシェイピングのイメージ（右下）．c：矢印が A1 proximal，二重矢印が動脈瘤対側の壁．この2か所の間にらせんを作り，A1 内を面状で支え，走行するようにして安定を図る．

の内側向きに少し曲げておくだけで distal neck を向きにくくなり，ネックを損傷する可能性は低くなる．また，前脈絡叢動脈など重要な分枝が出ている場合は，分枝から遠ざかる方向に先端曲げを行うことで分枝にコイルがかかりにくくなる．

5 マイクロカテーテル挿入法（図7）

マイクロカテーテルの挿入方法であるが，基本的に①引き戻し法か，②ワイヤー先行法を使って瘤内に誘導することが多いが，前述したように破裂小型動脈瘤ではなるべく安全な①を使って誘導したい．ただし引き戻しで挿入する場合，マイクロカテーテルのたるみ（動脈瘤までの支点）が取れてから，はじめてマイクロ先端が引き戻ってくることが多いの

で，容易に瘤手前に引き戻されてしまう．

1つの解決方法として，半引き戻し法を紹介する．ワイヤーを動脈瘤の遠位血管に誘導して，マイクロカテーテルを進めていく．瘤近傍に近づいたときにカテーテル先端が瘤内方向に向くようならシェイピングが合っているということであり，そのままマイクロカテーテルを動脈瘤のほんの少し遠位まで進めてから，ワイヤーを抜くとシェイピングで瘤内に挿入される．瘤近傍に近づいた際，瘤方向と反対を向いているようならシェイピングが合っていないということになり，シェイピングをやり直す．

半引き戻し法では，動脈瘤内に強くジャンピングして動脈瘤を穿孔しないかとの危惧があるかもしれないが，DAC を使用して足元をしっかり固めていれば，DAC から動脈瘤

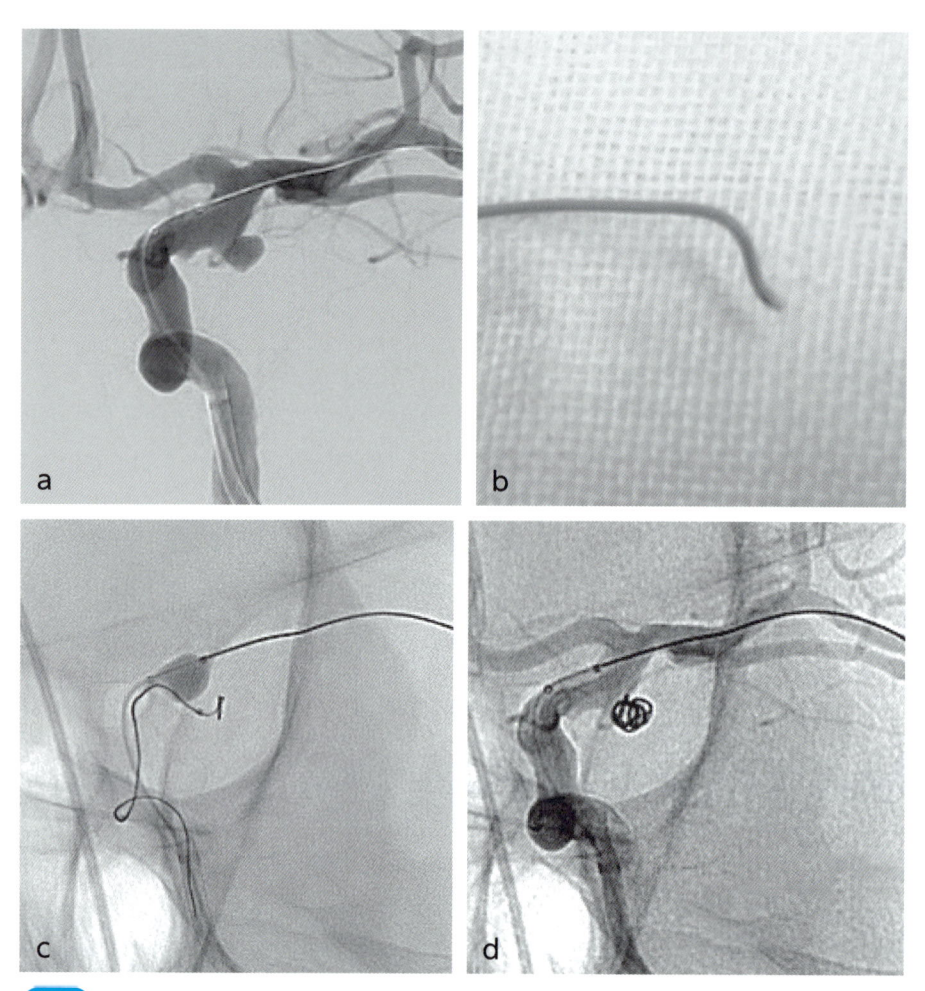

図6 先端 1 mm 外曲げが有効であった破裂前脈絡叢動脈分岐部動脈瘤の症例

a: 術前．動脈瘤の proximal neck から前脈絡叢動脈瘤が分岐している．b: 先端に少し外側に反ったようなシェイピングをつけ，前脈絡叢動脈から遠ざけるイメージとする．c: バルーンとマイクロカテーテルのシェイピングでコイルが瘤の奥向きに巻きやすくなる．d: 1st コイル留置後．前脈絡叢動脈を温存したフレームを作成している．

までの距離が短く，ジャンピングの危険は低いと考えている．また動脈瘤開口部ではなく，ほんの少し動脈瘤遠位まで誘導しているので，仮にジャンプしても母血管遠位に逃げるようにしている．いずれにせよ，ガイディングシステムが低いと，たるみが強くなるので注意が必要である．

[文献]

1) 津本智幸：脳底動脈瘤のコイリング -BA tip, BA-SCA an-eurysm- 脳神経外科速報．2014;24：34-41.
2) 津本智幸：脳血管内治療におけるガイディングシステムの工夫．脳血管内治療の進歩 2015．2015；73-80.
3) Kaneko N, et al.：Manufacture of patient-specific vascular replicas for endovascular simulation using fast, low-cost method. Scientific Reports volume 6, Article number: 39168 . 2016.
4) 泉 孝嗣：マイクロカテーテルのらせん曲げ．脳血管内治療の進歩ブラッシュアップセミナー 2017．2017；149-152.

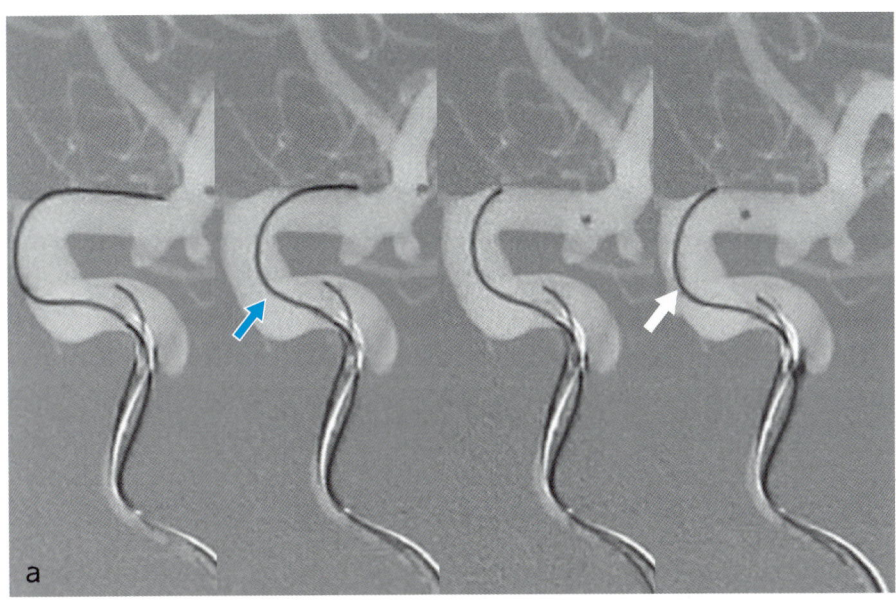

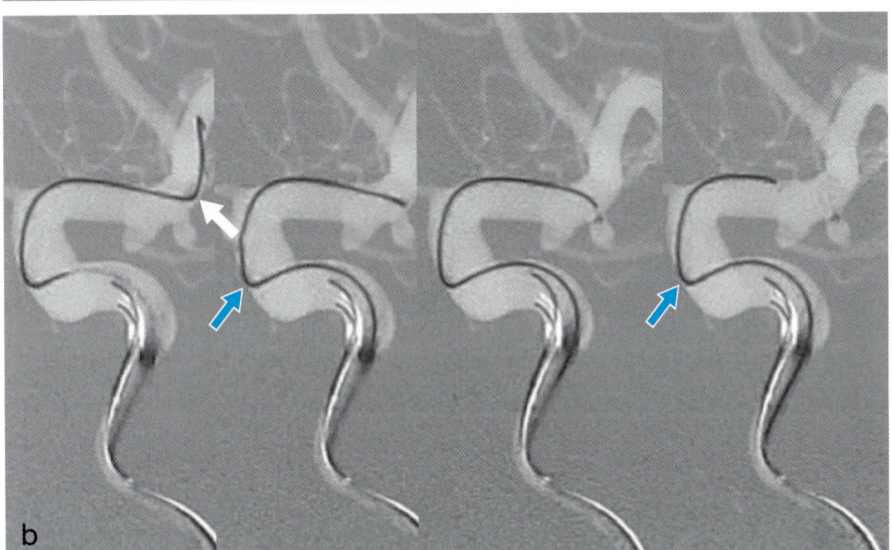

図7 マイクロカテーテル挿入法

a：引き戻し法．カテーテルを引き戻す際，まず手前のたるみ（支点）が取れ（青矢印），それから先端が動きだし，引き戻されてくる．カテ先がいったん動脈瘤内に入っても，手前のたるみ（支点）が取れてしまっているため，カテーテルは不安定になり，最終的に白矢印のところまでカテーテルが戻ってきてしまい，先端が動脈瘤から外れてしまう．b：半引き戻し法．カテーテルを動脈瘤のほんの少し末梢（白矢印）まで進め，ワイヤーを抜くとシェイピングが合っていればそのまま瘤内に挿入できる．この際，青矢印の部分でのカテーテルの支え（たるみ）が動いていないので安定してコイル挿入ができる．

3 前交通動脈瘤塞栓術のカテテリゼーションの考察

香川大学脳神経外科　**川西正彦**

*E*ssential Point

- 内頚動脈（ICA）から前大脳動脈（A1），前交通動脈までの解剖（長さ，分岐角度，方向）を三次元的に理解する．
- ガイディングカテーテルの選択や distal access catheter（DAC）などによるバックアップに加えて，マイクロカテーテルの先端形状が瘤内塞栓術を安全で効果的に行うための鍵となる．
- マイクロカテーテルを安定して保持するためには，複数か所での動脈壁への固定が重要である．

1　はじめに

　前交通動脈瘤の治療に対して，脳圧排のない血管内治療は高次脳機能の温存にも有効であり開頭術よりも優先して行っている施設も多い．しかし，前交通動脈瘤は，特に破裂例においては小径の動脈瘤も多く複雑な血管構築なうえにマイクロカテーテルを瘤内に誘導するまでには複数か所の急峻な屈曲をこえてカテーテルを誘導する必要がある．そういった解剖学的な特徴から前交通動脈瘤では，他部位の動脈瘤よりも術中破裂などの周術期合併症を起こしたり，完全閉塞が得られにくかったりする場合も多い[1,2]．当院で血管内治療を行った前交通動脈瘤症例にて A1 の分岐角度や A1 の長さなどを参考にして，安定したカテーテル形状と誘導について検討した．

2　内頚動脈から前交通動脈瘤までの特徴

　2014 年から 2018 年までに当院で瘤内塞栓術を施行した前交通動脈瘤において，3 D-DSA 画像で計測が可能であった 30 動脈瘤（破裂 24 例，未破裂 6 例）を対象として検討した．動脈瘤の径（最大径ではなくマイクロカテーテルが挿入される方向の径），内頚動脈（ICA）と A1 が直線的な部分との角度（内頚動脈と A1 を同一平面となるようにして計測），A1 の長さ，A1 と動脈瘤長軸の角度と向き，瘤内塞栓が行えたカテーテルの形状と最終的な塞栓率，および合併症について検討し最適なカテーテルの形状について考察した．

1 ▶ 動脈瘤の径（図 1）

　動脈瘤の径についてはほとんどの場合で最大径と一致するが，マイクロカテーテルの進入方向での径を計測した．平均すると破裂例

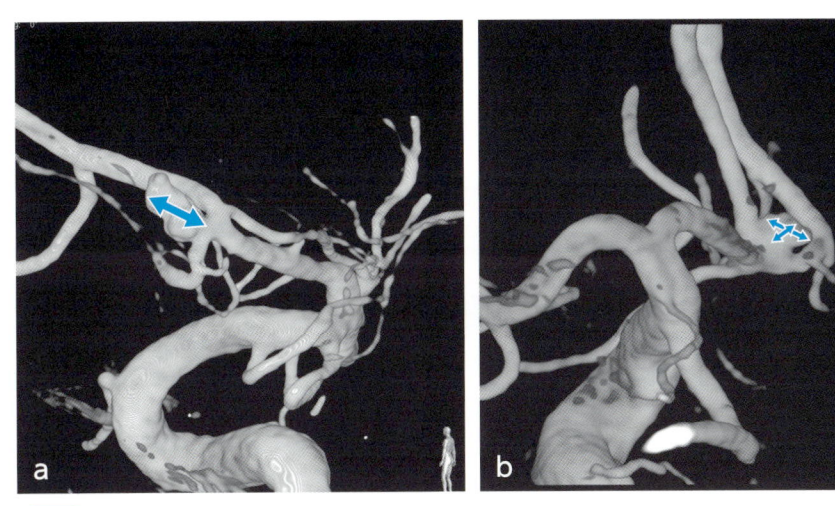

図1　動脈瘤の径（マイクロカテーテルが進入する方向の径）≠最大径
a：矢印は動脈瘤の径
b：矢印は動脈瘤の最大径
破裂例では平均5.4 mm，未破裂例では平均6.4 mmであった．

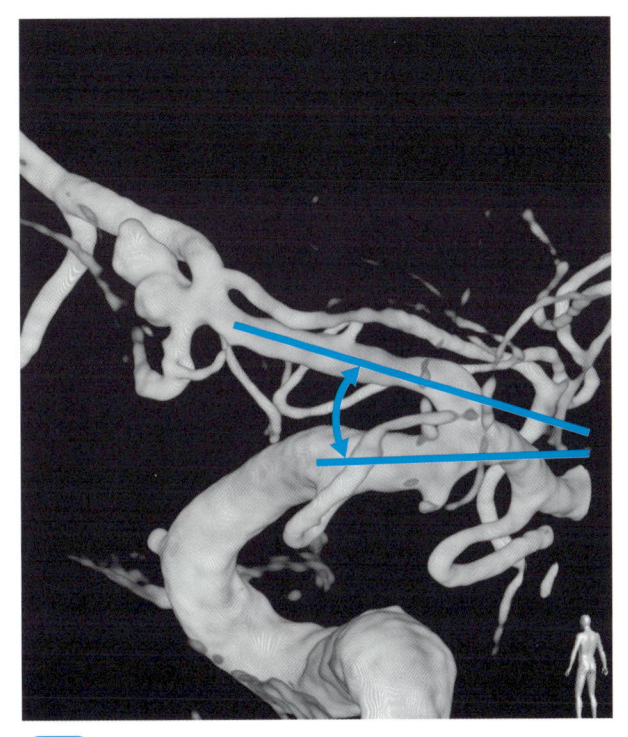

図2　ICA と A1 の分岐角度
実臨床では角度の計測までは不要と思われるが，平均で140°程度
である．

では5.4 mm（2.5〜17.8 mm），未破裂例では
6.4 mm（5.2〜7 mm）であった．破裂例では

小さい瘤でも治療を行うので当然の結果であ
るが，小さい破裂動脈瘤にマイクロカテーテ

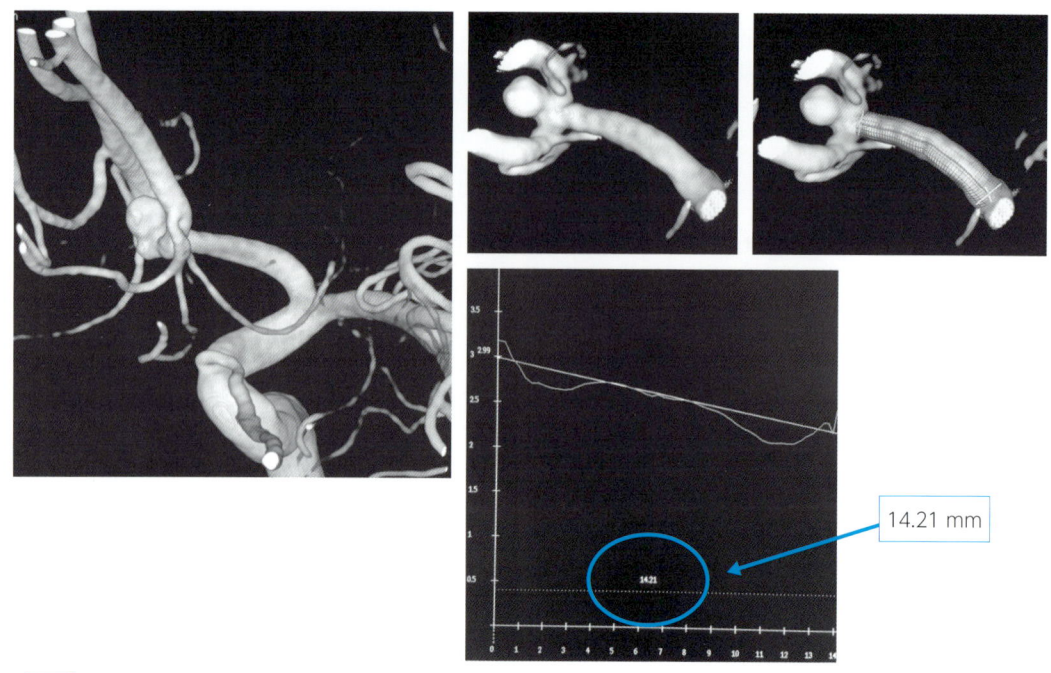

図3 ICA 分岐から動脈瘤ネックまでの A1 長（カテーテル挿入側）
9.1～21.6 mm（平均 16.1 mm）であった.

ルを誘導することは特に慎重さが必要であることを再認識した.

2▶ ICA から A1 の分岐角度（図 2）

　ワークステーションにて 3 D 画像を用いて ICA と A1 が同一平面となるようにして計測した．ICA から A1 の分岐部分はほぼ全例 90° であったため，A1 が直線的になった部分と ICA の角度を計測した．結果は 90° ～ 180° で，平均では 138° であった．角度が急峻となればカテーテルの操作性が悪くなるうえに，マイクロカテーテルを押し入れる際に先端側に力が伝わらずに MCA 側に抜けてしまうことがあり，注意が必要である．また，角度が浅い場合には，コイルを挿入している際にカテーテルと血管の摩擦がとれて直線上となり，思わぬカテーテルのジャンプアップを起こすことがあり同様に注意が必要である．

3▶ ICA 分岐部から動脈瘤ネックまでの A1 の長さ（マイクロカテーテル挿入側）（図 3）

　先の ICA と A1 の角度が急峻であった場合に，A1 の長さが短いとマイクロカテーテル先端の方向を動脈瘤側に方向づけるのは非常に困難になる．今回の結果では，A1 の長さは 9.1 mm ～ 21.6 mm（平均 16.1 mm）であった．過去の報告では，A1 の平均的な長さは 12 mm 前後であり[3,4]，われわれの症例のまとめではやや長い A1 が多かったことになるが，動脈瘤の存在する症例を選択していることとマイクロカテーテルを挿入する側を選択していることが関係しているかもしれない.

4▶ A1 と動脈瘤長軸方向の角度など（図 4）

　15 mm 前後の A1 を走行したマイクロカテーテルを平均 5 mm 径の動脈瘤に挿入しなければならない．A1 と動脈瘤の角度が急峻であれば当然その操作は難しくなり，不用意な

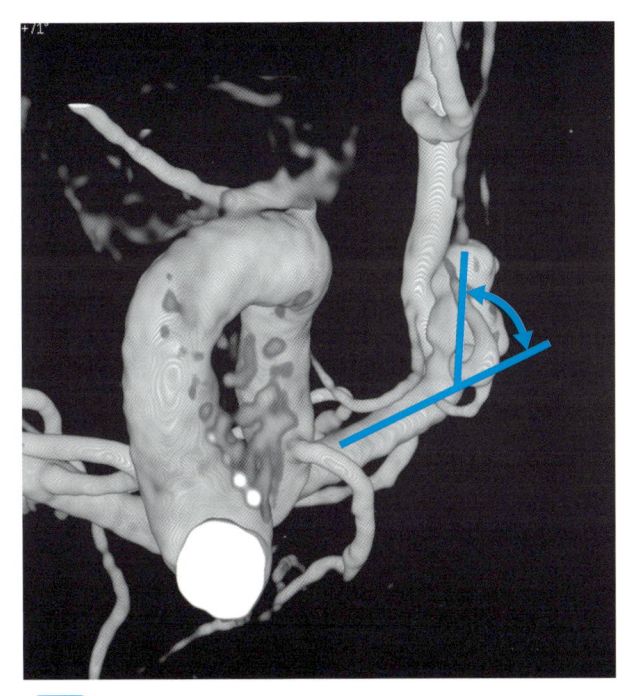

図4 A1 と動脈瘤の分岐角度
実際には瘤の方向と長軸方向の長さが重要．A1 が短く，A1 長軸と瘤の角度が急峻の場合，誘導が難しいことが予想される．

操作で動脈瘤を突き破りかねない．今回の検討では，A1 と動脈瘤の角度は 0°〜100°（平均 44°）であった．A1 の長軸に対して 20°程度までをほぼ直線上と考えると，症例の 70 % 以上は A1 に対してズレを生じていた．またその方向は，単純に上下前後に分類すると，上 21 例，下 4 例，前 3 例，後 2 例であり，われわれの症例では上向きの動脈瘤を多く認めたが，破裂動脈瘤の分岐方向には違いがないとの報告もある[5]．

5 ▶ 使用したカテーテル形状（図 5，6）

上向きの動脈瘤では 62 % で S 字形状のカテーテルを使用していた．S 字形状については，以前はプリシェイプ型も使用していたが，最近の症例では A1 の長さと動脈瘤長軸の長さを計測してヒートガンを使用してマニュアルで形状付けを行っている．下向きの動脈瘤では先端は 45°または 90°形状のマイクロカテーテル（ICA 部と先端により形状はクランク状になる）を使用していた．

Check Point

マイクロカテーテルの形状付けは，主に 2 つの方法がある．
1） スチームでの形状付け（添付文書では通常はスチーム使用が記載されている）．
2） ヒートガンでの形状付け（120℃の温風を 1.3 から 2 倍曲げの先端に 40 秒から 50 秒あてる．マイクロカテーテルをヘパリン加生食などで濡らさないで行ったほうが強固な形状付けできるが，マイクロカテーテルがマンドリルと接着してコーティングが剥がれる恐れがあるので注意が必要である）．
いずれの方法も形状づけは可能であるが，ヒートガン使用のほうが強固に形状付けできることが多い．

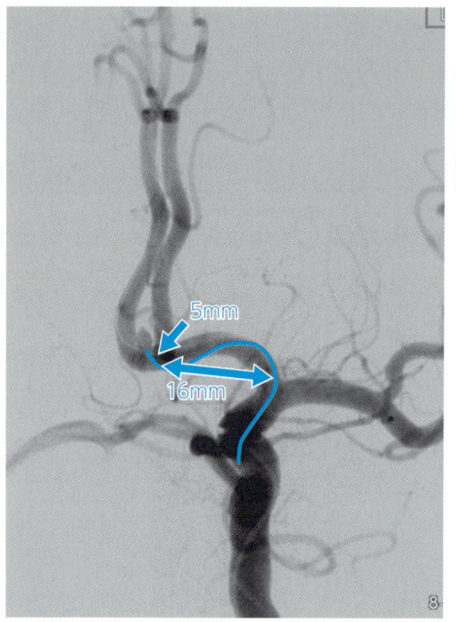
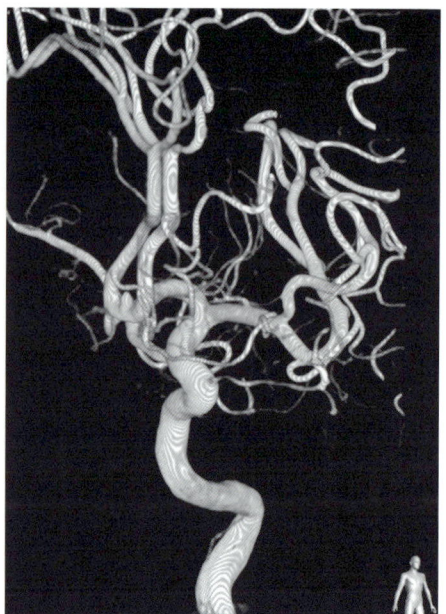

図5 実際の上向きの動脈瘤に対して計測

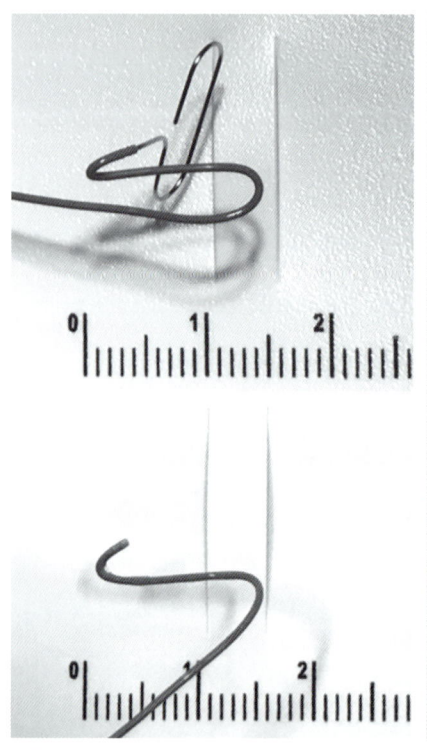
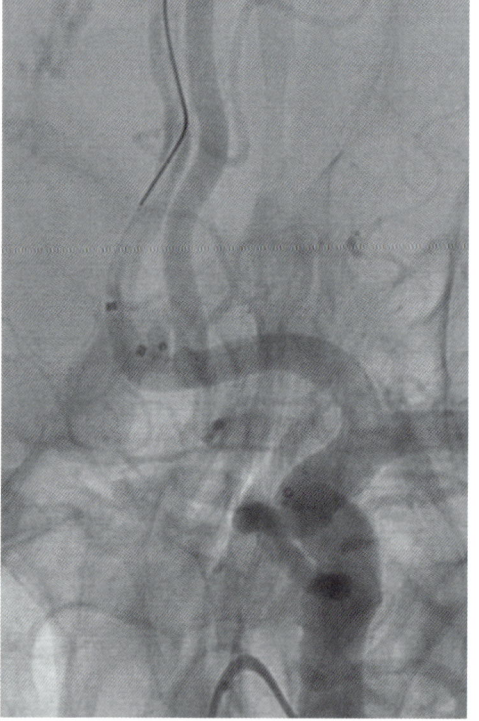

図6 計測値にあわせて形状付けを行う.
右図は瘤内にカテーテル誘導後，オクルージョンバルーンがスタンバイされている.

6 ▶ 塞栓結果と合併症

完全閉塞が 11 例，neck remnant が 11 例，body filling が 8 例であった．術中に破裂した症例を 2 例で認め，その 2 例は 3 mm 大の上向きの破裂症例であった．

Check Point

1) 破裂動脈瘤と未破裂動脈瘤では，破裂動脈瘤のほうが小さいことが多く 5 mm 前後が多い．
2) A1 の平均的な長さは，12〜14 mm 程度である．
3) ICA と A1 の分岐角度は平均 140°程度である．90°以上は曲げたほうがよい場合が多い．
4) まとめると，マイクロカテーテルの先端から 5 mm の部分と 15〜20 mm の部分で形状をつけることで，ほとんどの動脈瘤で安定した瘤内での支持が得られることが多い．実際には 3D 画像で計測して形状を付けることが推奨される．

3 まとめ

前交通動脈瘤に対して，今後も血管内治療を行う症例は増加していくことが予想される．高齢者が増加して，動脈硬化によって屈曲蛇行の強い血管を通過して動脈瘤内にマイクロカテーテルを誘導しなければならないため，時には思うようなカテーテルのポジショニングができず期待していた閉塞結果が得られないこともある．安全に安定してマイクロカテーテルを誘導するためには，ガイドワイヤーを先行して瘤内に誘導してカテーテルを追従させる方法，瘤のネック近傍の母血管内でマイクロカテーテル内にて硬いガイドワイヤーを回して瘤に方向付けして挿入する方法，特に上向き瘤の場合には先に A2 まで誘導した

マイクロカテーテルを引いてきて最後に押し入れる方法など多々みられる．慣れた方法で行うのがよいと思われるが，苦労して瘤内に挿入したカテーテルが 1 本目や 2 本目のコイルで抜けてしまい，再挿入ができなくなってしまうことも経験することがある．

A1 の長さや ICA との分岐角度を測定して，動脈瘤の方向にあわせたカテーテル先端の形状付けは安定した留置を可能にし，思わぬカテーテルの先進などの移動も防ぐ可能性がある．最近では，治療前に 3D プリンタを利用してリアルサイズのモデルを作成し，モデルと同一の三次元形状を付けることで安定してマイクロカテーテルを留置できるとの報告も多い．しかし，予定症例であれば時間的な余裕をもってモデル作成も可能であるが，破裂症例でモデル作成に時間が費やせないことも多い．そういった臨床においてワークステーションで作成した 3D 画像で計測した長さや形状に合わせたシェイピングは有用である．

A1 の平均的な長さは 12〜16 mm 程度であり，動脈瘤の A1 に対する角度は 70％以上が A1 直線上からは離れている．3D 撮影を参考にして，A1 分岐部になる部分とカテーテル先端に上向きや下向きに形状を付けることで留置したマイクロカテーテルをコイル挿入中も安定させることが可能である．

また，マイクロカテーテルの形状をつける際に特に ICA から A1 の屈曲部分のカーブを折れ曲がるような形状をつけてしまうとマイクロカテーテルを押した際に折れ曲がった部分が M1 側に移動してしまうことがある．強めのカーブ状の形状をつけて，カテーテルを押した際に A1 側に形状部分が進むようにしたほうが，先端に力が加わりやすい．

A1 から動脈瘤に入る部分では，予想しているよりも少し強めの角度を付けたほうが安

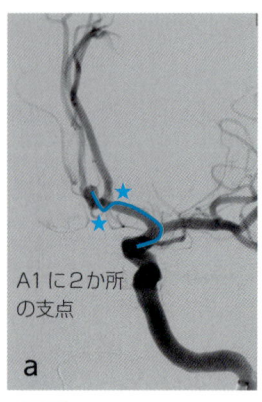
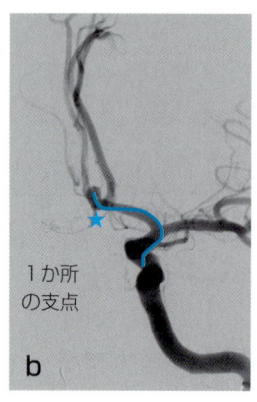
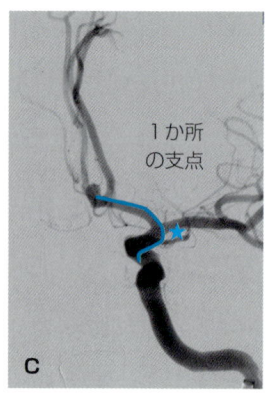
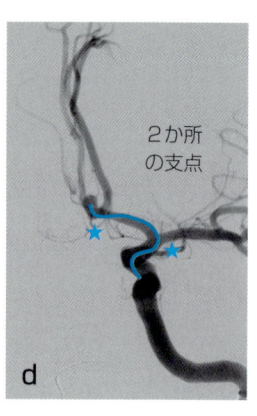

図7 マイクロカテーテルの形状付けの違いによる支点の違い

一般的には複数か所に支点のある a または d の方法で治療されることが多い．d の方法のための A1 長および ICA と A1 の分岐角度を参考とする．

定性は得られることが多い．Haedway17（テルモ）は形状が付きやすいが，付き過ぎてしまうこともあり注意は必要である．最適な形状が得られても上向きの小さい動脈瘤で，さらに手元の操作と先端が 1 対 1 で動かないような場合に，無理に押し込もうとすると危険なこともあるため，A2 からの引き戻し挿入が必要になることもある．

図7 では，前交通動脈瘤へのマイクロカテーテル留置の際の支点の選択であるが，安定性を得るためには，複数か所に支点があるほうがよい．症例により方法はさまざまであると思われるが，われわれの施設ではマイクロカテーテルの形状を実際の血管長を計測して d の 2 か所で支点が得られるようにして

行い，安定した治療が行えるようになってきている．

以上，今後の治療の参考になれば幸いである．

【文献】

1) Hea-Kwan Park, *et al.*: Periprocedural morbidity and mortality associated with endovascular treatment of intracranial aneurysms. *AJNR Am J Neuroradiol* 2005：**26**：506-514.
2) 大石英則：急性期破裂前交通動脈瘤に対する血管内手術の治療成績．JNET 2008：**2**：9-15.
3) SB Pai, *et al.*：Microsurgical anatomy of the anterior cerebral artery – anterior communicating artery complex：An Indian study. *Neurology Asia* 2005：**10**：21-28.
4) Sandhya AG, *et al.*：Variations of anterior cerebral artery in human cadavers. *Neurology Asia* 2013：**18**：249-259.
5) Jingya Ye, *et al.*：Relationship of the angle between the A1 and A2 segments of the anterior cerebral artery with formation and rupture of anterior communicating artery aneurysm. *Journal of the Neurological Sciences* 2017：**375**：170-174.

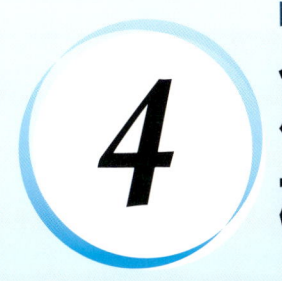

4 急性期のステント併用コイル塞栓術はどうすれば成功するか？

京都大学大学院医学研究科脳神経外科　**石井　暁**

Essential Point

- 急性期 SAC は虚血性合併症だけでなく，出血性合併症も起こりやすい．
- 破裂急性期の目的は，破裂点の止血であり，動脈瘤の根治ではない．部分閉塞による止血が可能であれば，急性期 SAC は回避して，慢性期（スパスム期終了後）に SAC による根治を行う．
- 急性期 SAC に対する DAPT ローディングは Earlier is Better．治療前のローディングが最も虚血性合併症の頻度が低い．ステント使用の決断は早いほどよい．

1 はじめに

　破裂急性期のステント併用コイル塞栓術（stent-assisted coiling：SAC）は適応外治療である．破裂急性期の凝固亢進状態におけるステント血栓症のリスクのみならず，強力な抗血小板療法によりさまざまな出血性リスクも上げるためである[1]．1,090 例のメタアナリシスでは，破裂急性期の SAC は未破裂脳動脈瘤の 5.03 倍，出血性合併症が高い[2]．つまり，**破裂急性期 SAC は未破裂脳動脈瘤 SAC と比較すると，虚血性合併症も出血性合併症もはるかに起こりやすい**．われわれは，破裂点を含む部分塞栓術が可能と考えられる場合は，急性期はステント併用しない部分塞栓術に留めて，スパスム期が終了した慢性期に SAC を行う基本方針としている．ただし，以下のような場合は，抗血小板薬のローディング投与を行った後に急性期の SAC を行っている．本稿では当施設における適応と方法，術後管理について述べる．

Pitfall

破裂急性期のコイル塞栓術の目的は破裂点の止血であり，根治ではない．動脈瘤の部分閉塞で止血が見込める場合は，急性期での根治にこだわってはいけない！

2 急性期 SAC を検討すべき症例

　当施設では下記の 5 つのケースで急性期の SAC を検討している．
①動脈瘤径が小さく部分塞栓術が困難な囊状動脈瘤（図 1a）
　一般的に動脈瘤径が 4 mm 以下では部分閉塞は非常に困難である．
②破裂点がネック近傍と考えられる囊状動脈瘤（図 1b）
　通常，破裂点は先端側に位置することが多いが，ネック近傍にブレブが存在することもある．このような動脈瘤でワイドネック瘤の場合，ネック近傍まで十分に閉塞することが

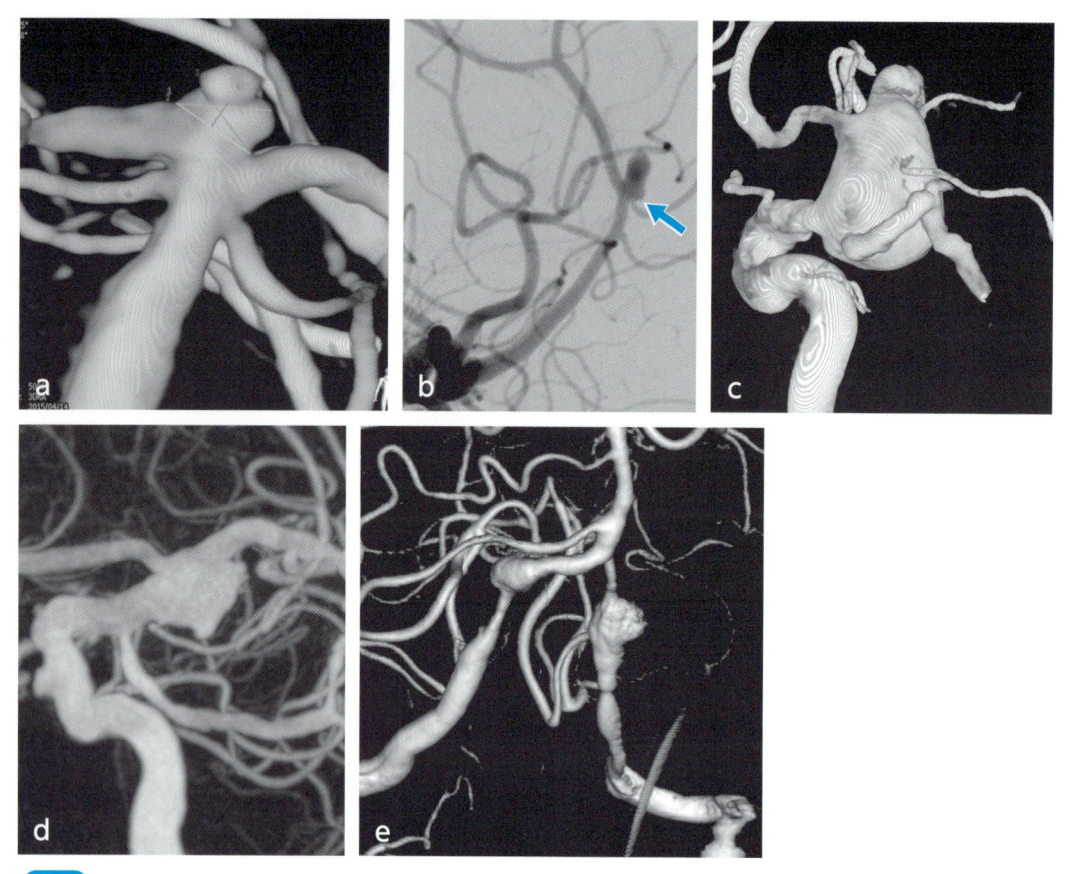

図1 急性期 SAC を検討すべき症例

a：症例 1．ドームの高さの割にネック径が大きく，最大径も 4 mm と小さい．ブレブのみの部分塞栓は困難と予想されるため，急性期 SAC を行った（図3）．

b：前大脳動脈遠位部破裂脳動脈瘤．先端部のほか，ネック近傍にもブレブ形成を疑う部分（矢印），急性期に動脈瘤全体を閉塞させるため，急性期 SAC を選択した．

c：症例 2．両側椎骨動脈解離性脳動脈瘤．どちらが破裂したかは SAH 分布のみでは判断できず，より大型の左側を母血管閉塞し，右側は SAC を行う方針とした（図4）．

d：症例 3．大型動脈瘤で破裂点は脳血管撮影ではまったく判断できない．また，前脈絡叢動脈を温存する形の部分塞栓は困難と判断し，急性期 SAC とした（図5）．

e：内頚動脈前脈絡叢動脈瘤．ブレブは上方と下方に複数認められ，破裂点は不明である．ネックは非常に広く，ドームの高さも低いため，部分塞栓は困難である．

できないため，急性期の SAC を検討する．

③大型動脈瘤でドームの高さが浅く部分閉塞が困難な囊状動脈瘤（図1c）

大型動脈瘤は通常，部分閉塞が可能であるが，ドームの高さが小さい「底が浅い」形状の場合，部分閉塞は極めて困難であり，急性期 SAC を積極的に検討する．

④破裂点が不明な囊状動脈瘤（図1d）

破裂点がまったく予測できないワイドネック動脈瘤の場合，急性期 SAC で完全閉塞を検討する．

⑤母血管閉塞術ができない解離性脳動脈瘤（図1e）

母血管を温存しなければならない解離性脳動脈瘤（対側が低形成，両側解離など）の場合，少なくとも一側は SAC による母血管温存治療を試みる．

逆に，図2のように部分閉塞が可能な症

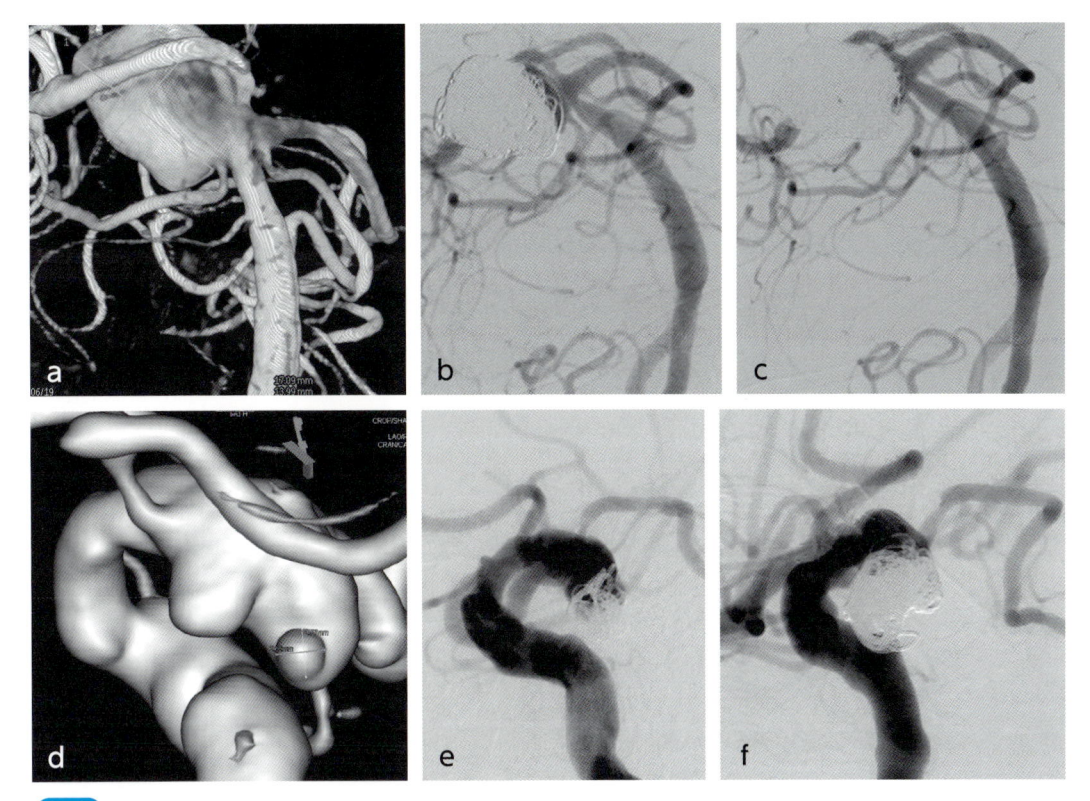

図2 急性期部分塞栓および慢性期 SAC を行った症例

a：脳底動脈上小脳動脈分岐部大型動脈瘤，治療前.
b：急性期コイル塞栓後.
c：慢性期（SAH 後 20 日）SAC 後.
d：内頚動脈後交通動脈大型動脈瘤，治療前.
e：急性期コイル塞栓後. 先端のブレブを含む部分塞栓に留めた.
f：慢性期（SAH 後 21 日）SAC 後.

例では急性期 SAC は避ける. 一般的に破裂点は先端側に位置することが多く，多くの大型動脈瘤では先端側の部分閉塞で急性期の再破裂を防ぎ，スパズム期が終了してから強力な抗血小板薬 2 剤投与を開始して SAC を行うことが可能である. また，小型動脈瘤でも高さがある動脈瘤の場合は，先端側のみの閉塞は安全に可能である.

 **Do not**

破裂急性期に対する安直な SAC の適応は控える！

3 方法

破裂急性期の治療はすべて全身麻酔下で行うため，麻酔導入時に胃管を必ず挿入しておく. クリッピングの可能性がなく，SAC で治療を完遂できると判断する場合は麻酔導入後直ちに**アスピリン 200 mg，クロピドグレル 300 mg（いずれも粉砕）を胃管投与する. 同時にオザグレルナトリウム 40〜80 mg の急速静脈内投与**を開始する. 診断 DSA 後にクリッピングの可能性を再検討する場合や，SAC でも治療ができない可能性がある場合は実際にステント留置するまでローディング

投与は控えるが，その判断はできるだけ早く行い，実際にステント留置する前に投与が終了しているほうが望ましい．急性期のSACにおいて，虚血性合併症の発現率を調査したメタアナリシスによると，術後投与（アスピリンとクロピドグレルのローディング投与）は未破裂脳動脈瘤の4.54倍も虚血性合併症が高くなる．術前投与（アスピリンとクロピドグレルのローディング投与）は1.34倍，術中投与（IIb/IIIa阻害薬）は1.65倍である[2]．つまり，**抗血小板薬の投与はEarlier is Better**である．

また，抗血小板薬導入後の再出血率は11%と非常に高いため[1]，SACの場合は十分な塞栓を心掛ける．

Check Point
- 破裂急性期SACの抗血小板薬投与はEarlier is Better!
- ステントを使用するかどうかの決断はできるだけ早く！

4 実際の症例

■症例1：ワイドネック小型脳底動脈瘤（図3）

74歳女性．WFNSグレード4．最大径は4 mmでドーム・ネック比は0.8程度で先端のブレブのみの閉塞は極めて困難であるため，急性期のSACを行う方針とした．

高齢者で後方循環系動脈瘤であるため，クリッピングに変更する可能性はほとんどなく，形状からステント併用すればコイル塞栓は十分可能と判断したため，全身麻酔導入時にアスピリン200 mg，クロピドグレル300 mgを胃管投与した．ヘパリン3,000単位を静脈投与し，左椎骨動脈に7 Frガイディングカテーテルを留置した．ワーキングアングルにてネックは右P1に騎乗しているため（図3a），

右PCAにProwler Select Plus，動脈瘤内にSL10-STRを留置し，ステント留置時の瘤内のマイクロカテーテルの滑落や先進に備えてフレーミングコイルGalaxy Fill 3 × 8 mmの2ループを瘤内に挿入した（図3b）．Enterprise VRD2 23 mmを留置した．コーンビームCT撮影後に先に留置したGalaxy Fill 3 × 8 mmをそのまま留置した．さらにDeltaplush 2 × 3 mmを留置したところで，マイクロカテーテルは母血管へ逸脱した．動脈瘤の完全閉塞とステント内血栓のないことを確認して終了した．

■症例2：脳梗塞4日後にくも膜下出血を発症した両側椎骨動脈解離性脳動脈瘤（図4）

52歳女性．右延髄外側脳梗塞で発症し，両側椎骨動脈解離を認めた．抗血小板薬（アスピリン100 mg）導入後，第4病日にくも膜下出血（WFNSグレード2）を発症した．両側の解離性動脈瘤の形態変化を認めており，SAH分布からもどちらの破裂かは判断できなかった．より大きく形態変化を認めた左側は母血管閉塞し，右側はSACで母血管温存治療を行う方針とした（図4a）．第4病日にアスピリン200 mg，クロピドグレル300 mgのローディング投与を行い，全身麻酔導入した．全身麻酔導入後にオザグレルナトリウム40 mgの静脈投与を開始した．左側の母血管閉塞術の後に，右側のSACを開始した．右椎骨動脈に7 Frガイディングカテーテルを留置し，Prowler Select Plusを脳底動脈，右椎骨動脈の偽腔にSL10-STRを留置した．偽腔にGalaxy 2 × 8 mmを留置，EnterpriseVRD 28 mmを展開した（図4b）．偽腔内にはコイルの追加は行わず，手技を終了した（図4c）．

術後2週間（図4d），3か月（図4e），5か月後（図4f）のDSAで徐々に偽腔の閉塞と母血管の狭窄の改善を認めた．

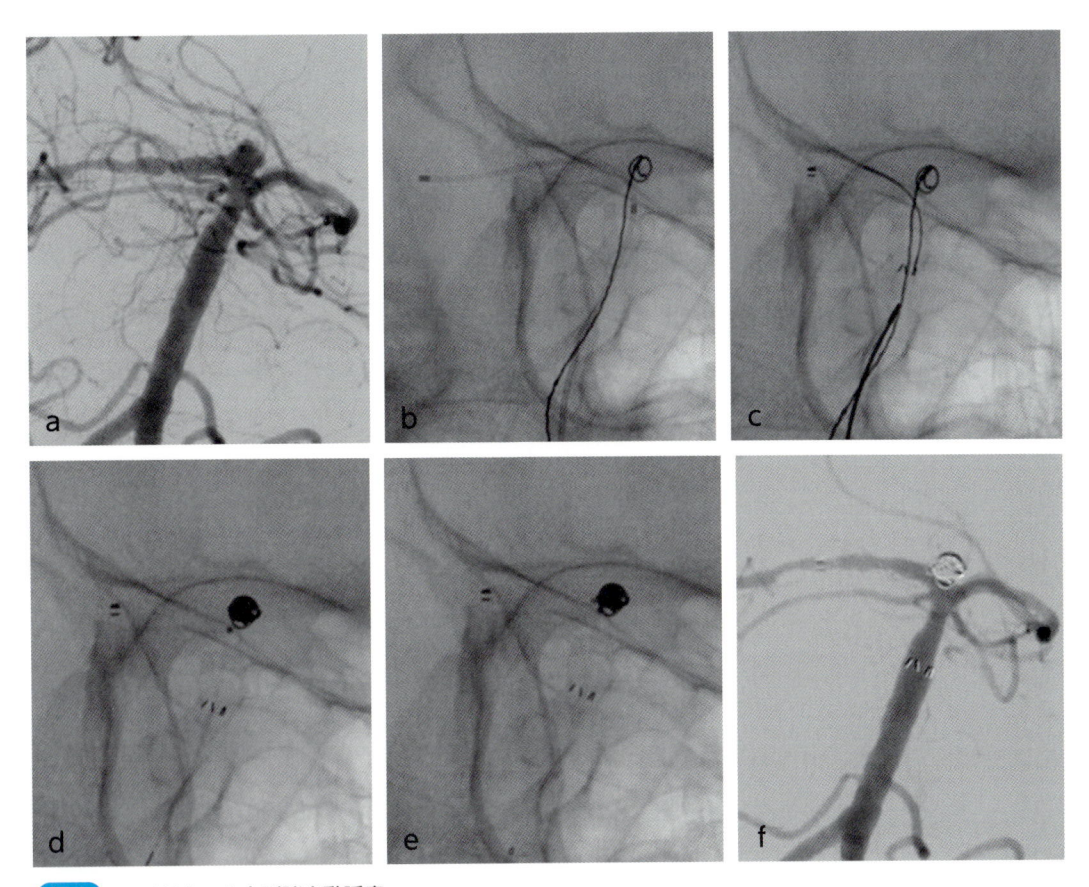

図3　ワイドネック小型脳底動脈瘤

a：ワーキングアングル撮影．
b：右 PCA へ Prowler Select Plus を誘導，瘤内にはコイルの 2 ループのみ留置した．
c：Enterprise VRD2 23 mm を留置．
d：Galaxy Fill 3 × 8 mm を留置．
e：Deltaplus 2 × 3 mm を留置．
f：動脈瘤は完全閉塞し，ステント内血栓も認めない．

■症例 3：大型紡錘状内頚動脈瘤（図 5）

72 歳女性．WFNS グレード 2．右内頚動脈紡錘状動脈瘤で前脈絡叢動脈と後交通動脈はドームより分岐して（図 5a），母血管（と思われる部分）の対側に描出される．通常の SAC ではこれらの分枝を温存できないため，ドーム経由でのステント留置を行う方針とした（図 5b）．全身麻酔導入後，アスピリン 200 mg，クロピドグレル 300 mg を胃管投与した．右内頚動脈に 7 Fr ガイディングカテーテルを留置，MCA にドーム経由で Prowl-er Select Plus，動脈瘤内に SL10 を留置した．ドーム経由で MCA に留置された Prowler がコーンビーム撮影で前脈絡叢動脈近傍を走行することを確認して，Enterprise VRD 37 mm および 28 mm を留置した（図 5c, connecting stenting）．動脈瘤内のコイル塞栓を可及的に行い（図 5d），前脈絡叢動脈が描出される状態で手技を終了した（図 5e）．術後 1 か月の DSA でも前脈絡叢動脈の描出は良好で，再破裂や脳梗塞の出現を認めなかった（図 5f）．

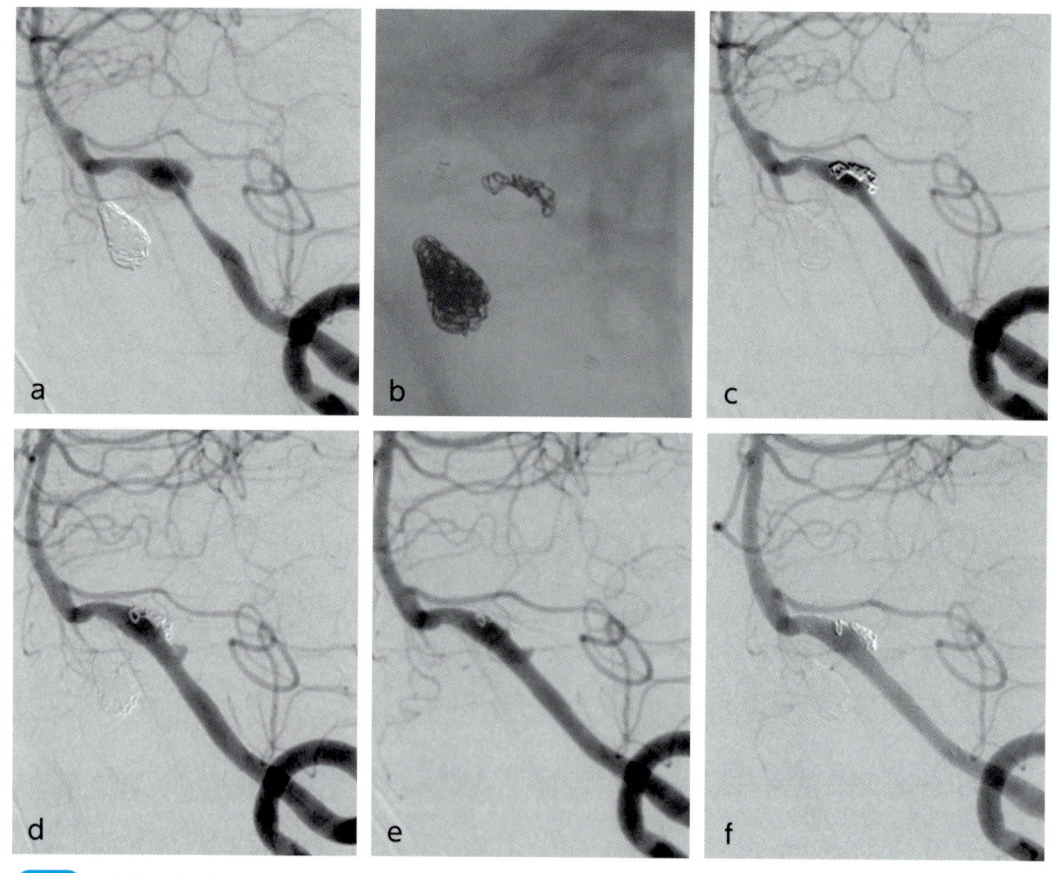

図4 右椎骨動脈解離性脳動脈瘤

a：対側は母血管閉塞されており，右側を SAC を行う方針とした．
b：Enterprise VRD 28 mm を留置，偽腔には Galaxy helical 2 × 8 mm を留置した．
c：治療直後の右椎骨動脈撮影で，偽腔にはまだ造影剤の流入を認める．
d：2 週間後の右椎骨動脈撮影で，コイルが留置された偽腔は閉塞しているが，近位部に新たな偽腔の描出を認める．
e：1 か月後．新たな偽腔の縮小を認める．
f：5 か月後．新たな偽腔も完全に閉塞し，母血管の狭窄は完全に解除されている．

5 急性期 SAC 後の術後管理

　急性期部分塞栓および慢性期 SAC の場合，術後翌日よりアスピリン 100 mg とシロスタゾール 200 mg の投与を開始し，スパズム期終了後（第 15 病日）にシロスタゾールをクロピドグレル 75 mg に変更している．術後 21 日目以降に SAC による根治術を行う．

　一方，急性期 SAC を行った場合，直ちに DAPT が開始されるため，観血的処置はあらかじめ治療前に行うことが重要である．繰り返すが，破裂急性期 SAC では，出血性合併症は未破裂脳動脈瘤の約 5 倍リスクが高い．脳室ドレナージが必要な場合は DAPT 導入前に挿入しておき，SAC 手技中は圧高 30 cm で開放しておくかクランプしておく．また，血腫除去術が必要となる場合は，SAC による止血完成後に内視鏡的血腫除去を行う．

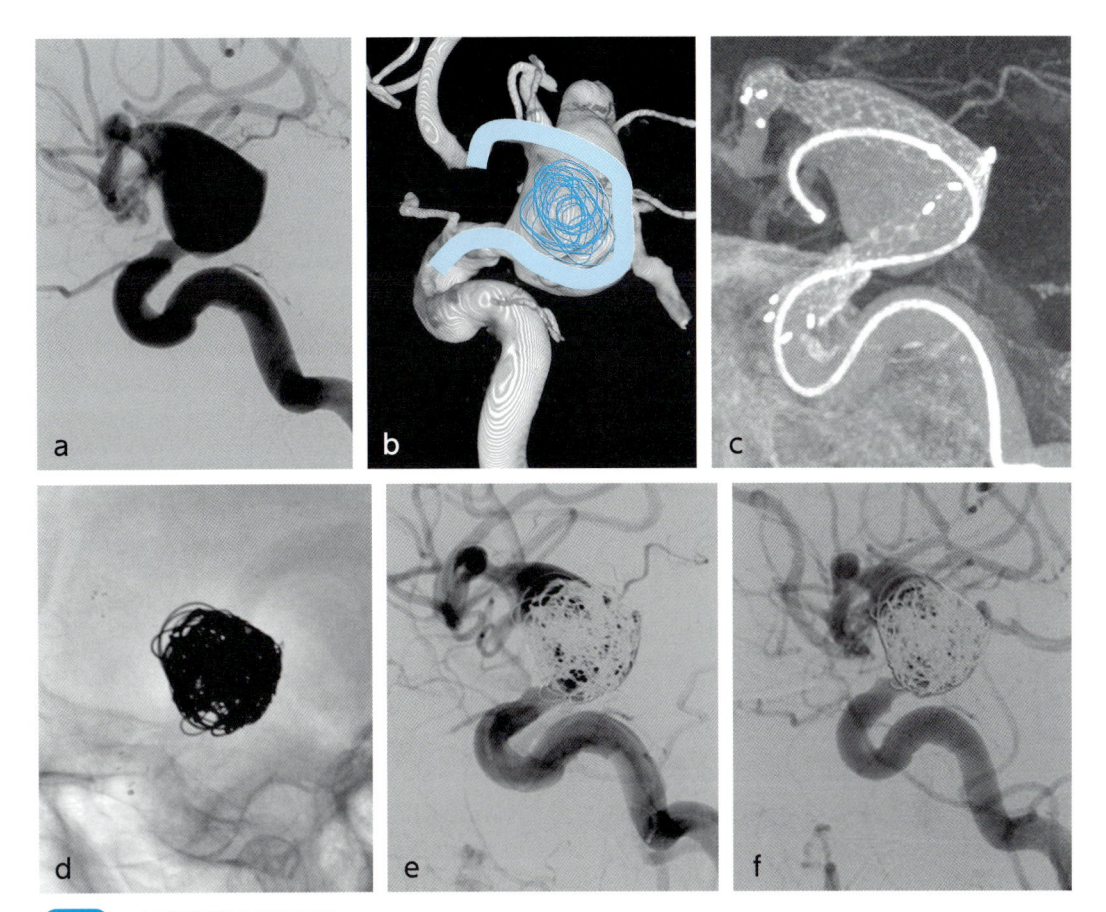

図5 大型紡錘状内頚動脈瘤
a：右内頚動脈撮影．C1 部の紡錘状動脈瘤でドームより前脈略叢動脈が描出される．
b：ドーム経由でステント留置を行い，前脈略叢動脈を温存する SAC を行う方針とした．
c：Enterprise VRD 37 mm，28 mm を接続して留置した．
d：コイルを 14 本留置した．
e：動脈瘤は可及的に閉塞し，前脈略叢動脈は温存された状態で終了した．
f：1 か月後．前脈略叢動脈は温存されている．

Pitfall

破裂急性期 SAC を行う場合，脳室ドレナージなどの観血的処置は治療開始前（DAPT開始前）に行う．

［文献］

1）Ryu CW *et al.*：Complications in Stent-Assisted Endovascular Therapy of Ruptured Intracranial Aneurysms and Relevance to Antiplatelet Administration: A Systematic Review. *AJNR Am J Neuroradiol* 2015;**36**:1682−1688.
2）Bechan RS *et al.*：Stent-Assisted Coil Embolization of Intracranial Aneurysms: Complications in Acutely Ruptured versus Unruptured Aneurysms. *AJNR Am J Neuroradiol* 2016;**37**:502−507.

5 Blood blister aneurysm 治療の up to date

愛知医科大学脳血管内治療センター　**大島共貴**

*E*ssential Point

- 血豆状脳動脈瘤は，直達手術，血管内手術ともに治療が困難な疾患である．
- Flow diverter の登場は，血豆状動脈瘤治療のオプションとなり得るのか？
- 近年の血豆状脳動脈瘤に関する文献レビューを行い，世界のトレンドを調査した．

1 はじめに

　血豆状脳動脈瘤（blood blister aneurysm：BBA）は，頭蓋内動脈瘤の中ではまれではあるが，直達手術，血管内手術ともに治療が困難な疾患である．BBA の一般的な特徴は，鞍上部内頸動脈の前内側壁の屈曲部に存在し，枝血管はみられない．形態学的にはドームが浅く広頸である．発生原因は明らかでなく，血管壁の局所的な傷害による血行力学的ストレスと考えられている．BBA は全破裂脳動脈瘤の 1％程度と報告されている[1]．伝統的な治療手段は，直達手術による clipping，wrapping，バイパス術併用の trapping である．しかしながら，BBA の術中破裂率は 50％以上といわれ，囊状動脈瘤の 7％と比較すると明らかに高い[2]．熟練した術者にとっても困難な手術といえる．近年，Flow diverter（FD）の登場によって，BBA への使用が有効という報告が散見される．そこで，最近の BBA に対する治療戦略について文献レビューを行った．

2 方法

　2018 年 7 月 24 日，インターネット上に展開する論文検索システム PubMed[3]にて key word 検索を行い，関連論文数，直達手術に関する論文数，血管内治療に関する論文数，その中で FD に関する論文数の年次推移を調べた．また，最新の文献から現在のトレンドと課題を調査した．

3 結果

　まず，key word を「blood blister aneurysm」「subarachnoid hemorrhage」「treatment」などで検索した結果，最も精度の高い key word は，「intracranial」＋「blister aneurysm」と思われた．総数 194 件の文献がヒットした．論文数の年次推移を図 1 に示す．次に，直達手術に関する論文数，血管内治療に関する論文数，そのうち FD に関する論文数の年次推移を図 2 に示す．

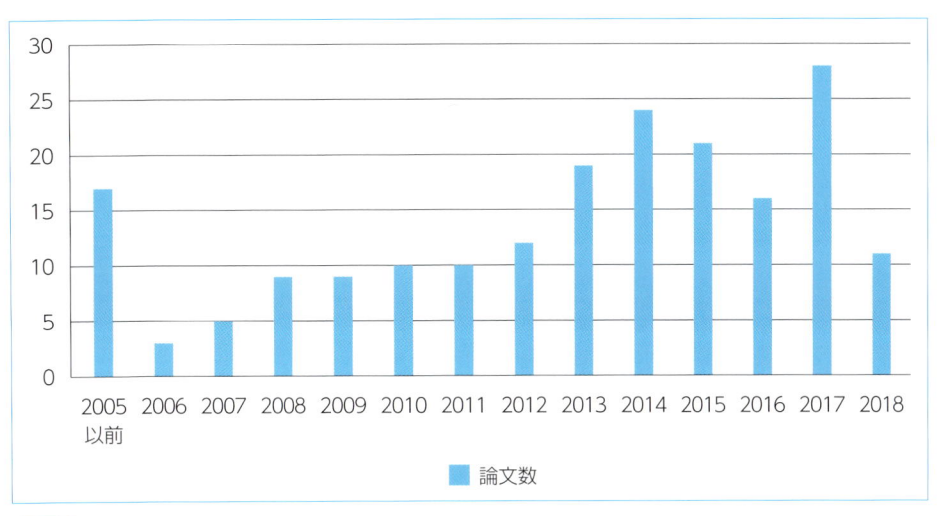

図1　論文数年次推移

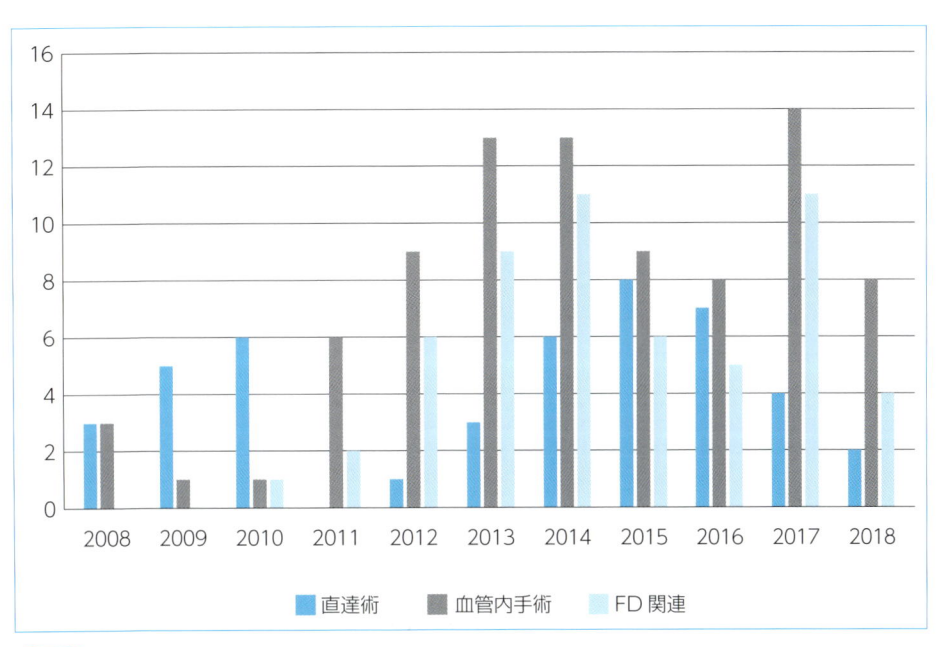

図2　分野別論文数年次推移

4　考察

　BBA の治療に関しては議論の余地が多く，最近 5 年においても毎年 20 件ほどの論文が渉猟された．2008 年から 2012 年の 5 年間では年間 10 件ほどであったため，近年は BBA に対する関心が増えていると考えられた．論文の内容をみてみると，2010 年までは直達術に関する症例報告が多かった．2011 年より，動脈瘤アシスト用ステントの単独，あるいは複数の overlapping やコイル併用術の症例報告が増えた．2012 年からは FD の Pipe-line embolic device（PED．メドトロニック）を用いた報告が急増し，現在まで続いている．

2016年以降にpublishされた論文を中心に簡単なレビューを記す.

① Peschillo S, et al. : A systematic review and meta-analysis of treatment and outcome of blister-like aneurysms. AJNR Am J Neuroradiol. 2016 ; 37 : 856-861.[4]

クモ膜下出血発症のBBA, 334例の文献レビュー. 直達術治療群と血管内治療群に分けて転帰を検討した. 114例（34.2％）が直達群, 199例（59.5％）が血管内群であった. 転帰良好例（mRS 0-2）は, 直達群：67.4％, 血管内群：78.9％であり, 後者が多かった（$p = 0.034$）.

② Mokin M, et al. : Treatment of blood blister aneurysms of the internal carotid artery with flow diversion. J Neurointerv Surg. 2018 ; 10 : 1074-1078.[5]

破裂内頚動脈BBAに対してPEDを用いて治療した連続43症例の検討を行った. PED留置後, 42例（98％）にdual antiplatelet therapy（DAPT）が行われた. 3か月後の転帰良好例（mRS 0-2）は68％（26/38）であり, BBAに対するPED＋早期DAPT開始は有効であると結論された.

③ Parthasarathy R, et al. : Safety of Prasugrel loading in ruptured blister like aneurysm treated with a Pipeline device. Br J Radiol. 2018 ; 91 : 20170476.[6]

破裂BBAに対してFD（PED）を留置する2時間前にPrasugrelのloadingを行った, 9症例のケースシリーズである. いずれも出血性・虚血性合併症はみられず, 8例（89％）に動脈瘤の完全閉塞を認めた.

④ Strickland BA, et al. : Extracranial-intracranial bypass for treatment of blister aneurysms: efficacy and analysis of complications compared with alternative treatment strategies. World Neurosurg. 2018 ; 117 : e417-e424.[7]

単一施設のケースシリーズ. 17症例（88％15例/17例が破裂）に対して, wrapping, ligation, EC-IC bypass and trappingなどの直達術が施行された. 6例/17例に術中動脈瘤破裂がみられた. しかし, バイパスを先行させた症例では術中破裂がみられず, 転帰良好が75％（3例/4例）であった. バイパスを多く行っている施設では, 長期的な安定性を考えると血管内手術よりも直達術が勧められると結論された.

⑤ Hellstern V, et al. : Microsurgical clipping and endovascular flow diversion of ruptured anterior circulation blood blister-like aneurysms. Interv Neuroradiol. 2018 ; 24 : 615-623.[8]

単一施設のケースシリーズ. 破裂BBA 8症例に対して, 2例はclipping, 6例は血管内治療を行った. 4例にFD留置を行った. 全例で周術期合併症や再破裂はなく, follow up血管撮影で完全閉塞を認めた. 血管内治療に際しての抗血栓療法でトラブルはみられず, 急性期FD留置の有効性を提唱している.

⑥ Chen F, et al. : Suturing treatment for blood blistereLike aneurysm in supraclinoid segment of internal carotid Artery. World Neurosurg. 2018 ; 109 : 271-274.[9]

マイクロ手術で直接縫合した破裂BBA 5症例の報告. 全例で再破裂なく, 転帰は良好であった.

⑦ Ren Y, et al. : Microsurgical versus endovascular treatments for blood-blister aneurysms of the internal carotid artery：A retrospective study of 83 Patients in a single center. World Neurosurg. 2018；109：615-624.[10]

単一施設で治療した BBA 83 例の後方視的検討．33 例がマイクロ手術，50 例が血管内手術であった．1 年後の転帰良好（mRS 0-2）はマイクロ手術　18 例（54.5 %），血管内手術　38 例（76.0 %）であった（$p = 0.041$）．BBA の形態が許せば，血管内手術のほうが好ましいと結論された．

⑧　Liu Z, et al.：Management of blood blister-like aneurysms of the internal carotid artery：Lessons learned from direct clipping in 22 cases. World Neurosurg. 2017；108：618-626.[11]

単一施設の後方視的研究．破裂 BBA に対して clipping 術を行った 22 例の検討．12 例で clip 後に血管裂傷が起こり，そのうち 9 例に母血管閉塞をやむを得ず行った．10 例が死亡．血管内治療が好ましいという結論に至っている．

⑨　Zhu D, et al.：Overlapped stenting combined with coiling for blood blister-like aneurysms：Comparison of low-profile visualized intraluminal support（LVIS）stent and non-LVIS stent. World Neurosurg. 2017；104：729-735.[12]

単一施設で破裂 BBA に対するステントの overlap とコイルを併用した 37 症例の後方視的検討．LVIS ステント（テルモ）を用いた 18 例と用いなかった 19 例を比較したところ，再開通率は前者が低く（$p = 0.016$），手技に伴う合併症率は変わらなかった（$p = 0.604$）．

⑩　Song J, et al.：Endovascular treatment of ruptured blood blister-like aneurysms with multiple（ ≥ 3）overlapping Enterprise stents and coiling. Acta Neu-

rochir（Wien）. 2016；158：803-809.[13]

4 施設で破裂 BBA に対して複数の Enterprise ステントを重ねて治療した症例の後方視的研究．平均 12 か月での血管撮影では全例で完全閉塞がみられた．FD 時代ではあるが，Enterprise ステントの複数留置も治療オプションとなり得ると考察されている．

以上，最近の BBA に対する治療戦略について文献レビューを行った．FD やステントが使用可能な状況下では，比較的強力に抗血栓治療を行いながら，コイルを併用したり，複数本重ねたりすることが治療の主流となり得ると思われた．わが国では破裂急性期に FD やステントの使用は認められていないが，今後は母血管を温存できる生理的な治療法として考慮に入れるべきである．Matsubara[14]は，初診時に BBA かの判別も困難であった破裂症例の待機中に，仮性瘤の形態変化によってバルーンアシストで塞栓できた症例を報告している．待機中は再破裂のリスクを伴うが，丹念に画像 follow を行うことによって，治療の機会が生まれる可能性がある．また，血管内手術に際しては，術中破裂率の高い疾患なので，バルーン付きガイディングカテーテルを破裂時の保険として使うことも有用と考える．[15]

> **Check Point**
> ----------------------
> 　破裂 BBA に対して FD やステントを用いる場合は，比較的強力な抗血栓治療の導入が転帰をよくしている．

5　結語

　BBA の治療は直達手術，血管内手術ともに困難である．文献をレビューすると，血管内治療デバイスの進化とともに報告内容・報

告数に変動がみられた．わが国では適応外の使用法ばかりであるが，世界のトレンドを知りながら困難な疾患の治療に挑戦したい．

［文献］

1）Abe M, *et al.*：Blood blister like aneurysms of the internal carotid artery. *J Neurosurg* 1998；**89**：419-424.

2）Owen CM, *et al.*：Blister aneurysms of the internal carotid artery：microsurgical results and management strategy. *Neurosurgery* 2017；**80**：235-247.

3）PubMed：https://www.ncbi.nlm.nih.gov/pubmed/

4）Peschillo S, *et al.*：A systematic review and meta-analysis of treatment and outcome of blister-like aneurysms. *AJNR Am J Neuroradiol* 2016；**37**：856-861.

5）Mokin M, *et al.*：Treatment of blood blister aneurysms of the internal carotid artery with flow diversion. *J Neurointerv Surg* 2018；**10**：1074-1078.

6）Parthasarathy R, *et al.*：Safety of Prasugrel loading in ruptured blister like aneurysm treated with a Pipeline device. *Br J Radiol* 2018；**91**：20170476.

7）Strickland BA, *et al.*：Extracranial-intracranial bypass for treatment of blister aneurysms：efficacy and analysis of complications compared with alternative treatment strategies. *World Neurosurg* 2018；117：e417-e424.

8）Hellstern V *et al.*：Microsurgical clipping and endovascular flow diversion of ruptured anterior circulation blood blister-like aneurysms. *Interv Neuroradiol* 2018；24：615-623.

9）Chen F, *et al.*：Suturing Treatment for Blood Blistere Like Aneurysm in Supraclinoid Segment of Internal Carotid Artery. *World Neurosurg* 2018；**109**：271-274.

10）Ren Y, *et al.*：Microsurgical versus Endovascular Treatments for Blood-Blister Aneurysms of the Internal Carotid Artery：A Retrospective Study of 83 Patients in a Single Center. *World Neurosurg* 2018；**109**：615-624.

11）Liu Z, *et al.*：Management of Blood Blister-Like Aneurysms of the Internal Carotid Artery：Lessons Learned from Direct Clipping in 22 Cases. *World Neurosurg* 2017；**108**：618-626.

12）Zhu D, *et al.*：Overlapped Stenting Combined with Coiling for Blood Blister-Like Aneurysms：Comparison of Low-Profile Visualized Intraluminal Support（LVIS）Stent and Non-LVIS Stent. *World Neurosurg* 2017；**104**：729-735.

13）Song J, *et al.*：Endovascular treatment of ruptured blood blister-like aneurysms with multiple（≥3）overlapping Enterprise stents and coiling. *Acta Neurochir*（Wien）2016；**158**：803-809.

14）Matsubara N, *et al.*：Endovascular coil embolization for saccular-shaped blood blister-like aneurysms of the internal carotid artery. *Acta Neurochir*（Wien）. 2011；**153**：287-294.

15）Ohshima T, *et al.*：Efficacy of the proximal balloon flow control method for endovascular coil embolisation as a novel adjunctive technique：A retrospective analysis. *Interv Neuroradiol* 2018；**24**：375-378.

6 3 mm 以下の超小型破裂脳動脈瘤に対する動脈瘤塞栓術

鳥取大学医学部脳神経医科学講座脳神経外科学分野　**坂本　誠**

Essential Point

- ガイドワイヤー（guide-wire: GW）・マイクロカテーテル（microcatheter: MC）挿入困難と同時に動脈瘤穿孔のリスクを伴う.
- MC の動脈瘤内への挿入が浅く，コイル挿入中に MC が kick back して動脈瘤から逸脱し，再挿入困難な場合がある.
- 動脈瘤のネックが小さいため，MC 挿入により動脈瘤が描出不良となるとともに瘤内に血栓形成し，血栓・塞栓性合併症のリスクが高まる.

1 はじめに

ここでは 3 mm 以下の破裂動脈瘤を超小型破裂脳動脈瘤と定義する. 小型破裂動脈瘤で塞栓術を安全に行うためにはいくつか注意すべき点がある. 特に MC あるいはコイルの動きの幅が極めて制限されるため，術中破裂の高リスクと考えられる[1-4]. カテーテルによるアクセスが容易かどうか，動脈瘤と母血管の長軸のズレが過度ではないか（MC 挿入および安定留置ができるか），コイル挿入に十分な大きさの動脈瘤か，などの術前検討が必須で，塞栓術に固執せず開頭クリッピング術も考慮する.

2 超小型脳動脈瘤塞栓術の基本手技

1 ▶ 術前～ガイディングカテーテル誘導

全身麻酔が必須である. 術中の血栓塞栓性合併症の予防のために全身ヘパリン化を行う（ACT をヘパリン投与前値の 2～2.5 倍程度に延長する）. 手元操作と MC の 1 対 1 のリニアな操作が重要で DAC（distal access catheter）を用いる. DAC と同時に術中破裂に備えてバルーンが誘導できる径がガイディングカテーテルに必要である. DAC + バルーンを同軸に挿入し術中造影を可能にするには 7 Fr のガイディングシース（シャトルシース 7 Fr など）か 9 Fr のガイディングカテーテルが必要となる. DAC を母血管の可及的遠位に留置するために，MC とマイクロガイドワイヤー（micro-guidewire: MGW）を挿入し，これに DAC を追従させる. DAC 挿入により，MC の誘導性，安定性が向上し，MC の"たわみ"に伴う MC 操作中の不意の動きを低減できる. 本稿執筆時にはわが国で正式な DAC はないが，Serulian DD6（Medikit），Fubuki 4.2 Fr（Asahi Intec），Tactics（Technocrat）などを主に用いる.

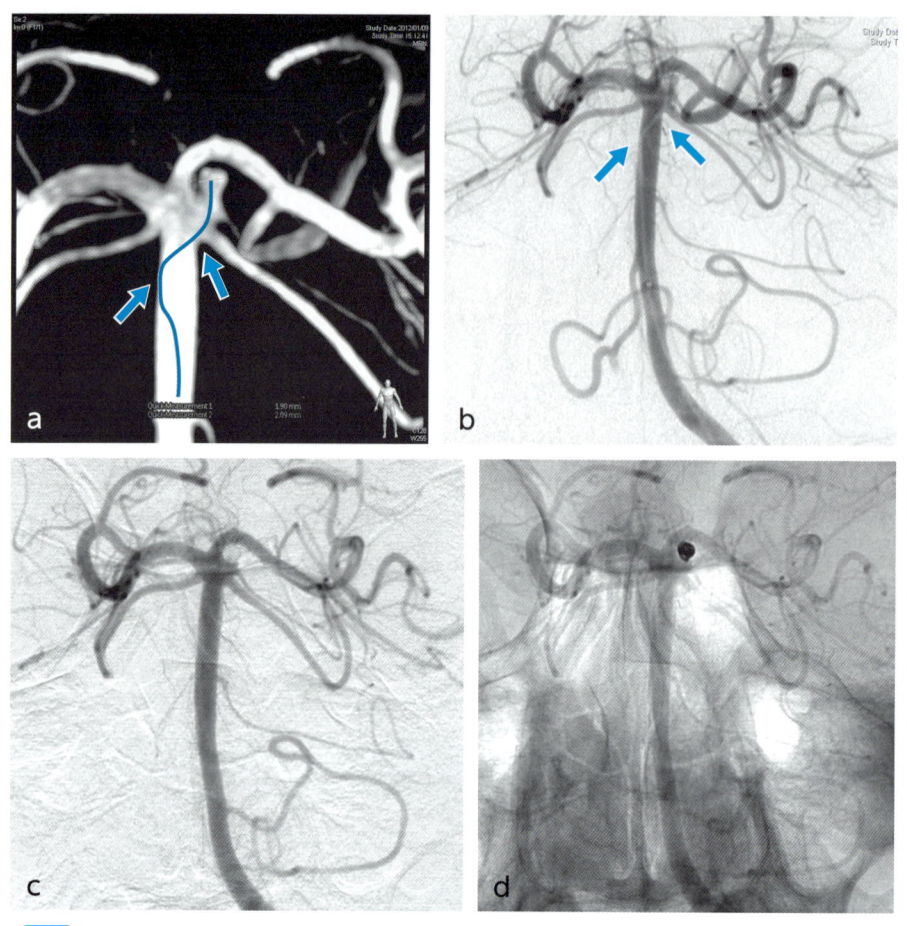

図1 破裂脳底動脈‐上小脳動脈分岐部動脈瘤

a：術前回転 DSA（disital subtraction angiogram）画像．マイクロカテーテルは S 字にシェイプして母血管に対する支点を 2 か所作ることで安定化を図る．

b：S 字シェイピングしたマイクロカテーテルを動脈瘤に誘導したところ．術前にイメージしたとおり 2 か所で母血管に対して支点ができている．

c：塞栓術後の DSA 画像．左上小脳動脈を温存し，動脈瘤はわずかなネックレムナントで閉塞されている．

d：術後 DA 画像．コイルは密に塞栓されている．

2 ▶ マイクロカテーテルのシェイピング

　Terminal type の動脈瘤で母血管から直線的にアプローチできる動脈瘤でも，MC の安定化のため先端に C もしくは S 状にシェイプをつける．これにより母血管と MC が接する部位を少なくとも 1 か所，できれば 2 か所作り安定化することが肝要である（図 1）．太い母血管の小型動脈瘤では大きな S シェイプをつけて，先端部のみならず手前側に大き

なカーブをつける必要がある[5]．また母血管と動脈瘤との軸がずれている場合は，MC 先端の向きが動脈瘤の長軸方向になるようにシェイプするとコイル挿入時に動脈瘤壁に余分な力がかからず，術中破裂リスクを低減できる[3]．われわれは MC 先端に小さくしっかりとシェイプをつけるためにホットエアガン（Bosch: GHG660 LCD）を用い，120℃ で 90 秒間加温し，形状保持力を高めている．

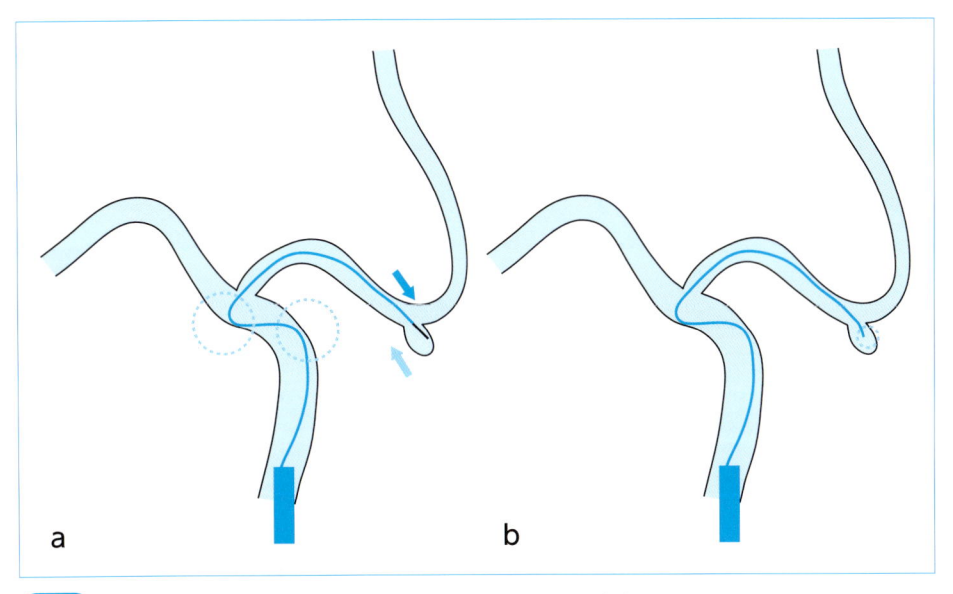

図2　ガイドワイヤー先行でマイクロカテーテルを挿入する方法

a：MGW を動脈瘤の真ん中やや手前まで挿入し，MC をわずかに押しながら MGW を引き抜く動きをすることで MC を動脈瘤に挿入する．このとき MC の近位側カーブでの "たわみ" に注目する．MC を押すと母血管の外側向きカーブにまずたわみを作り，それから MC が先進する．たわみが多くなると MC のカテーテルの手元操作に対してリニアに MC が動かなくなるため，DAC を用いてたわみの数をへらす．

b：MC の先端は動脈瘤の真ん中もしくはややネック寄りにする．

3 ▶ マイクロガイドワイヤー（MGW）と MC の動脈瘤への挿入

　MGW は先端が柔軟で細径のスプリングタイプのものを用いる．MGW は動脈瘤に決して深く挿入しない．無理に MGW 先行で動脈瘤内へ誘導するのではなく，MC をゆっくり押していくことで動脈瘤に入るように MC 先端をシェイプするのが理想である．しかし，MGW 先行でないと MC 挿入が困難な場合は，MGW を動脈瘤に少し挿入した後に MC をわずかに押すと同時に MGW を少し引く動きをすると MC が追従して動脈瘤に入る（図2）．また，動脈瘤入り口付近に留置した MC から小径の柔らかいコイルをガイドワイヤー代わりに投げ入れるように動脈瘤に挿入し，これを足がかりにして MC を少し動脈瘤内に押し込む方法も有用である[6]．母血管と動脈瘤の軸がずれていて動脈瘤に MC が入らない場合は，トルク伝達性のよい MGW を MC 先端でゆっくりと回転して方向を変えることで動脈瘤に MC を誘導できる場合がある．MC の先端のシェイプが母血管と動脈瘤の走行に合っていれば，MC を引き抜いて動脈瘤に挿入することも可能である（図3）．MC は動脈瘤の入り口付近に入れば十分であり[6]，無理に奥に入れるとコイル挿入時の動脈瘤破裂リスクが高くなる．

3 アシストテクニック

　超小型動脈瘤でも，広頸でアシストが必要な場合がある（図4）．血栓塞栓性合併症を考慮し，できればステント併用は避けたい．ステント併用の場合は術前に 2 剤の抗血小板薬を loading dose で投与する．バルーンアシストを行う際には inflate により MC 先端が動脈瘤壁に直接当たるのを防ぐため，動脈瘤内にコイルを 1 巻程度挿入してからゆっくりバ

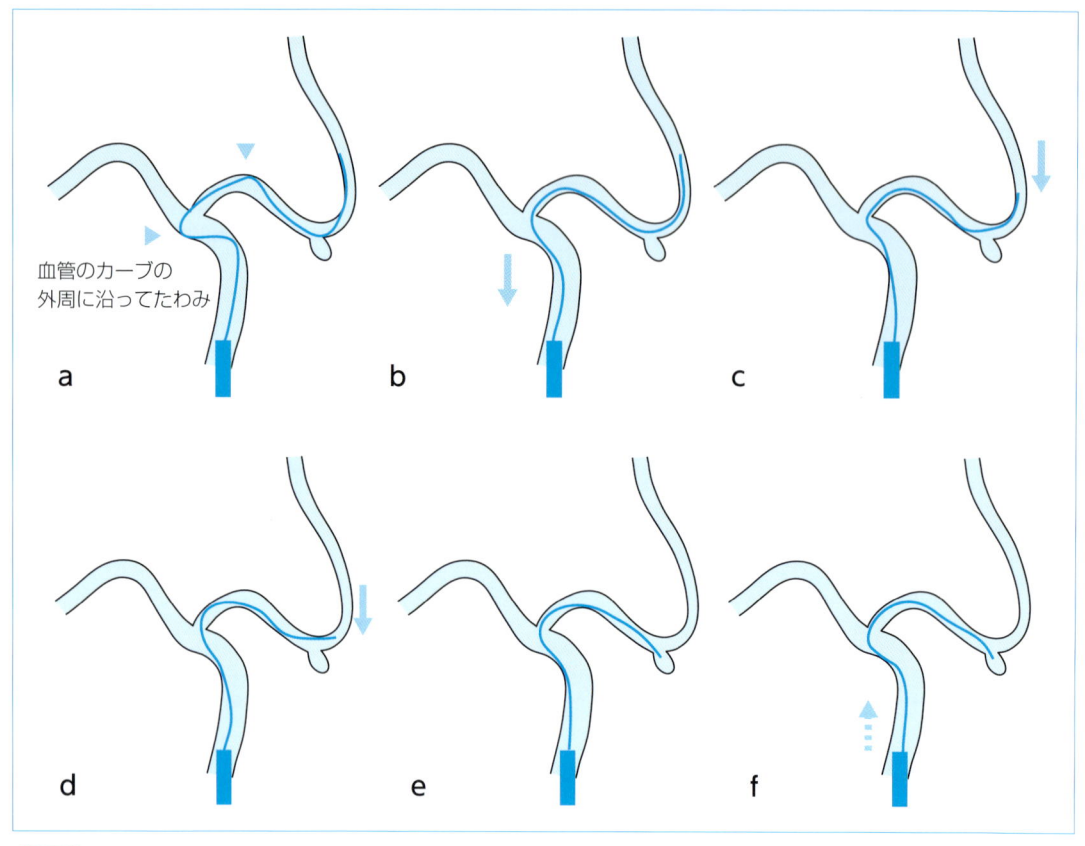

図3　マイクロカテーテル(MC)を引いてきて動脈瘤に挿入する方法

a：MC をいったん動脈瘤の遠位に誘導する.
b：MC を近位側に引くとまずたわみが取れてくる.
c：MC の近位のたわみが取れることで MC 先端が動き出す.
d：MC をさらに近位側に引いてくる.
e：MC の先端形状の形成が適切であれば引き抜いてくることで MC が動脈瘤に挿入できる.
f：MC 先端が動脈瘤に入ったら MC 全体を遠位にわずかに押して，コイル挿入抵抗による kick back で MC が抜けてこ
　　ないように近位側にわずかにたわみを作る.

ルーンを inflate し，バルーンでネックカバ
ー後に残りのコイルを慎重に挿入する.

4　塞栓術に用いるコイルの選択

　術中破裂を回避するために，各社の最も柔
らかいコイルを選択する．コイル径は動脈瘤
長径より短径に合わせ，長さは１〜３本のコ
イルで塞栓終了が可能な長さで，かつ長すぎ
て入り切らないことがないようにする．コイ
ルの出し入れを繰り返すと血栓形成の可能性

があるので注意が必要である．１本のコイル
で動脈瘤がほぼ描出されなる場合も多く，無
理せず終了すれば完全閉塞に移行する例も多
くある[7].

5　合併症とその対応

1 ▶ 術中血栓塞栓症

　カテーテル操作に時間がかかると血栓形成
が起こる．また，動脈瘤に何回もコイルを出

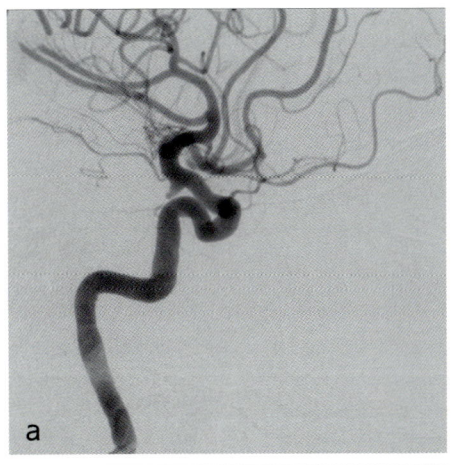
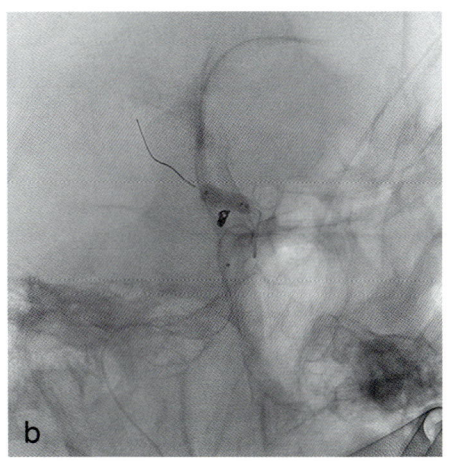
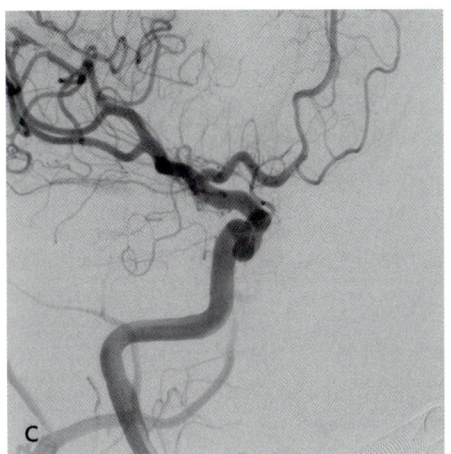

図4　65歳女性．破裂右内頚動脈瘤，バルーンアシストで塞栓を施行
a：術前ワーキングアングル，ネック側の広い三角形をした小型動脈瘤．
b：バルーンアシスト中，バルーンにより動脈瘤ネック全体がカバーされ，極めてワイドネックである
　がコイルを巻くことができている．
c：術後内頚動脈撮影ワーキングアングルにて，ネックレムナントも大部分はコイルにて塞栓されてい
　る．

し入れしていると，血栓形成が起こる．このよう場合は ACT を確認して抗凝固療法が不十分であればヘパリンを追加する．破裂動脈瘤であるので rt-PA やウロキナーゼなどの血栓溶解薬の使用は再破裂を惹起し禁忌である．MC，MGW，バルーンを用いて機械的に血栓を破砕するか，ステントリトリーバーや血栓回収用の吸引カテーテルで血栓回収を行う．（図5）

2▶ 術中破裂の対策（バルーンは必ず準備）

MC の不意の動き，コイルの動脈瘤壁へのストレスにより術中破裂の危険性がある．術中破裂した場合，あわててカテーテルを抜かず，動脈瘤のネックをカバーするようにバルーンを誘導し inflate する．ACT を測定して，延長が著しければ硫酸プロタミンでリバースする．MC で穿孔した場合は，動脈瘤の内外で穿孔部位を挟み込むようにコイルを巻いて止血を試みる．（図6）

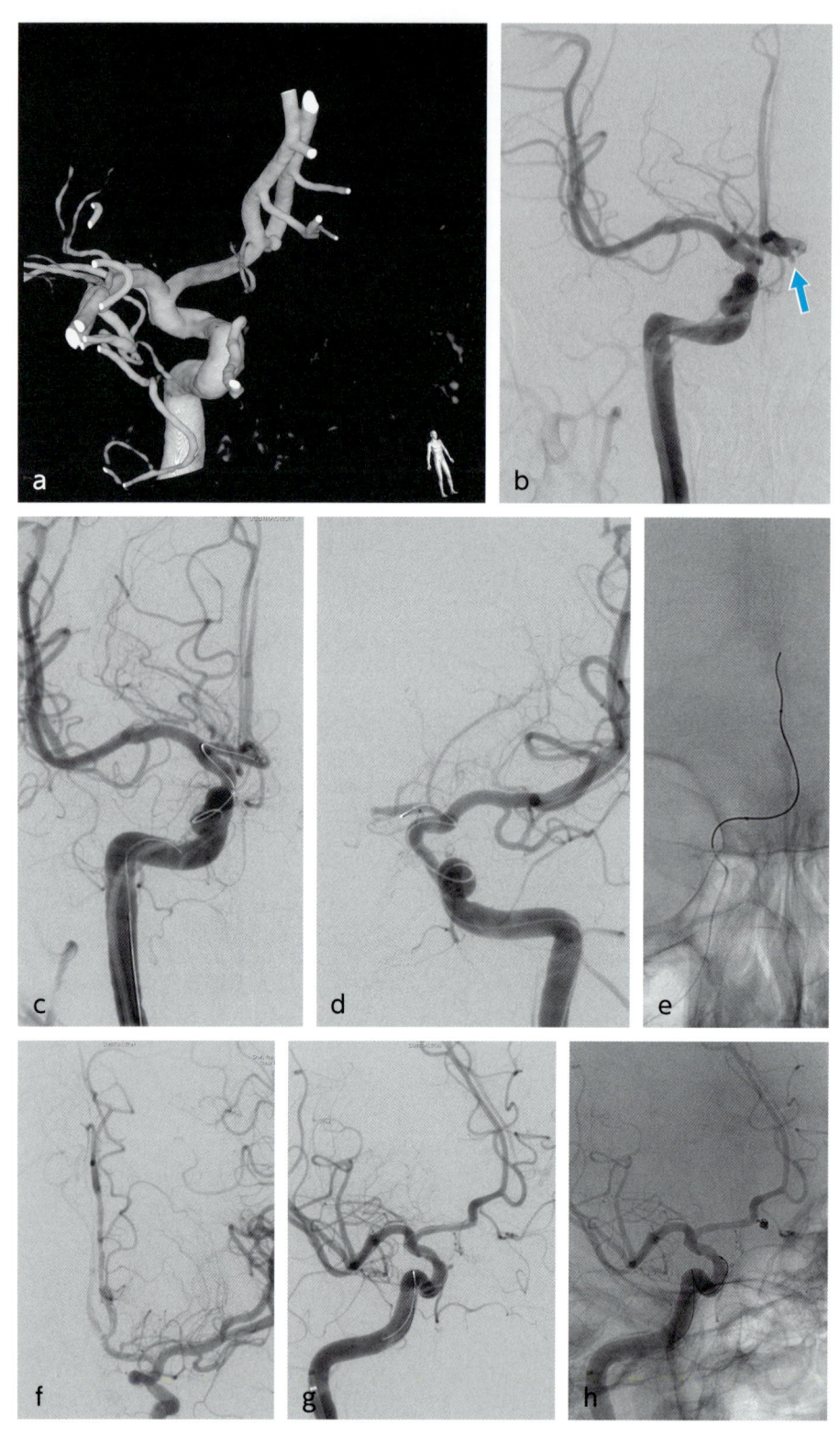

図5 58歳女性．破裂前交通動脈瘤，血栓塞栓性合併症

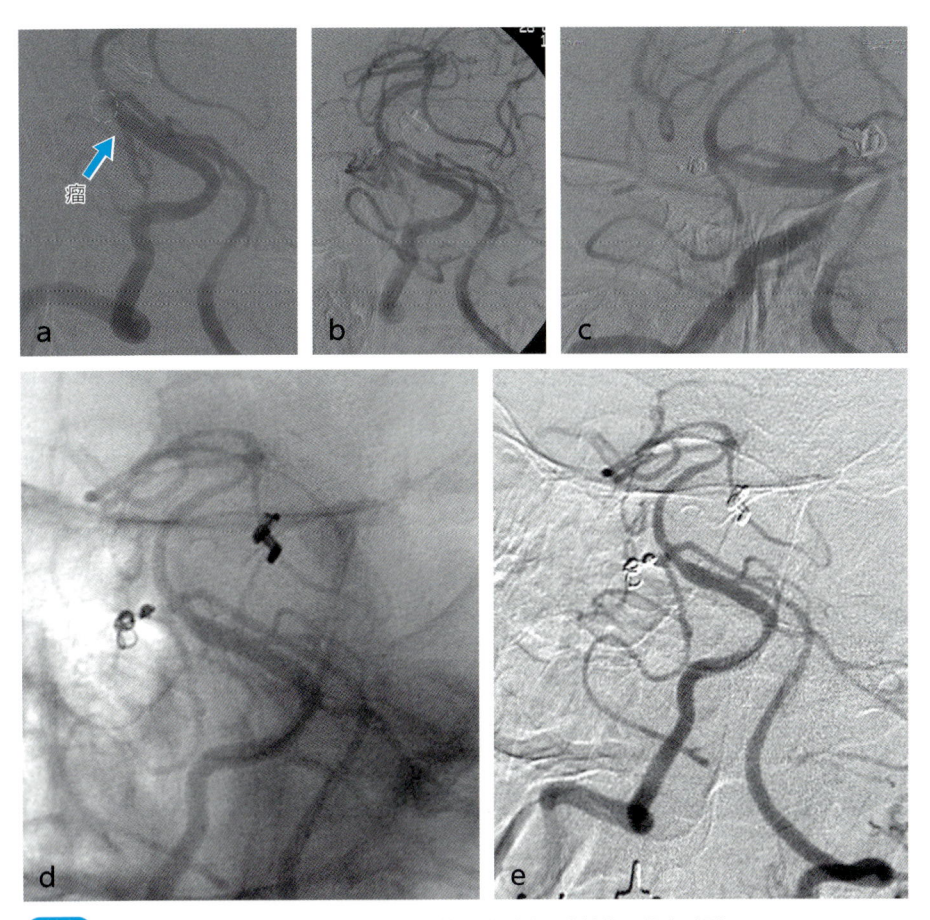

図6　76歳女性，破裂右basilar-ACIA起始部動脈瘤の塞栓術，術中破裂

a：小型右BA-AICA動脈瘤．
b：1stコイル留置デタッチ後に，テンションがかかっていたMCが動脈瘤外に逸脱．造影剤の動脈瘤外へのextravasationを認める．
c：ヘパリンリバースおよびバルーンを脳底動脈でinflateすることにより一時止血が得られたが，MC先端はコイル塊（動脈瘤）から逸脱している．
d：動脈瘤外から動脈瘤内にかけてサンドイッチするようにコイルを詰めて止血した．
e：術後椎骨動脈撮影で動脈瘤はネックをわずかに残して塞栓されている．

（図5の説明）
塞栓術中にアプローチと反対側の左ACAに血栓塞栓症が起こり，MCやMGWで機械的に破砕して，その後動脈瘤塞栓術を施行した．a：術前回転DSA．b：術前DSAで2mm以下の極めて小型の動脈瘤を認める．c：MCの動脈瘤への挿入困難あり，時間を要した．MC操作中に左ACAに血栓塞栓症を認め，左A2以遠が描出不良になっている．d：左内頚動脈撮影でも左A2以遠が描出されていない．e：右A1からA-comを介して左A2以遠にExcelsior SL-10 SシェイプとMGWを誘導し，MGWを回転させて血栓破砕を試みる．f：左内頚動脈撮影側面像で血栓が破砕されA2以遠の再開通が得られている．g：術後ワーキングアングルDSAでは動脈瘤は描出されなくなっている．h：術後のワーキングアングルのDA画像でコイルは動脈瘤にタイトに挿入されている．

6 術後再発とその治療

　コイルが1本もしくは2本しか入らず，術直後は不完全閉塞であった症例でも，超小型動脈瘤では完全閉塞に移行する症例も多い[7]．ただし，血豆状動脈瘤（解離性動脈瘤）の疑いのある症例では厳重な画像フォローを行い，再発あれば再治療を検討すべきである．

7 まとめ

　破裂超小型脳動脈瘤の塞栓術にはいくつかの technical tips，pitfall が存在するが，注意すべき点を守って塞栓術を行う限り比較的良好な成績を収めることができると考えられる．

【文献】

1）Brinjikii W. *et al.*: Endovascular treatment of very small（3 mm or smaller）intracranial aneurysms: report of a consecutive series and a meta-analysis. *Stroke* 2010；**41**：II6-121.

2）Harada K, *et al.*: Efficacy and complications of endovascular embolization for very small（3 mm or smaller）ruptured cerebral aneurysms.*JNET* 2015；**9**：22-30.

3）大島 幸亮，他：微小脳動脈瘤の塞栓術における出血性合併症の検討. 脳卒中の外科 2013；**41**：110-115.

4）Nguyen T.N.*et al.*: Association of endovascular therapy of very small ruptured aneurysms with higher rates of procedure-related rupture. *J Neurosurg* 2008；**108**：1088-1092.

5）Kuroiwa T. *et al.*：Coil Embolization of Cerebral Tiny Aneurysms. *Journal of Neuroendovascular Therapy* 2016；**10**：243-248.

6）Gupta V. *et al.*:Coil Embolization of Very Small（2 mm or Smaller）Berry Aneurysms: Feasibility and Technical Issues. *Am J Neuroradiol* 2009；**30**：308-314.

7）Kwon H.J. *et al.*: Long-term clinical and radiologic results of small cerebral aneurysms embolized with 1 or 2 detachable coils. *Surgical Neurology* 2006；**66**：507-512.

7 破裂動脈瘤の塞栓術中におけるバルーンアシストテクニックの tips and pitfalls

名古屋大学医学部脳神経外科　泉　孝嗣

> ## *E*ssential Point
>
> ● バルーンアシストテクニックは一般的な手技の一つではあるが，術中破裂時のレスキューにも使用できる必要不可欠な手技である．

1 はじめに

若干のリスクを伴う手技でもあるが，コイリングの幅を広げることができるので，バルーンアシストテクニック（BAT）は囊状動脈瘤の塞栓術における基本手技の一つであり，その役割は動脈瘤の瘤口を狭める（ネックを塞ぐ）以外に，瘤内血流を減少させてコイルを逸脱しにくくさせる，マイクロカテーテルを血管壁に圧着させることで安定化させてコイル挿入中に逸脱する事態を防ぐ，穿孔時に緊急止血を得る，と多岐にわたる．破裂脳動脈瘤の塞栓術においてはワイドネック瘤でもステントを使いづらいこと，血管壁が脆弱で穿通合併症が多いことがあり，BAT の重要性は未破裂脳動脈瘤のそれよりも非常に大きい．本テクニックを安全かつ効果的に使用するための tips and pitfalls を段階ごとに詳述する．

2 Tips1

> バルーンアシストテクニックは瘤口の閉鎖以外にも複数の役割があり，特に破裂動脈瘤において重要性が高い．

BAT を用いるためにはバルーンカテーテルを動脈瘤の遠位部まで誘導する必要がある．通常内頚動脈瘤のような lateral type の瘤では問題なく誘導できるが，terminal type においては時として分岐血管の選択が困難な場合がある．特にネックが広く，かつ，分岐角が急峻であると非常に難易度が高くなる（図 1）．

その場合には，ダブルルーメンタイプのバルーンカテーテルならばガイドワイヤーの形状や種類を速やかに変更できる点で有用である．Scepter（Terumo / Microvention）はダブルルーメン構造を有し，かつ，カテーテルの先端部分をスチームシェイプすることができるので，ガイドワイヤーへの追従性を向上させることが可能である．他の選択肢としては，まず柔軟でより追従性の高い通常のマイクロカテーテルを遠位血管に留置し，300 cm 相

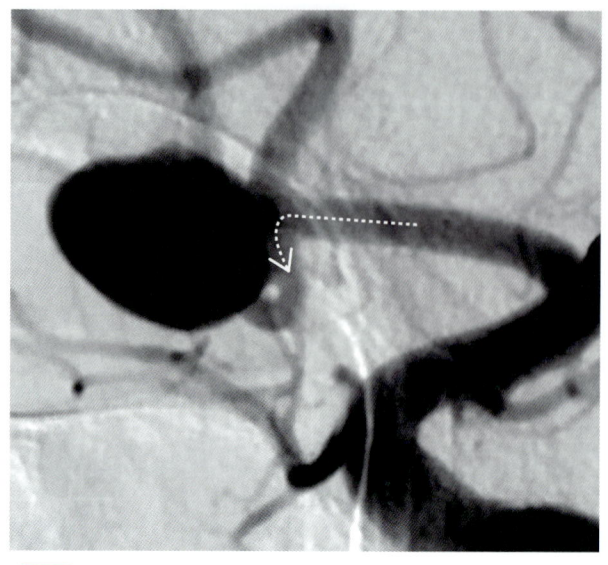

図1 前交通動脈瘤の一例

動脈瘤のネックが広く，左前大脳動脈と前交通動脈との分岐角が急峻である場合，バルーンカテーテルの誘導（白矢印）は通常困難である．

当のロングガイドワイヤーを利用してバルーンカテーテルへと交換する方法がある．その際にはガイドワイヤーの先端部で細径の動脈を穿通するリスクとガイドワイヤーが脱落してしまう可能性とがあり，細心の注意を払いつつ手技を行う必要がある．後方循環の動脈瘤を治療する際にはバルーンカテーテルを誘導しただけで，頚部椎骨動脈が伸展されてスパズムを合併し順行性血流が大幅に減少して造影できなくなることがある．この場合には造影が困難なだけでなく，血栓塞栓症のリスクも高くなる．カテーテルのシャフトの硬さが原因であり，Shouryu 3 mm × 5 cm（Kaneka）のような柔軟性の高いバルーンカテーテルへ置換することで本状況を改善できることがある（図2）．別の方法として頭部を留置椎骨動脈と反対方向に回旋させることで血管の走行が変化しスパズムを解除できることがある．それらの方法でも解除できない場合は対側の椎骨動脈からバルーンカテーテルを誘導

する，異なるアシストテクニックへの変更などを検討するなどの対処が必要となる．

3 Tips2

- ・分岐血管の選択が困難な症例ではスチームシェイプが可能なダブルルーメンタイプのバルーンカテーテルが有用である．
- ・バルーンカテーテルのシャフトにより頚部椎骨動脈が伸展してスパズムを合併する場合には柔軟なシャフトのバルーンカテーテルを選択するとスパズムを最小化できる．

バルーンカテーテルをインフレーションする際は，一気に膨らませると血流を受けて遠位部に移動してしまうことが多いので，ある程度膨らませた時点でバルーンカテーテルを引っ張り，カテーテルのたわみを完全に取り，そのうえで膨らませるようにするとバルーン

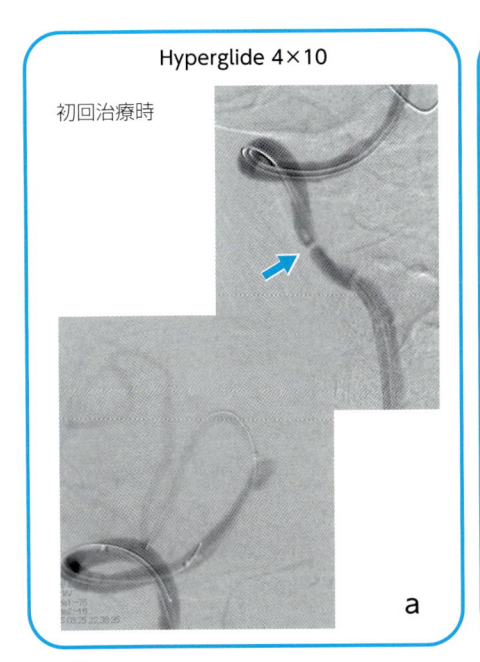
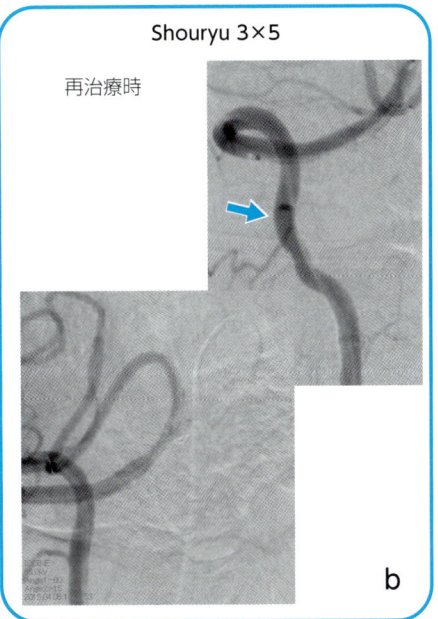

図2 バルーンカテーテルの種類による椎骨動脈への影響の違いについて．
出血発症の右椎骨動脈解離の 37 歳女性．
a：初回治療時に Hyperglide 4 mm × 10 mm（Medtronic）による BAT を右後下小脳動脈の温存に用いた．その際に椎骨動脈は伸展に伴いスパズムをきたし（矢印），後下小脳動脈の描出は低下している．
b：病変部の再開通に伴う再治療時にはシャフト部分の柔軟な Shouryu 3 mm × 5 mm（Kaneka）を選択したところ，同部位のスパズムは生じず（矢印），病変部および分岐血管の描出は良好であった．

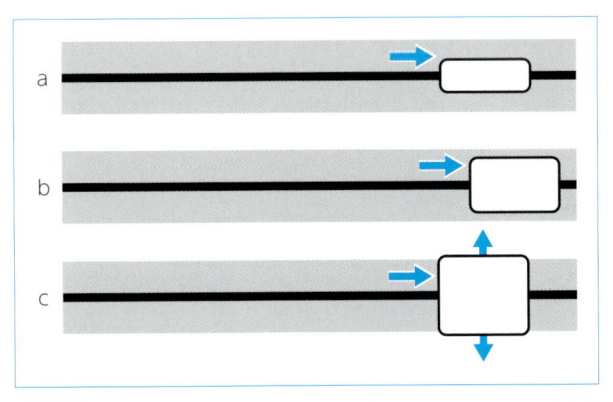

図3 インフレーションの程度とバルーンカテーテルが血流から受ける推力との関係
a：バルーンカテーテルは軽く膨らませるだけではバルーンにかかる推力は弱い．
b：大きく膨らませるとバルーンにかかる推力は強い．
c：血管に固定されるまでバルーンを膨らませるとバルーンは移動しなくなる．

カテーテルは移動しにくい（図3，4）．

バルーンをしっかりと拡張したい場合には一気に拡張するのではなく，拡張操作を 2 〜 3 分割に分けるとバルーンを移動させることなく拡張できる．バルーンカテーテルの移動を極力避けたい場合にはバルーン付きのガイ

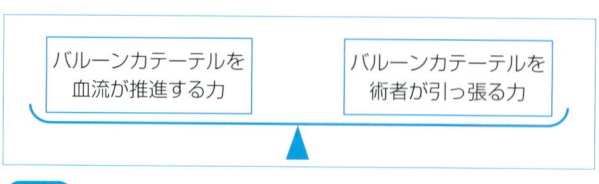

図4 バルーンカテーテル移動の力バランス

バルーンカテーテルを血流が推進する力と術者がひっぱる力とが，釣り合っているとバルーンカテーテルは原則，移動しない．バルーンカテーテルを拡張させると徐々に推進する力が増大するので，引っ張る力を強くするためにより長めに引っ張る必要がある．

ディングカテーテルを選択し，ガイディングカテーテルのバルーンで血流を減弱ないし完全に遮断させるとバルーン拡張時の移動を防ぐことができる．虚血耐性との兼ね合いがあるが有用な方法の一つである．BAT の目的が瘤口の完全な遮断であるならば血管壁に広く密着するまでバルーンを拡張させる必要があるが，マイクロカテーテルも完全に固定されてしまうので，コイル留置中の穿通やコイルの偏りが生じやすくなるというデメリットがある（図 5）．

　目的がマイクロカテーテルの若干の安定化や瘤内血流の低減であるならば，弱めのインフレーションでも十分効果がある．この場合マイクロカテーテルの可動性はある程度担保されるので，過剰な力が血管壁にかかりづらく，破裂脳動脈瘤ではまずはこちらを試すのがよい．BAT を用いるとマイクロカテーテルが大なり小なり固定されるので，思うようにカテーテルが動かないことがある．動かないと思ってマイクロカテーテルを過剰に押したり引いたりすると，マイクロカテーテルが急激に大きく移動する危険性があるので，慣れないうちはバルーンをデフレーションして固定を外してからマイクロカテーテルの位置調整を行うべきである．バルーンを拡張したまま位置調整を行った場合には，バルーンをデフレーションしたあとに力が解放されてマイクロカテーテルがジャンプインしたり，バ

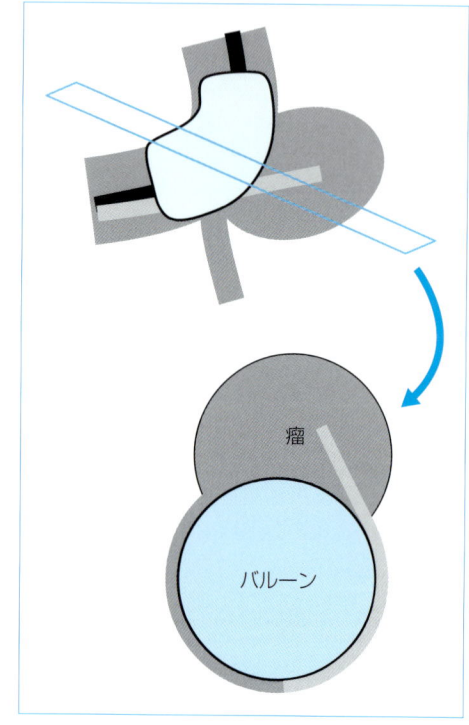

図5 BAT を用いることで生じるデメリット

拡張したバルーンはマイクロカテーテルを血管壁に押し付けて固定してしまうため，カテーテルの先端部の動きが制限され，コイルが偏ったり，コイルによる穿通の危険性が上昇しうる点を理解しておく必要がある．

ルーンインフレーション中も徐々に力が伝達して進んだりする可能性を考慮して，マイクロカテーテルのたわみを適宜調整する配慮が必要である．

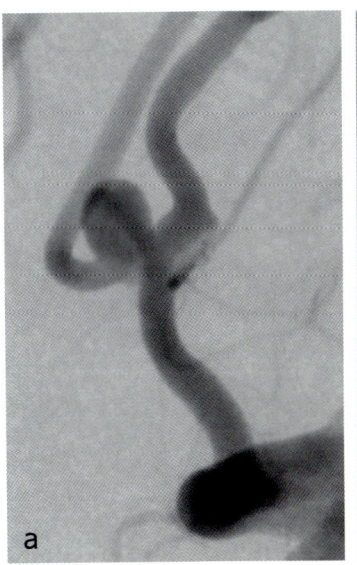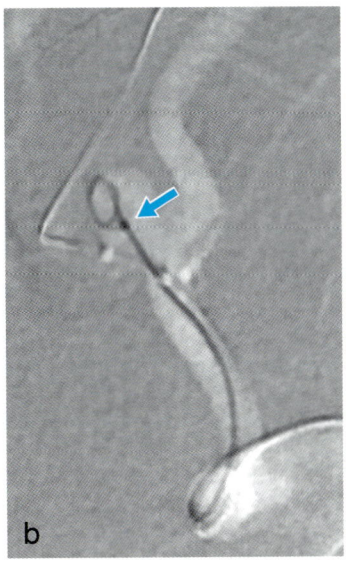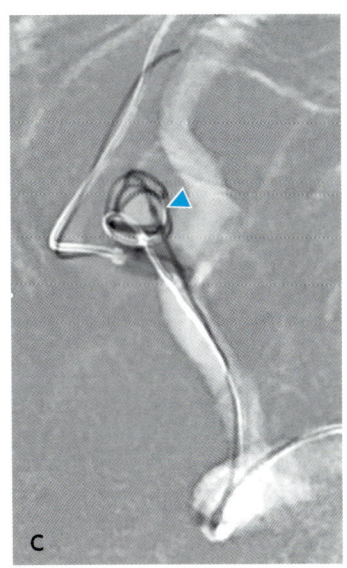

図6　バルーンカテーテルによるマイクロカテーテルの位置調整

55歳男性．
a：前交通動脈瘤に対して内頚動脈からアプローチした．
b：ストレート形状の Excelsior SL-10（Stryker，矢印）は瘤の右側に留置されている．
c：前交通動脈を通じて右前大脳動脈へと留置した Shouryu 3 mm × 5 mm（Kaneka）を拡張させると，Excelsior SL-10（矢頭）は瘤の左側へと移動し，コイル分布の調整が可能となった．

4　Pitfalls1

> バルーンでマイクロカテーテルが強く固定されている状況下で無理にカテーテルを動かそうとすると，カテーテルが急激に大きく移動して動脈瘤から逸脱してしまうことがある．

バルーンをインフレーションするだけでマイクロカテーテルの位置や向きは微妙に動くので，カテーテル位置の微調整にバルーンを利用することもある（図6）．コイル留置が無事に完了したら，バルーンカテーテルを抜去することになるが，前交通動脈や後下小脳動脈のような細い血管に留置した場合，バルーンカテーテルにより血管が大きく偏位し，動脈瘤と分岐血管との位置関係も変化することが少なくない．バルーンカテーテルを留置し

た状態で血流が良好でもあって，バルーン抜去により血管の偏位が戻り分岐血管が閉塞してしまうことがある．この現象を回避するためにはバルーンを強めに拡張して血流腔を多めに確保することが有効であるが，カテーテルが強く固定されてしまうので，穿通のリスクを勘案してコイルの硬さや長さを吟味したり適宜バルーンをデフレーションしたりする配慮が必要である．また，バルーンを抜去する際には一度に行わず，ガイドワイヤーの先端部だけを残して血管の偏位を極力解除した状態で血管撮影を行うことで，抜去後の血流状態をある程度予想することができる．仮にその時点で分岐血管が閉塞してしまった場合には，血流を温存するためにはバルーンカテーテルを元の位置に戻して内腔を確保したうえでステントを留置せざるを得ない．ガイドワイヤーも抜去してしまうと，閉塞した分岐血管へのカテーテルの誘導は極めて難しいこ

とが多く，ガイドワイヤーが内腔を確保した状態でステントの必要性を判断したほうが賢明である．

5 Pitfalls2

> 細い分岐血管にバルーンカテーテルを留置して BAT を行った場合，コイル留置中は血流腔が保たれていても，バルーン抜去後に血管の偏位が戻り分岐血管が閉塞してしまうことがある．

コイル留置中に瘤壁をコイルやカテーテルで穿通する可能性はゼロではなく，出血が継続する場合には急速に患者の状態は悪化することもまれではない．この致命的な合併症が生じたとしても，バルーンカテーテルを十分拡張させ瘤口を閉鎖できれば，くも膜下出血を止め脳へのダメージを食い止めることができる．コイルが瘤外に移動しバイタルサインが大きく動き始めた場合には，血管撮影での確認は不要であり速やかにバルーンを拡張すべきである．バルーンにより瘤口が完全に閉鎖されたと考えられる場合には，血管撮影でextravasation の有無を確認し，完全な止血が得られていれば時間的猶予が得られる．瘤口の閉鎖が完全であれ不完全であれ，極力出血させずにコイルを追加して瘤内血流を遮断することが目標となる．バルーンによりカテーテルが完全に固定されている中でも確実に留置できると推測されるサイズで柔軟なコイル

を選択する．マイクロカテーテルの位置を下げたい時には，一時的にバルーンをデフレーションして位置調整を行うことも確実性を高めるために有効な考え方である．穿通をきたした際に挿入途中であったコイルは残存長を勘案して留置してしまうことも抜去することもある．理想的には瘤内のコイル密度が十分となるまで速やかにコイルを追加し，虚血耐性があると考えられるならば若干待機してからバルーンを解除する．遮断に伴い血栓塞栓症のリスクも増えるので，バルーンにより完全に止血できているならば，ヘパリンのリバースは必ずしも必要ではない．

6 Tips3

> 動脈瘤を穿通してしまった場合でもバルーンカテーテルで瘤口を完全に閉鎖できれば出血を止めうる．その場合にはヘパリンのリバースは必ずしも必要ない．

7 最後に

バルーンアシストテクニックは一般的な手技の一つではあるが，術中破裂時のレスキューにも使用できる必要不可欠な手技である．瘤のネックが狭く BAT が不要と予測される場合でも，フィニッシングの段階で存外に役立つこともしばしば経験される．積極的に活用して治療の安全性を担保しつつ経験を積むことが望ましい．

8 術中破裂への対応と予防

福岡大学筑紫病院脳神経外科　**東　登志夫**
福岡大学医学部脳神経外科　**高原正樹**

Essential Point

- ● 術中破裂を想定したシミュレーションを診療チームで行っておく.
- ●「コイル塞栓術のほうがより安全に行えるのかどうか」，適応を十分に検討する.
- ● 安全に治療するため治療戦略のプライオリティを明確にする.

1 はじめに

コイル塞栓中の術中破裂は，最も重篤な合併症のひとつであり，迅速かつ適切な対処が要求される．小径の動脈瘤や破裂動脈瘤が危険因子とされる[1, 2]．メタ解析の結果では，破裂動脈瘤治療時に4.1％，未破裂動脈瘤では0.5％で発生するとされる[3]．JR-NET 1，2ではくも膜下出血に対する血管内治療時の出血性合併症は4.5％であった[4]．また術中破裂に伴う予後は，前方循環の動脈瘤よりも後方循環で不良となる[2]．

2 術中破裂の機序

主にカテーテルやガイドワイヤーによるものと，コイルによる穿孔である[5-7]．カテーテルによる穿孔は，マイクロカテーテルの誘導時に生じることが多い．近位血管の屈曲蛇行が強い場合に，操作中に急にカテーテルがジャンプアップすることで穿孔することがある．また，バルーンアシストやステントアシストの際，カテーテル先端が固定されて瘤壁への圧力をカテーテル先端の動きで緩衝できない場合に，コイルによる穿孔を生じうる（表1）[1]．フィリングコイルやフィニッシングコイルによる，塞栓中盤から終盤の破裂も起こりうる[8]．

表1 術中破裂の機序

デバイス	契機	原因
マイクロカテーテル ガイドワイヤー	ジャンプアップ	近位血管の強い 屈曲蛇行
コイル	瘤壁への強い抵抗	バルーンアシストや ステントアシストによる カテーテル先端の固定

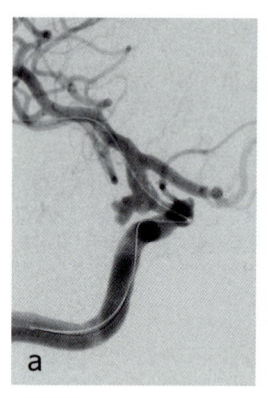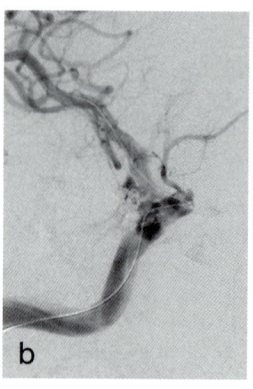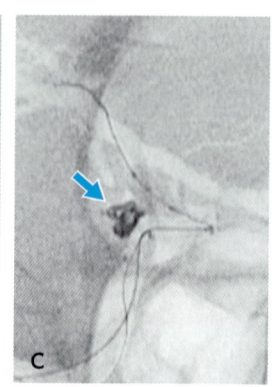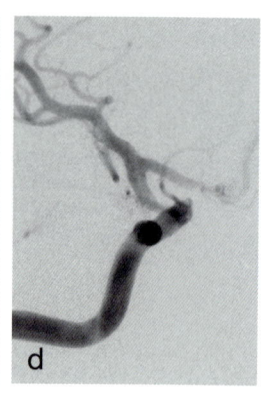

図1 右内頚動脈 - 前脈絡叢動脈分岐部動脈瘤（未破裂脳動脈瘤）

a：塞栓前 frontal view．b：6本目のコイルが dome の外側上方から瘤外へ出ており，DSA で extravasation を認める．c：矢印は瘤へ出たコイルを示す．アシストバルーンで一時止血を行い，ヘパリンをリバースしコイル塞栓を続けた．d：塞栓後 frontal view．さらに2本のコイルを追加塞栓した．

3 術中破裂への対応

1 ▶ 治療前のチーム内シミュレーション

あらかじめチーム内で破裂時の状況をシミュレートし，各々の対応や役割分担を認識しておく．まず，術中破裂（非常事態）であることをコメディカルや麻酔科医を含めたチーム全体で認識すること，治療室外から応援の人員を呼ぶこと，バルーンによる一時止血やヘパリンの中和，追加のマイクロカテーテル等，他のデバイスの準備，血圧のコントロールや呼吸管理等の全身管理を落ち着いて，リーダーの指示のもと手際よく分担して行えるようにシミュレーションを行っておく．

2 ▶ アシストバルーン（オクルージョンバルーン）

最も確実にまた速やかに止血を行い得るデバイスである[9]．術者が行う処置である．あわてて過拡張すれば危険であり，ゆっくりとバルーンをインフレーションした後，造影で止血を確認する．止血ができていなければ，デフレーションした後に位置調節を行う．その後，コイルを追加することで，止血が得ら

れることも多い（図1）．ステント留置後などで誘導が難しい場合は，母血管の近位で血流を遮断し perfusion pressure を下げることで止血が可能なこともある．術前に解剖学的な評価を行い，側副血行を検討しておくことはいうまでもない．

3 ▶ 穿孔したデバイス

マイクロカテーテルやコイルで穿孔した場合，あわてて抜去せずに，瘤外でコイルを一部巻いた後に瘤内へ戻り，破裂部位を止血することを考える．マイクロカテーテルをもう1本追加して塞栓を行う場合もある[10]．

> ***T*echnique**
>
> スペック上は6Frのガイディングカテーテルでマイクロカテーテルを2本挿入することは可能であるが，アクセスルートの屈曲蛇行が強い場合などスペック通りにいかないこともあり，動脈瘤コイル塞栓術時は原則として7Frのガイディングカテーテルを使用している．緊急時にマイクロカテーテルを追加使用することも可能となる．

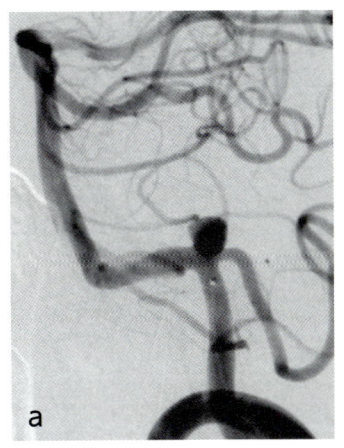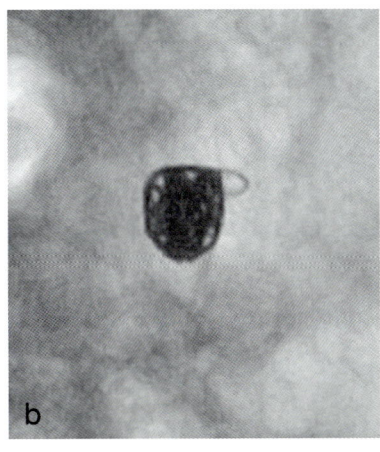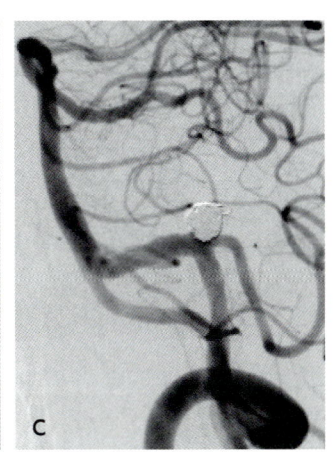

図2　左椎骨動脈─後下小脳動脈分岐部動脈瘤（未破裂脳動脈瘤）
a：塞栓前 lateral view．b：Balloon-assist を試みたが椎骨動脈にアコーディオン現象を認め，simple technique で塞栓を行った．3 本目のコイルが後上方で瘤外へ出ている．c：塞栓後 lateral view．明らかにコイルが瘤外へ出ており，DSA は行わずヘパリンをリバースした後，6 本のコイルを追加塞栓した．

4 ▶ 抗凝固薬の中和

原則としてヘパリンをリバースする方針としている[2]．治療開始からの時間にもよるが，硫酸プロタミン 3 〜 5 mL（30 〜 50 mg）をシースから投与する．バルーンにより完全に止血が得られたことが確認できた場合は，遮断解除後の塞栓症を考慮してリバースを行わないという考えもある．またコイル追加による止血が得られた場合に，再度抗凝固薬投与を開始する場合もある．

5 ▶ 全身管理

速やかにバイタルサインのチェックを行い，血圧のコントロール，呼吸管理を行う．すべてを術者が指示することが難しい場合もあるので，前述のようにあらかじめシミュレーションを行い，役割分担を決めておく．

6 ▶ コイル追加による止血

バルーンによる血流遮断，ヘパリンの中和等で一時的な止血が得られ，バイタルサインも安定していれば，コイルの追加による止血を試みる（図 2）．前述のように，瘤外からコイル塞栓を始め引き続き瘤内を塞栓する場合や，穿孔したマイクロカテーテルを抜去せずに 2 本目のマイクロカテーテルを留置してコイル塞栓を行う場合がある．カテーテル先端が瘤内へ戻れば，短めでキックバックの少ない，また離脱が迅速で確実なコイルを選択する．

*C*heck Point

最も大切なことは，的確な状況判断である．血管内治療でリカバーできる状態かどうかを判断する．患者の安全を第一に考え，開頭手術も含めたリカバーのオプション[8, 11]について検討することが望ましい．

4 術中破裂の予防

1 ▶ まず適応

治療を行う前に，「コイル塞栓術のほうがより安全に行えるのかどうか」，直達手術と血管内治療のスペシャリストとで十分に検討する必要がある．

2 ▶ 治療戦略とデバイス

破裂急性期のコイル塞栓術は十分な抗血栓療法が行えない．このため血栓症などの虚血性合併症を避けることも大切である．前述のように，アシストバルーンは最も確実にまた速やかに止血を行いうるデバイスである．しかし，Acom や distal ACA など遠位の動脈瘤に対しては，誘導が困難な場合もある．より小径の母血管では血栓を生じ，虚血性合併症の可能性もある．また，同じガイディングカテーテル内でバルーンカテーテルと干渉すれば，マイクロカテーテルの操作性が悪くなる．母血管の血流コントロールを目的に，バルーン付きガイディングカテーテルを用いる方法もある．大切な点は，各々の動脈瘤塞栓術において，安全に治療するための（治療戦略の）プライオリティを明確にすることと考えている．

Check Point

術中破裂に備えるための strategy は，常にそれぞれの治療戦略の長所と短所の"トレードオフ"であることを忘れてはならない．「必ず母血管にアシストバルーンを留置しておかなければならない」と固定観念をもってしまうと，状況に応じた柔軟な strategy を考えることができなくなってしまう．

Technique

破裂急性期では，よりシンプルなシステムで治療を行うことを心がけている．Acom の破裂瘤では，7 Fr ＋ 4.2 Fr の triple coaxial system でマイクロカテーテルの操作性をプライオリティとした戦略をとることもある．

5 まとめ

術中破裂が起こった場合の被害を最小限に留めるため，適切な対応がとれるよう日頃から診療チームでシミュレーションを行っておくことが大事である．コイル塞栓術のみにこだわらず，適応を十分に検討したうえで安全に治療を行うためのプライオリティを診療チーム内で共有すべきである．

【文献】

1) Sluzewski M, et al.：Rupture of intracranial aneurysms during treatment with Guglielmi detachable coils: incidence, outcome, and risk factors. *J Neurosurg* 2001；**94**：238-240.
2) Tummala RP, et al.：Outcomes after aneurysm rupture during endovascular coil embolization. *Neurosurgery* 2001；**49**：1059-1066；discussion 1066-1057.
3) Cloft HJ, et al.：Cerebral aneurysm perforations complicating therapy with Guglielmi detachable coils：a meta-analysis. *AJNR Am J Neuroradiol* 2002；**23**：1706-1709.
4) Imamura H, et al.：Endovascular treatment of aneurysmal subarachnoid hemorrhage in Japanese Registry of Neuroendovascular Therapy（JR-NET）1 and 2. *Neurol Med Chir*（Tokyo）2014；**54**：81-90.
5) Brisman JL, et al.：Aneurysmal rupture during coiling：low incidence and good outcomes at a single large volume center. *Neurosurgery* 2005；**57**：1103-1109；discussion 1103-1109.
6) Doerfler A, et al.：Aneurysmal rupture during embolization with Guglielmi detachable coils：causes, management, and outcome. *AJNR Am J Neuroradiol* 2001；**22**：1825-1832.
7) McDougall CG, et al.：Causes and management of aneurysmal hemorrhage occurring during embolization with Guglielmi detachable coils. *J Neurosurg* 1998；**89**：87-92.
8) Levy E, et al.：Rupture of intracranial aneurysms during endovascular coiling：management and outcomes. *Neurosurgery* 2001；**49**：807-811；discussion 811-803.
9) Layton KF, et al.：Cerebral Aneurysm Perforations during Treatment with Detachable Coils. Use of Remodelling Balloon Inflation to Achieve Hemostasis. *Interv Neuroradiol* 2006；**12**：31-35.
10) Willinsky R, et al.：Use of a second microcatheter in the management of a perforation during endovascular treatment of a cerebral aneurysm. *AJNR Am J Neuroradiol* 2000；**21**：1537-1539.
11) Short JG, et al.：Surgical salvage of microcatheter-induced aneurysm perforation during coil embolization. *AJNR Am J Neuroradiol* 2002；**23**：682-685.

9 多発動脈瘤に SAH が生じた場合の診断・治療戦略

岡山大学病院脳神経外科　村井　智，杉生憲志

*E*ssential Point

- 単純 CT での血腫の分布から，前交通動脈と中大脳動脈の動脈瘤に関しては破裂部位の予測が可能である．
- 未破裂動脈瘤の自然歴から，7 mm 以上，前交通動脈と後交通動脈の動脈瘤，アスペクト比の高い動脈瘤，不整形は破裂リスクが高いと予測できる．
- 高解像度 MRI を用いた vessel wall imaging での瘤壁の造影効果は，破裂動脈瘤や不安定動脈瘤の同定に有用である可能性がある．

1 はじめに

　未破裂脳動脈瘤の有病率は約 3 ％であり，そのうち約 30 ％で多発動脈瘤を有するとされる．多発動脈瘤患者にくも膜下出血（SAH）が生じた場合，破裂動脈瘤を診断する gold standard は開頭術で直視下に確認することであるが，近年，血管内治療が第一選択となることも多い．そのため，術前に破裂動脈瘤を同定することは重要であるが，困難な症例も経験される．古典的には CT での血腫の分布，動脈瘤の大きさや部位，形状などを参考にしていたが，破裂瘤の診断に難渋することも多い．近年では，画像モダリティの進歩により流体解析や造影 MRI を用いた評価も行われている．本稿では多発動脈瘤患者に SAH が生じた場合の破裂部位の同定方法について最新の知見を含めてレビューする．

2 単純 CT での血腫の分布

　単純 CT は SAH の診断の gold standard であるが，血腫の分布により破裂動脈瘤の部位を推測することが可能であることは経験的に知られている．Karttunen らの報告では，前交通動脈瘤と中大脳動脈瘤では血腫の分布からほぼ完全に予測が可能であるが，それ以外の部位では困難であるとしている．また，脳内血腫の存在は破裂部位の強い予測因子であるが，SAH のうち脳内血腫を伴うものは 20 ％にとどまる[1]．Lee らは内頚動脈瘤において血腫の分布から破裂部位の予測を誤る要因として，初発例では内頚動脈―上下垂体動脈分岐部，内頚動脈―眼動脈分岐部の内向き動脈瘤や内側へ出血する後交通動脈瘤が，再発例ではくも膜下腔，脳槽の癒着や閉塞により出血の方向が変わることが原因としている[2]．

3 未破裂脳動脈瘤の破裂リスクからの予測

近年，ISUIA や UCAS Japan などのコホート研究の結果から未破裂脳動脈瘤の自然歴が解明されており[3,4]，多発動脈瘤においてもそれぞれの動脈瘤の破裂リスクを比較することは可能である．動脈瘤のサイズに関して，7 mm 以上で有意に破裂リスクが増加することはよく知られており，UCAS Japan の解析では大きさ 7〜9 mm，10〜24 mm，25 mm 以上でそれぞれハザード比（HR）が 3.35（95 % CI 1.87 - 6.00），9.09（95 % CI 5.25 - 15.74），76.26（95 % CI 32.76 - 177.54）となる[4]．一方で，Backes らは，多発動脈瘤を有する患者 124 例における破裂動脈瘤と未破裂動脈瘤の差異を検討し，大きさの中央値が未破裂で 3.8 mm，破裂で 6.8 mm であったが，29 % では最大径の動脈瘤は破裂しておらず，そのうちの 94 % が 7 mm 未満であったと報告している[5]．必ずしも動脈瘤サイズのみでは破裂部位を判断することはできないと考えられる．

動脈瘤の部位に関して，UCAS Japan の解析によると前交通動脈瘤（HR 2.02，95 % CI 1.13 - 3.58）と後交通動脈瘤（HR 1.90，95 % CI 1.12 - 3.21）で有意に破裂リスクが高いと報告されている．Lu らは多発動脈瘤を有する 134 例を後方視的に解析しており，破裂の 26 % が前交通動脈瘤であり，他の部位よりも有意に破裂率が高いとしている（p = 0.001）[6]．Backes らの報告でも，前大脳・前交通動脈と後交通動脈で有意に破裂率が高い結果であった[5]．

また，動脈瘤の形状に関しては，ブレブを有する動脈瘤は破裂リスクが高いことは想像に難くないが，UCAS Japan によると daughter sac を有する動脈瘤は破裂リスクが 1.63 倍（95 % CI 1.08 - 2.48）となる[4]．Huang らは両側対称性の動脈瘤を有する SAH 患者 63 例を後方視的に検討しており，動脈瘤サイズで調整した多変量解析で aspect 比（ドーム高 / ネック径）≧ 1.6（調整 OR 9.52，95 % CI 2.18 - 41.54），area 比（動脈瘤面積 / ネック部母血管面積）≧ 1.5（調整 OR 4.09，95 % CI 1.25 - 13.41），不整形（調整 OR 10.44，95 % CI 3.39 - 32.14）の 3 つが有意な予測因子としている[7]．Backes らの報告でも同様に，サイズ，部位で調整した多変量解析で，アスペクト比 ≧ 1.3（調整 OR 3.26，95 % CI 1.26 - 8.42），不整形（調整 OR 2.99，95 % CI 1.01 - 8.79）が有意な破裂の予測因子であった[5]．サイズ，部位ともに両側対称性のミラーイメージであれば動脈瘤の形状が参考となる所見である．

そのほかに，動脈瘤破裂後に破裂部位に仮性動脈瘤が形成されている場合は，血管撮影で造影剤がブレブ内に pooling する所見を認めることがある．

4 高解像 MRI を用いた vessel wall imaging

近年，動脈瘤壁の病理や構造，動態が注目され，高解像 MRI を用いた high resolution vessel wall imaging（HR-VWI）の技術が進歩したことにより，造影 MRI により破裂動脈瘤の評価が可能となってきている[8]．3 D-fast spin echo（FSE）法は従来の black-blood 法よりも短時間で撮影可能であり，造影剤投与下でも血管内の血液信号を抑制し，血管壁の造影効果を鋭敏に捉えることができる．HR-VWI での瘤壁周囲の造影効果は炎症や vasa vasorum の増生を反映しており，不安定動脈瘤や破裂動脈瘤に特徴的な所見とされる[9]．Nagahata らは，未破裂動脈瘤では 81.9 % で造影効果を呈さないが，破裂動脈瘤では 73.8 %

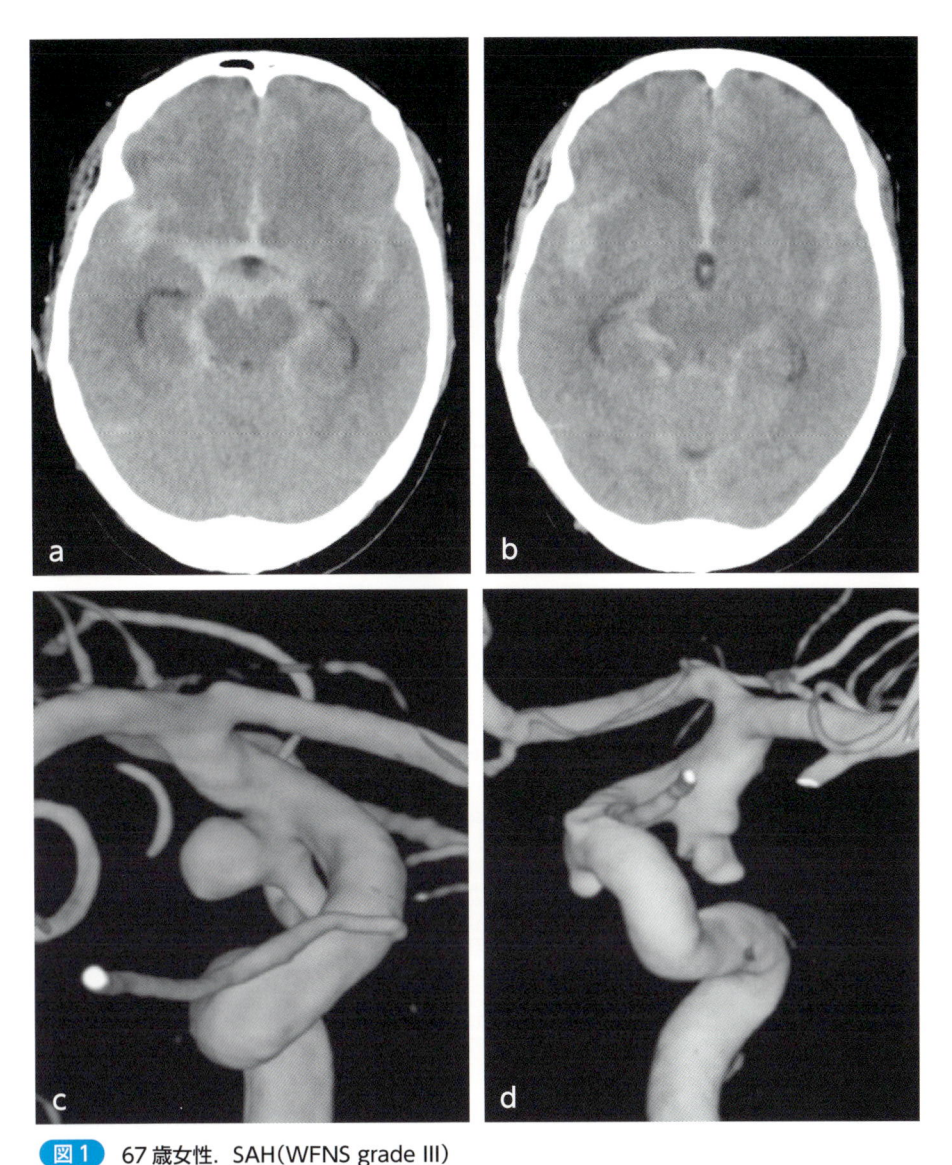

図1 67歳女性．SAH（WFNS grade III）

a，b：頭部単純 CT では右側優位のくも膜下出血を認めた．c，d：3 D-CTA では両側 IC-PC 動脈瘤を認めた．単純 CT での血腫の分布，瘤の大きさから右側が破裂側と考えられた．

で強い造影効果，24.6% で淡い造影効果を認めると報告しており，瘤壁の造影効果が破裂を示唆する所見としている[10]．また，Omodaka らは，多発動脈瘤を有する SAH 患者 26 例，62 動脈瘤を vessel wall imaging を用いて定量的に検討しており，瘤壁の造影効果が独立した破裂動脈瘤の予測因子であると結論している[11]．一方で，SAH 急性期に造影 MRI を撮影するリスク，撮影できる施設

が限られること，最適な撮影法が未確立であることを考えると，標準的な診断法とするにはさらなる症例の積み重ねが必要である．

5 症例提示

　67 歳女性．激しい頭痛で発症した SAH（WFNS grade III）．単純 CT では右側優位の血腫を認めた（図 1a，b）．3 D-CTA では両

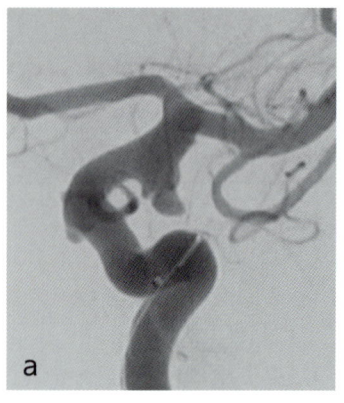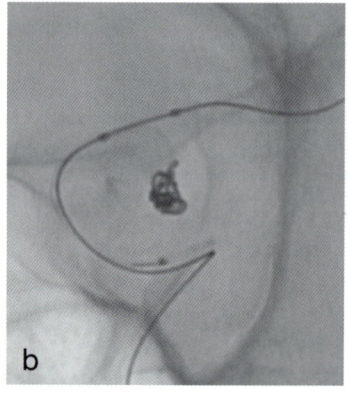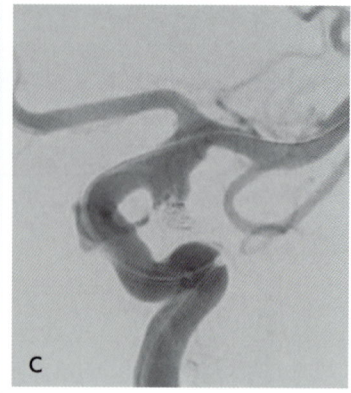

図2 左 IC-PC 動脈瘤（4.6 mm × 2.7 mm，先端にブレブあり）
a：左 IC-PC 動脈瘤．b，c：バルーンリモデリングテクニック下に計 2 本のコイルを挿入し，neck remnant で終了した．

側 IC-PC に動脈瘤を認め，右側の瘤は外側向きの 6.0 mm × 4.0 mm，左側の瘤は後ろ向きの 4.6 mm × 2.7 mm で先端にブレブを有していた（図1c, d）．単純 CT での血腫の分布，瘤の大きさから右側が破裂側と予測した．ミラーイメージの両側 IC-PC 動脈瘤であり小型の左側の瘤から治療を行うこととした（図2a）．バルーンリモデリング下に計 2 本のコイルを挿入し，neck remnant で終了した（図2b, c）．続いて右側の瘤の塞栓に移った（図3a）．バルーンリモデリング下に 2 本目のコイルを挿入していったところで瘤外にコイルが突出した（図3b）．バルーンを直ちに inflate し，計 7 本のコイルを挿入した（図3c）．確認撮影で extravasation がないことを確認し，neck remnant で終了した（図3d）．術中穿孔をきたしたことから，やはり右側の瘤が破裂したものと考えられた．

> **Check Point**
>
> 　両側 IC-PC 動脈瘤や，前交通動脈と脳底動脈瘤のようなミラーイメージの多発動脈瘤を塞栓する場合は，ワーキングアングルが重なる可能性があるため，十分な術前検討が必要である．小型の瘤から塞栓するとコイル塊が妨げとなりにくい．

6　まとめ

　多発動脈瘤を有する患者に SAH が生じた場合の破裂部位の同定方法について解説した．血腫の分布，未破裂脳動脈瘤の自然歴，vessel wall imaging などさまざまな診断モダリティを駆使することで診断の精度を高めることができる．

［文献］

1) Karttunen AI, *et al.*：Value of the quantity and distribution of subarachnoid haemorrhage on CT in the localization of a ruptured cerebral aneurysm. *Acta Neurochir*（*Wien*）2003；**145**：655-661.

2) Lee KC, *et al.*：False localization of rupture by computed tomography in bilateral internal carotid artery aneurysms. *Surg Neurol* 1996；**45**：435-441.

3) Wiebers DO, et al.：Unruptured intracranial aneurysms：natural history, clinical outcome, and risks of surgical and endovascular treatment. *Lancet* 2003；**362**：103-110.

4) Morita A, *et al.*：The natural course of unruptured cerebral aneurysms in a Japanese cohort. *N Engl J Med* 2012；**366**：2474-2482.

5) Backes D, *et al.*：Difference in aneurysm characteristics between ruptured and unruptured aneurysms in patients with multiple intracranial aneurysms. *Stroke* 2014；**45**：1299-1303.

6) Lu HT, *et al.*：Risk factors for multiple intracranial aneurysms rupture：a retrospective study. *Clin Neurol Neurosurg* 2013；**115**：690-694.

7) Huang ZQ, *et al.*：Geometric Parameter Analysis of Ruptured and Unruptured Aneurysms in Patients with Symmetric Bilateral Intracranial Aneurysms：A Multicenter CT Angiography

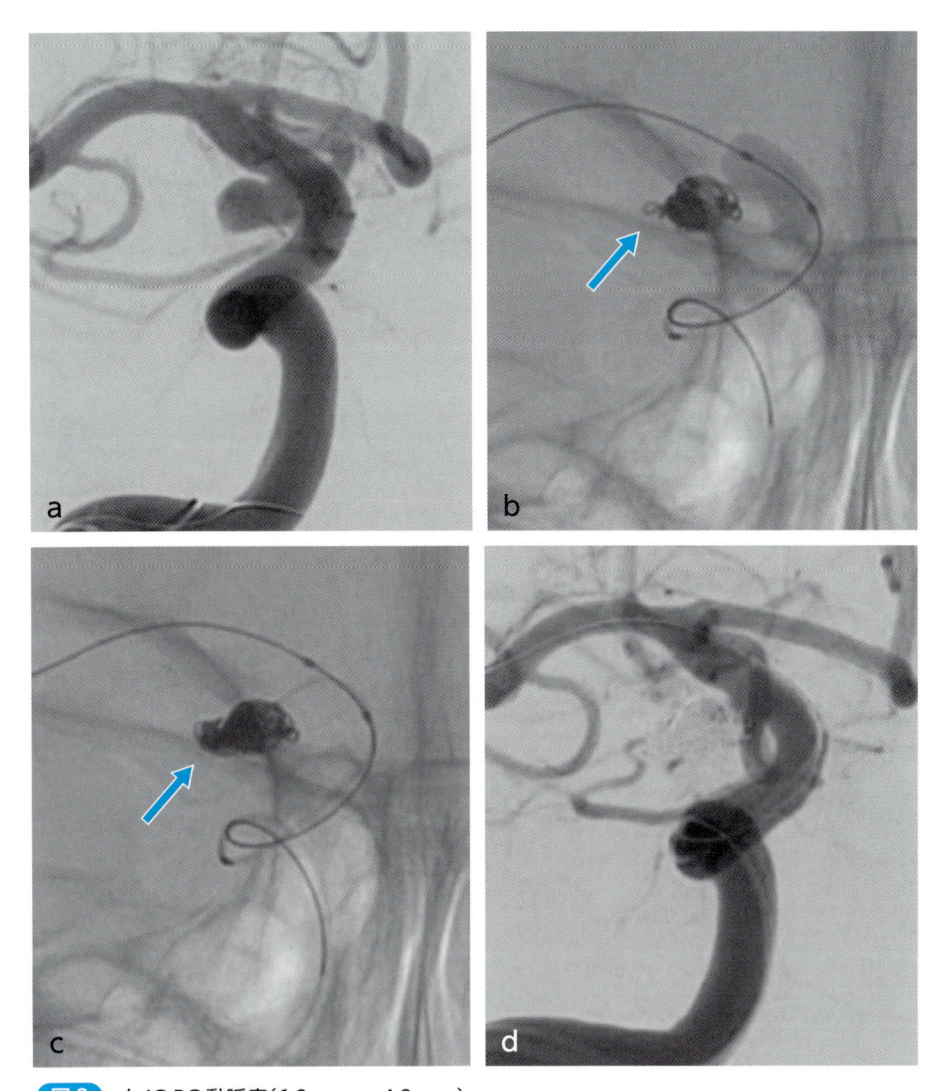

図3 　右 IC-PC 動脈瘤（6.0 mm × 4.0 mm）

a：右 IC-PC 動脈瘤．b：バルーンリモデリングテクニック下に 2 本目のコイルを挿入している途中で瘤外にコイルループが突出した（矢印）．c：バルーンを膨らませたまま瘤外より詰め戻り，計 7 本のコイルを挿入した．d：Extravasation は認めず，neck remnant で終了した．

Study. *AJNR Am J Neuroradiol* 2016；**37**：1413–1417.

8）Matouk CC, *et al.*：essel wall magnetic resonance imaging identifies the site of rupture in patients with multiple intracranial aneurysms：proof of principle. *Neurosurgery* 2013；**72**：492–496.

9）Lehman VT, *et al.*：Conventional and high-resolution vessel wall MRI of intracranial aneurysms：current concepts and new horizons. *J Neurosurg* 2018；**128**：969–981.

10）Nagahata S, *et al.*：Wall Enhancement of the Intracranial An-

eurysms Revealed by Magnetic Resonance Vessel Wall Imaging Using Three-Dimensional Turbo Spin-Echo Sequence with Motion-Sensitized Driven-Equilibrium：A Sign of Ruptured Aneurysm? *Clin Neuroradiol* 2016；**26**：277–283.

11）Omodaka S, *et al.*：Circumferential Wall Enhancement on Magnetic Resonance Imaging is Useful to Identify Rupture Site in Patients with Multiple Cerebral Aneurysms. *Neurosurgery* 2018；**82**：638–644.

10 血腫形成型くも膜下出血の治療戦略

岐阜大学医学部脳神経外科　**榎本由貴子**

*E*ssential Point

- 血腫形成型くも膜下出血に対する治療法の一つとして，急性期のコイル塞栓術と血腫除去術（開頭／内視鏡的／定位的）の選択肢があり，クリッピング術に対して有効性を示す報告が多い．
- 血管攣縮，血栓症など術中イベントリスクは高くなるため，可能な限りシンプルテクニックでの塞栓に努める．
- 特に発症数時間は術中のヘパリン投与により血腫が増大することがあるため，ヘパリンの分割・減量投与の考慮，術後の画像フォローアップが必要である．

1 自然史

　破裂脳動脈瘤に頭蓋内血腫を合併する血腫形成型くも膜下出血（以降血腫型 SAH）の頻度は約 4〜34％ と報告され[1-6]，その原因の多くが中大脳動脈瘤破裂（側頭葉脳内血腫，sylvian hematoma），前交通動脈瘤破裂（前頭葉脳内血腫，interhemispheric hematoma）であり[3,5,7]，非血腫型と比べ重症例の占める割合が多く予後不良と関連する[7-9]．

　高い再出血率[3,5,10,11]，血腫による脳実質損傷や周囲脳浮腫による mass effect，そして高率に合併する脳血管攣縮が関与し[12]，死亡率は約 36〜50（21〜85）％ とされる[5]．急性期重症 SAH への治療介入はためらわれがちであるが，血腫型 SAH は保存的治療のみの死亡率は非常に高く[13,14]，一方で急性期に血腫除去と動脈瘤に対する治療を同時に行うことにより重症例であっても短期・長期的な神経学的機能改善に寄与しうることが知られている[2,13,15]．

2 治療方針

　古典的な開頭術によるクリッピングと血腫除去の同時手術が標準治療であるが，頭蓋内圧が亢進した頭蓋内操作はしばしば困難であり，近位部の動脈確保がされていない時点での術中破裂や，牽引時の脳挫傷による脳浮腫の悪化などをきたす恐れがある[16]．特に Sylvian hematoma type は吸引除去も容易ではなく，術操作の侵襲に比し十分な効果が得られないことが多い．血腫が相当量残存すれば遅発性脳血管攣縮も重篤となりやすいため，脳灌流圧を維持するために神経学的重症度の高い Grade Ⅳ，Ⅴ の Sylvian hematoma を対象にクリッピング術後に予防的外減圧術を追加する方法も報告されている[17]．

　2003 年に Niemann が神経学的重症度の高い血腫型 SAH に対するコイル塞栓術とそれ

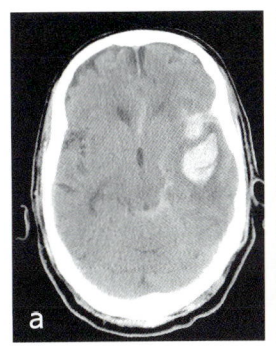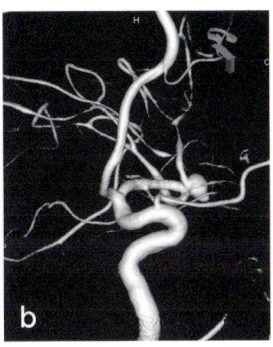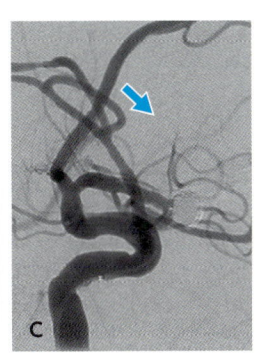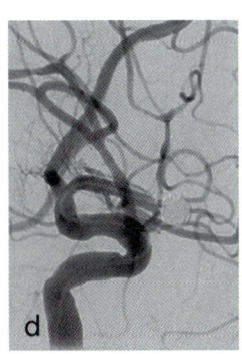

図1　左側頭葉内血腫を伴うくも膜下出血

a：頭部CT画像．
b：3D-RA画像．左中大脳動脈に最大径6.8 mm大の動脈瘤を認めた．
c, d：DSA画像．直ちにコイル塞栓術を行ったが，術中徐々にM2 superior trunkの描出が悪くなり（c，矢印），塩酸ファスジル動注を追加したところ改善した（d）．

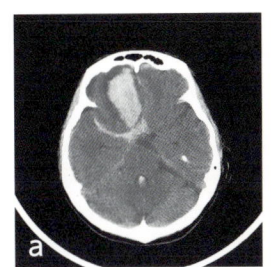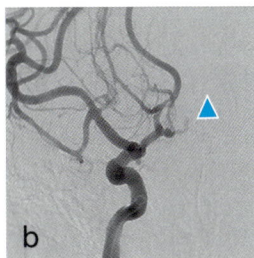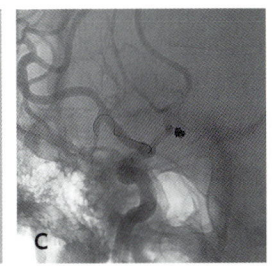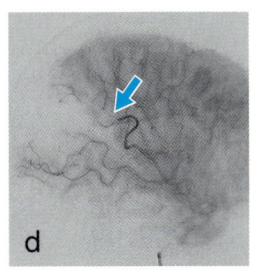

図2　前交通動脈瘤破裂による右前頭葉内血腫を伴うくも膜下出血

a：頭部CT画像．
b〜d：DSA画像．術中瘤外への造影剤漏出所見を認めたため（b，矢頭），ヘパリン投与を行わずシンプルテクニックで迅速にコイル塞栓術を行ったが（c），MCA末梢に血栓症をきたした（d，矢印）．

に引き続く開頭血腫除去術併用を初めて報告した．多くが発症6時間以内の急性期に治療を行い，約半数に転帰良好が得られ，死亡率も低く，過去のクリッピング術・開頭血腫除去術の同時手術の成績に比べ転帰がよかったことを報告している[18, 19]．先に出血源を処置することで再出血を防ぐことはもちろん，血腫除去中の術中破裂を予防でき，剥離も最小限で済むため血腫除去術自体も安全かつ低侵襲に施行可能である．また，コイル塞栓術はspasmを併発していても可能であり，クリッピング術のようにスパズム期の手術操作や待機中の再破裂による病状悪化の危険性が少ないのも本法が推奨される理由である．最近で

は，開頭血腫除去術ではなく，内視鏡[20]や定位手術[21]を用い，さらに低侵襲に治療を行うことが可能となってきた．

3　血腫型SAHに対するコイル塞栓術のtips

治療のゴールは動脈瘤の完全閉塞ではなく，再出血の予防である．周囲の血腫により術中はスパズム（図1）や血栓症（図2）が起きやすく，可及的シンプルに手早く塞栓する必要がある．血腫型SAHの原因となる破裂脳動脈瘤は小型瘤やワイドネック瘤などコイル塞栓術に不向きな動脈が多いが，angiographicalな閉塞にこだわらず二期治療を前提とした

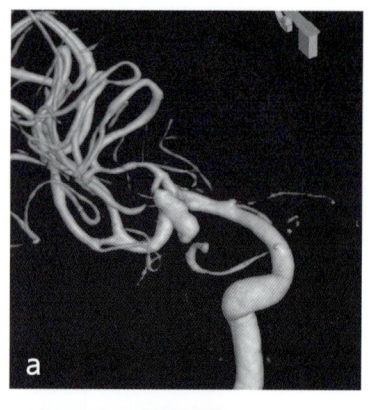
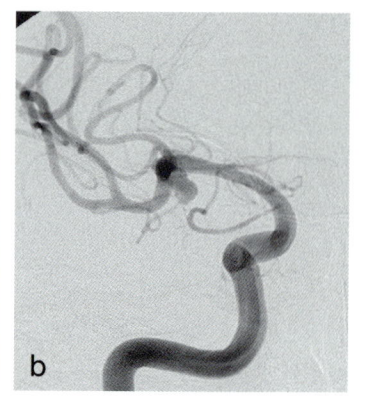
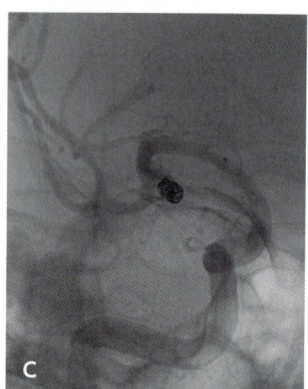
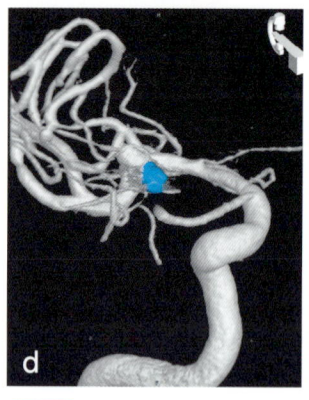
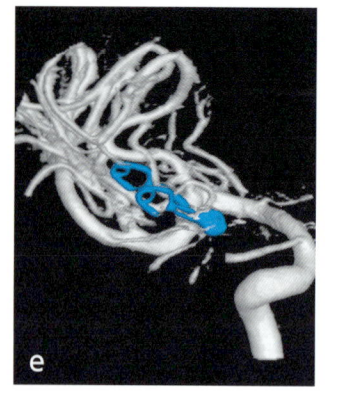

図3 血腫形成型破裂右中大脳動脈瘤

a：術前3D-RA，b：術前DSA．分岐部から上方と下方の2方向に突出するbilobular aneurysmを認めた．
c：初回術後DSA，d：初回術後3D-RA．出血源と思われる下方のcompartmentのみコイル塞栓を行い血腫除去術を施行．
e：クリッピング後3D-RA．慢性期に上方のcompartmentを含めクリッピング術の追加を行った．

rupture pointのみのpalliative embolizationでもよい（図3）．慎重に経過を観察し，慢性期にステント併用コイル塞栓術やクリッピング術で根治的な治療を計画する．

また，コイル塞栓術時はヘパリンの全身投与が必要であるが，発症数時間の超急性期例では動脈瘤の再破裂だけではなく，損傷を受けた脳表から遠隔部血腫をきたす場合があるので注意が必要である[22]．最近の4D-CTAを用いた検討では，血腫の軟膜下伸展により破綻したpial arteryからの出血がSylvian hematomaの正体であることが報告されている[23, 24]．実際にコイル塞栓術中に広範囲に及ぶ皮質動脈の小枝から複数のextravasationを血管撮影上捉えたSylvian hematomaの報告

も存在しているが[25]，注目すべきはこれらのいずれもが発症数時間以内の症例であったことである．止血が完成されていない超急性期のコイル塞栓術ではヘパリン使用に際してこれらの危険性を知っておくべきであり，減量したり，分割投与するなどの工夫が必要と思われる．

［文献］

1）Nowak G, et al.：Intracerebral hematoma caused by aneurysm rupture. Experience with 67 cases. *Neurosurg Rev* 1998：**21**：5–9

2）Tapaninaho A, et al.：Emergency treatment of cerebral aneurysm with large hematomas. Acta Neurochir（Wien）1988：**91**：21–24.

3）Tokuda Y, et al.：Intracerebral hematoma in patients with ruptured cerebral aneurysms. *Surg Neurol* 1995：**43**：272–277.

4）Niemann DB, et al.：Treatment of intracerebral hematomas

caused by aneurysm rupture：coil placement followed by clot evacuation. *J Neurosurg* 2003；**99**：843-847.

5）Pasqualin A, *et al.*：Intracranial hematomas following aneurysmal rupture：experience with 309 cases. *Surg Neurol* 1986；**25**：6-17.

6）Hauerberg J, *et al.*：The prognostic significance of intracerebral hematoma as shown on CT scanning after aneurysmal subarachnoid hemorrhage.. *Br J Neurosurg* 1994；**8**：333-339.

7）Khalid M, *et al.*：Intracerebral hematoma from aneurysm rupture. *Neurosurg Focus* 2003；**15**：1-5

8）Abbed KM, *et al.*：Intracerebral hematoma from aneurysm rupture. *Neurosurg Focus* 2003；**15**：E4.

9）Locksley HB：Natural history of subarachnoid hemorrhage, intracranial aneurysms and arteriovenous malformations. *J Neurosurg* 1966；**25**：321-368.

10）Reynolds AF, *et al.*：Bleeding patterns from ruptured intra cranial aneurysms：an autopsy series of 205 patients. *Surg Neurol* 1981；**15**：232-235.

11）Jartti P, *et al.*：Early rebleeding after coiling of ruptured intracranial aneurysms, *Acta Radiol* 2010；**9**：1043-1049.

12）Pasqualin A, *et al.*：The role of computed tomography in the management of vasospasm following subarachnoid hemorrhage. *Neurosurgery* 1984；**15**：344-353.

13）Nowak G, *et al.*：Intracerebral hematomas caused by aneurysm rupture. Experience with 67 cases. *Neurosurg Rev* 1998；**21**：5-9.

14）Heiskanen O, *et al.*：Acute surgery for intracerebral hematomas caused by ruptured of an intracranial arterial aneurysm：a prospective randomized study. *Acta neurochir* 1988；**90**：81-83.

15）Bohnstedt B, *et al.*：Outcomes for clip ligation and hematoma evacuation associated with 102 patients with ruptured middle cerebral artery aneurysms. *World Neurosurg* 2013；**80**：335-341.

16）Shimoda M, *et al.*：Surgical indications in patients with an intracerebral hemorrhage due to ruptured middle cerebral artery aneurysm. *J Neurosurg* 1997；**87**：170-175.

17）Smith ER, *et al.*：Proposed use of prophylactic decompressive craniectomy in poor-grade aneurysmal subarachnoid hemorrhage patients presenting with associated large sylvian hematoma *Neurosurgery* 2002；51：117-124.

18）Niemann DB, *et al.*：Treatment of intracerebral hematomas caused by aneurysmal rupture：coil placement followed by clot evacualtion. *J Neurosurg* 2003；**99**：843-847.

19）Jeong JH, *et al.*：A less invasive approach for ruptured aneurysm with intracranial hematoma：coil embolization followed by clot evacuation. *Korean J Radiol* 2007；**8**：2-8.

20）Longatti P, *et al.*：Coiling and neuroendoscopy：a new perspective in the treatment of intraventricular haemorrhage due to bleeding aneurysms. *J Neuro Neurosurg Psychiatry* 2006；**12**：1354-1358.

21）Turner RD, *et al.*：Novel device and technique for minimally invasive intracerebral hematoma evacuation in the same setting of a ruptured intracranial aneurysm：combined treatment in the neurointervetional angiography suite. *Operative Neurosurgery* 2015；**11**：43-51.

22）Egashira Y, *et al.*：Continuous growth of remote intracerebral hematoma following angiographically successful endovascular embolization of ruptured cerebral aneurysm. *J Clin Neuroscience* 2012；**19**：170-173.

23）Suzuki K, *et al.*：Active bleeding in acute subarachnoid hemorrhage observed by multiphase dynamic-enhanced CT. *Am J Neuroradiol* 2012；**33**：1374-1379.

24）Suzuki K, *et al.*：Origin of sylvian hematoma in patients with subarachnoid hemorrhage：Findings of extravasation on multiphase contrast-enhanced computed tomography. *World Neurosurg* 2014；**82**：e747-751.

25）Hilditch CA, *et al.*：Remote multifocal bleeding points producing a sylvian subpial hematoma during endovascular coiling of an acutely ruptured cerebral aneurysm. *J NeuroIntervent Surg* 2017；**9**：e25.

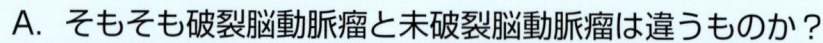

II くも膜下出血のすべて
A. そもそも破裂脳動脈瘤と未破裂脳動脈瘤は違うものか？

History of subarachnoid hemorrhage

亀田総合病院脳神経外科　**田中 美千裕**

*E*ssential Point

- くも膜下出血に特徴的な臨床経過は古代ギリシャ・ヒポクラテスにより記述されていた.
- 紀元前 2600 年頃の古代エジプトでは動脈瘤の治療として焼灼術が行われていた.
- 1937 年ウォルター・ダンディーは世界初の開頭動脈瘤クリッピング術を行った.
- 1960 年代サーン・ムランは直流電流を通電して瘤内を血栓化させるというアイデアを発案. GDC コイルの当初の原理はこれをカテーテルで行うものであった.

1 はじめに

　くも膜下出血（SAH）は多くの病の中でもその発症形式や臨床経過・予後が特徴的な脳卒中疾患であり，人類がこれまで経験してきた数多い疾患の中でも特別な疾病といえる．本稿ではその歴史的背景，治療の発展についてreview する.

2 紀元前

　エドウィン・スミス・パピルス（Edwin Smith Papyrus）は，古代エジプトの外傷手術に関する書物（パピルス）．紀元前 17 世紀，今から約 3700 年前頃に記述された世界でも最初期の医学書で，人体解剖的研究，診断，治療，予後診断などが多数記されている．その中には頭蓋縫合，髄膜，脳外部表面，脳脊髄液，頭蓋内振動（intracranial pulsation），心臓が血管と接合されていることなど脳循環を理解するうえでも重要な項目が記載されてい

た．しかし，くも膜下出血に関しての記述はみあたらない.

1）　イムホテプ（Imhotep B.C.2690-2610頃）

　古代エジプトの高級神官．第 3 王朝のファラオのジェセルに仕えた宰相であり，史上初のピラミッド（ジェセルのピラミッド）の設計者といわれている.

　イムホテプは建築家としてのみならず，内科医としてもすぐれ，死後には「知恵，医術と魔法の神」として神格化された．エーベルス・パピルス（Ebers Papyrus）に彼の動脈瘤についての記述がみられる.

First descriptions of an arterial aneurysm date back as early as 3000 years BC.2 Imhotep（2725 BC），the founder of ancient Egyptian medicine, is believed to be an author of a paragraph found in the Ebers Papyrus on the treatment of arterial aneurysms using cautery:
This is a vessel swelling, a disorder I will treat. It is the vessels that cause it. It originates from an injury upon the vessel. Then thou shalt apply to it treatment with the

knife; this [the knife] is heated in fire; the bleeding will not be considerable.

この記録から紀元前 2725 年イムホテプは四肢に形成された動脈瘤を熱く熱したナイフで焼灼して治療する方法をすでに編み出していたと考えられている.

2) ヒポクラテス（B.C.460-370 頃）

医学を原始的な迷信や呪術から切り離し，臨床と観察を重んじる経験科学へと発展させた. 彼は患者の臨床経過を詳細に時間経過を追って観察しており，下記のような特徴的な臨床経過をたどる病態を記述している.

When persons in good health are suddenly seized with pains in the head, and straightway are laid down speechless, and breathe with stertor, they die in seven days.

Hippocrates 460–370 BC, Aphorisms on Apoplexy
それまで健康だった人が突然の頭痛と意識障害で倒れ，言葉を失っていびき様の呼吸になったら，彼らは 7 日以内に死亡するであろう.
ヒポクラテスの箴言

この著述からもわかるように，SAH に特徴的な臨床経過が記載されており，この病態は古代ギリシャ時代から知られていた.
さらにヒポクラテスはその鋭い観察眼で，SAH 発症後の臨床経過を見事に予言している.

The healthy subject is taken with sudden on set of headache, he /she immediately loses his speech and rattles in his/her throat.
Half of these group may die immediately, and the rest of them might survive. Some of them may present the improvement of consciousness.
However, the half of this group might die within the next couple of days with the similar clinical manifestation.

Afterwards, around 4th to 16th day post ictus, one might be suffered with fever.
If the fever would be lasting, he will develop hemiplegia, aphasia or loss of consciousness.
Once he could survive over this period, half of them would be die in same fashion.

Hippocrates, Prognosis. B.C.400

これを簡単に要約すれば下記のようになる.

1. それまで健康だった者が突然の頭痛を訴えたら，その後間もなくして意識・言葉・呼吸を失うであろう.
2. これらの患者の半数は即死し，残りの半数は生き残る. 生き残った者の内，何人かは症状が改善しているであろう.
3. しかし，生き残った半数の内，さらにその半数は数日以内に再度同じような症状で命を落とすであろう.（early rerupture）
4. 生き残った者も発症から 4 日〜16 日の間に熱を出す. 熱が続くと言葉を失ったり，片麻痺が出現する者がいる.（vasospasm）
5. もしこれらの時期を越えて生き延びても，何人かは再度同じ attack で死ぬ者がいる.（delayed rerupture）

CT も脳血管撮影もなかった古代ギリシャ時代に，ヒポクラテスは見事なまでに SAH の臨床経過を正確に記述していた. 初回の出血で約半数が即死する状況は，近代脳神経外科学が発達した今日でもあまり改善されていない.

3 16 世紀

1) アンブロワーズ・パレ（Ambroise Paré, 1510-1590）

当時銃創の治療には煮えたぎった油を傷口

に注ぐという治療法（焼灼止血法）が一般的であったが，外傷などで四肢に形成された偽性動脈瘤に対し血管結紮法を編み出し，初めて腹部動脈瘤へのアプローチも試みたが成功しなかった．しかし彼は当時侵襲性の低い治療法を編み出し，フランスの外科学進歩に貢献した．有名な言葉に「我包帯す，神，癒し賜う」（Je le pansai, Dieu le guérit.）という言葉が残っている．

2) アストリー・クーパー（Astley Paston Cooper, 1768–1841）

イギリスの外科医，解剖学者，病理学者．耳鼻科，血管外科，乳腺疾患，睾丸疾患の病理学，ヘルニアの手術などで功績をあげた．クーパーは四肢動脈瘤の治療に瘤の頚部の結紮術が有効であることを示した．

4 19世紀から20世紀にかけて

1 ▶ 脳動脈瘤治療の歴史

以下の脳神経外科医は，近代脳神経外科の父でもあり，動脈瘤開頭手術の歴史を作った．

1) ビクター・ホースレー（Sir Victor Horsley 1857–1916）

laminectomy や開頭手術時の止血剤としての骨ロウの開発をした．1885年，くも膜下出血で発症した頭蓋内破裂脳動脈瘤に対し，頚部内頚動脈の ligation を行い，治療した．

2) ハーヴェイ・ウィリアムス・クッシング（Harvey Williams Cushing, 1869–1939）

1925年，58歳女性．進行する視野狭窄と右動眼神経麻痺，右三叉神経領域の知覚低下を認め，頭部単純X線写真では右前頭部に石灰化病変と，posterior clinoids の脱灰を認めた．gasserian ganglion 周囲あるいは Meckel cave から発生した meningioma という術前診断で，クッシングは右前頭側頭開頭術を施行した．硬膜を翻転し，前頭葉の一部を牽引すると，境界明瞭な腫瘍性病変を確認し，クッシングはちょっと変わった髄膜腫かなと思った．しかしその表面を指で触知してみると明らかに拍動していたのである．クッシングはヤバイと思った．これは腫瘍のような臨床経過をたどった巨大動脈瘤であると術中診断に至った．動脈瘤の予後が極めて悪いことは当時の神経学では通説であった．クッシングは諦めて硬膜を閉じて閉頭しようかと思った．ところがオペ室には患者の兄がいた．この兄は医師でもあり，クッシングに手術を進めるように促した．そこでクッシングは助手のパーシバル・ベイリー（Percival Sylvester Bailey 1892 –1973）に頼んで頚部を露出させ，頚動脈を出して ligation できるように準備した．ベイリーが頚動脈を ligation して一時遮断すると瘤は明らかに拍動を弱め，簡単に圧迫できる状態になった．そしてクッシングは瘤に一部切開を入れて内部の血栓を除去し，さらに縮小させようとした時，突然瘤内から大量の出血が始まった．彼はとっさに筋肉片を瘤内に詰め込むと出血は収まった．そのまま内頚動脈を結紮し瘤壁を筋肉片と一緒に縫合して終了した．術後患者は覚醒したが，左片麻痺が出現していた．しかし片麻痺はその後格段に改善し退院した．しかし9か月後自宅で死亡した．

クッシングは動脈瘤用の金属製クリップを開発したが，実臨床では ligation による瘤の縫縮や母血管閉塞を主に行った．[1-4]

3) ウォルター・ダンディー（Walter Edward Dandy,1886–1946）

1937年3月23日，右動眼神経麻痺で発症した IC-Pcom 瘤に対し frontotemporal craniotomy により肉眼的にクリッピング術を施行した．術後13日目には眼瞼下垂（ptosis）が改

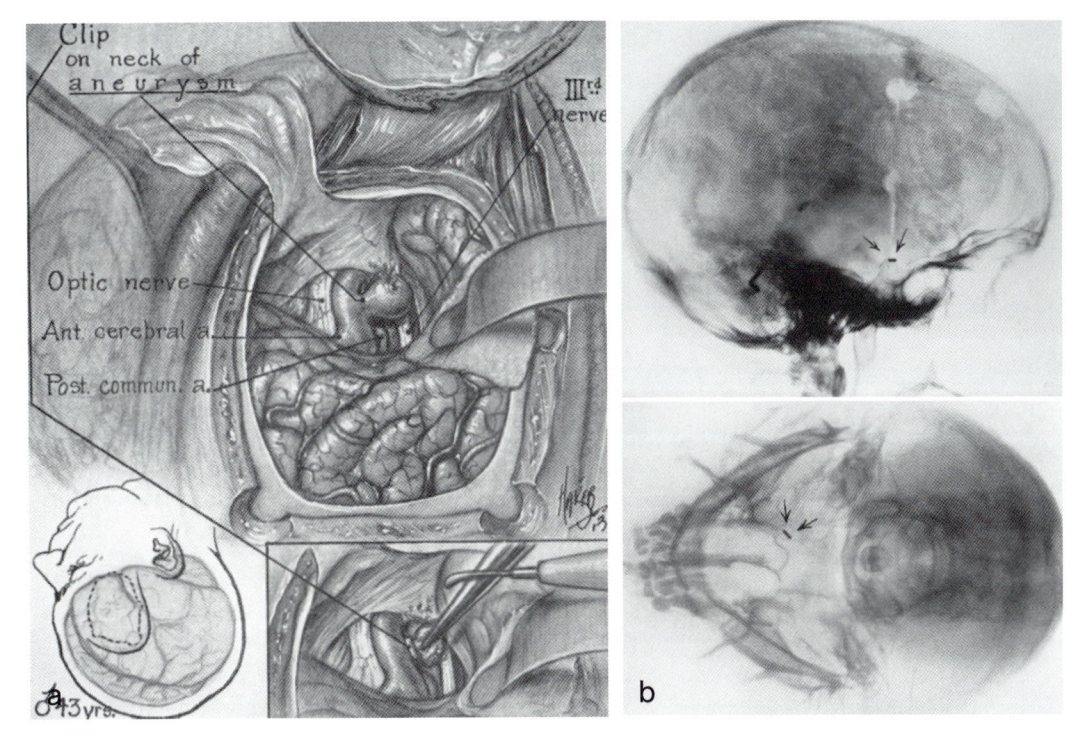

図1 手術療法により動眼神経の改善した世界初の症例

a：Drawing of aneurysm. Inset on the left shows the operative approach with the author's concealed incision. Inset on the right shows clip placed on the neck of the aneurysm and the cautery shrivelling the sac.

b：Lateral(upper)and skull base(lower)x-ray films showing the position of the silver clip(arrows)used by Dandy to occlude the first intracranial aneurysm in 1937. Originally printed in Dandy WE: Intracranial aneurysm of the internal carotid artery: cured by operation. Ann Surg 107:654-659, 1938.

善し，7か月後には動眼神経が改善し，手術療法により動眼神経の改善した世界初の症例となった．[1,5,6] （図1a，b）

4) レイモンド・ドナギィー(Raymond M. P. Donaghy, 1910-1991)

カナダケベック生まれの脳神経外科医ドナギィーは，バーモント大学で手術用顕微鏡の基礎技術を開発．バランスアームを備えた自由に多方向から術野を観察できる立体顕微鏡と，顕微鏡下の手術に適したデバイスの開発，そして顕微鏡下での微小血管吻合など，現代脳神経外科手術の基礎技術を確立した．1967年10月31日，Burlington で EC-IC bypass 術を施行し，見事成功させた．[7,8]

2 ▶ マクロからマイクロへ

1) マームット・ガジ・ヤシャギール(Mahmut Gazi Yasargil, 1925〜)

トルコ生まれ．ドイツのイエナ大学等で研修を積んだ後，1965年，上述のドナギィーの教室に弟子入りし，短期間にマイクロサージェリーの基礎技術を習得．1967年10月30日，Zurich 大学で世界初の EC-IC bypass 術を施行．その24時間後にドナギィーは bypass 術を成功させた．その後，ヤシャギールは basal cistern やくも膜下腔の臨床解剖の理解にも立体顕微鏡が有効であることにいち早く気づき，fronto-temporal craniotomy いわゆる pteryonal approach による Willis 動脈輪

周囲の脳動脈瘤クリッピング術を確立．それに必要な顕微鏡手術用のデバイスもスイスのウォッチメーカーに協力を求めて開発．

ヤシャギールクリップも開発し，脳動脈瘤治療はマクロから顕微鏡下に行う時代に入った．[8,9]

3 ▶ 血管内治療の夜明け

1) ヴェルナー・フォルスマン(Werner Forssman, 1904–1979)

1929年，晩冬のドイツ．国家試験に合格したばかりの研修医ヴェルナー・フォルスマン（Werner Forssman）は，自分のアイデアを実行したい衝動を抑えきれずにいた．チューブを馬の血管から心臓に挿入し，血圧を測ったという記録を医学書で見つけた彼は，もしチューブを人間の血管から心臓に挿入できれば，右房右室内の圧測定が可能となり，強心剤を直接心臓に注入して，より有効な治療ができるはずだと考えていた．「これを生きた人間で試してみたい…」．ある日，実験は手術室で決行された．彼は自分の腕の静脈にゴム製のチューブ（尿管カテーテル）を差し，もう片方の手でチューブを心臓へと押し進めていった．

そして，腕からチューブをぶら下げたまま階段を降り，友人の放射線科医に頼んで地下にある放射線室でレントゲン写真を撮影した．チューブの先端は，確かに心臓内部の右心房まで到達していた．しかし，体を張った彼の実験に周囲の目は冷たかった．教授からは「まるでサーカスの見世物だ！」と罵倒される．失意のうちに研究室から追放された彼は，大学を去り，町の開業医としての生活に入った．それから27年後の1956年．フォルスマンはノーベル賞授与式の会場にいた．アメリカの二人の研究者が心臓カテーテルを使い，彼の実験の正当性が証明されたのだった．彼は

心臓カテーテル法の先駆者として，二人の研究者とともにノーベル生理学・医学賞を受賞した．

2) エガス・モニス Egas Moniz(1874–1955)

ポルトガル人神経内科医，脳血管撮影の原理を発案．イヌを使った動物実験で成功した後，ヒト頚動脈に直接針を穿刺して，造影剤を注入する手法を試みる．造影剤の毒性や，頚動脈の解離，脳梗塞などの合併症により約20名の死者も出たが，1927年についに20歳代男性で脳血管撮影に成功．前交通動脈A1部の up ward shift を認め，鞍上部腫瘍であることが診断できた．脳血管撮影の発達は脳卒中の原因検索のみならず，頭蓋内腫瘍や慢性硬膜下血腫の部位診断など1970年代にCTが発明されるまで神経放射線学の根幹をなす検査法として確立された．[10]

3) トーマス・フォガティー(Thomas Fogarty)

心臓外科医．1963年，double lumen のバルーン付きカテーテルを開発した．それまで下肢動脈血栓症患者は高率に下肢切断術を強いられていた．また外科的な血栓除去術は全身麻酔を施して血流を止め，血管壁を縦に切り開く複雑な手技で，成功率は40〜50％にすぎなかった．成功してもその後内皮障害等で再閉塞したり，壊死を起こし，手足を失ったり死亡したりする例も多くあった．この状況の改善のためフォガティーが着想したのは，Cut down で標的病変の動脈を一部露出して，経皮的にバルーン付きカテーテルを挿入し，血管中でそのバルーンを膨らませ，血栓とともにかき出す方法であった．これは局所麻酔でも施行でき，短時間の手術で済み，外傷も最小限に抑えられ，下肢動脈血栓症の標準治療となっていった．末梢病変ではあったが，本格的な IVR の礎といえる．

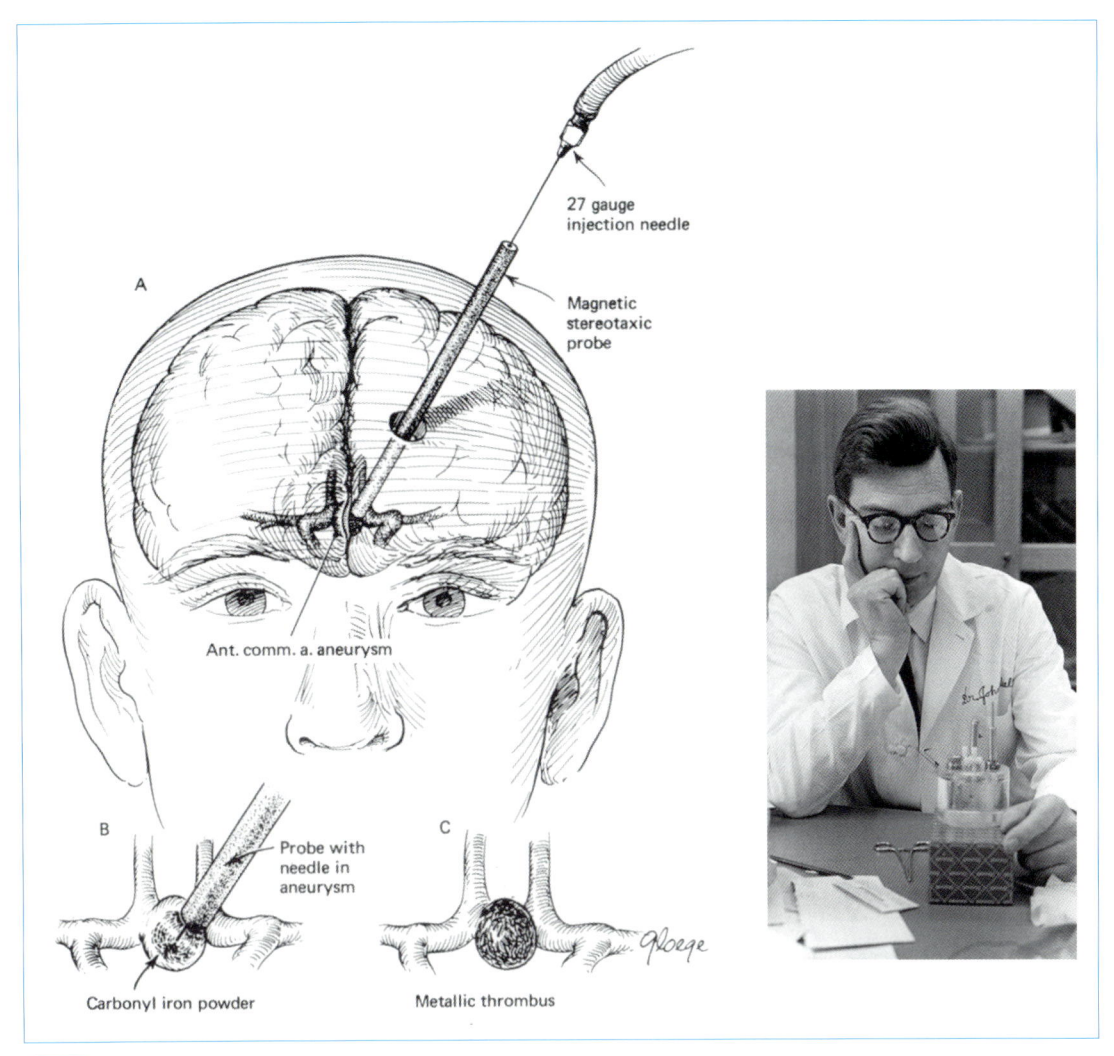

図2 コイルのみによる機械的な閉塞

Stereotactic approach to the anterior communicating artery aneurysm by Dr Sean Mullan(1925-2015)Brain Research Institute at the University of Chicago.

4）フェドール・アンドレイビッチ・セルビネンコ(Fedor Andreïevitch Serbinen-ko, 1928-2002)

　1971年，モスクワ大学のセルビネンコは，マイクロカテーテルの先端に離脱できるタイプのバルーンをマウントし，それを脳動脈瘤内に誘導して拡張，機械的に離脱するという手法を開発し，臨床応用した.[11]

5）サーン・ムラン(Sean Mullan, 1925-2015)

　Brain Research Institute at the University of Chicago. 1960年代，直流電流の通電により動脈血瘤が血栓化することを発見し，その後脳動脈瘤の中に時計用のゼンマイコイルを留置し，そこに通電することにより動脈瘤を血栓化させる方法を開発. その後，ムランは前交通動脈の巨大動脈瘤に対し，burr hole surgery で瘤にアプローチし，30 cm のベリリウ

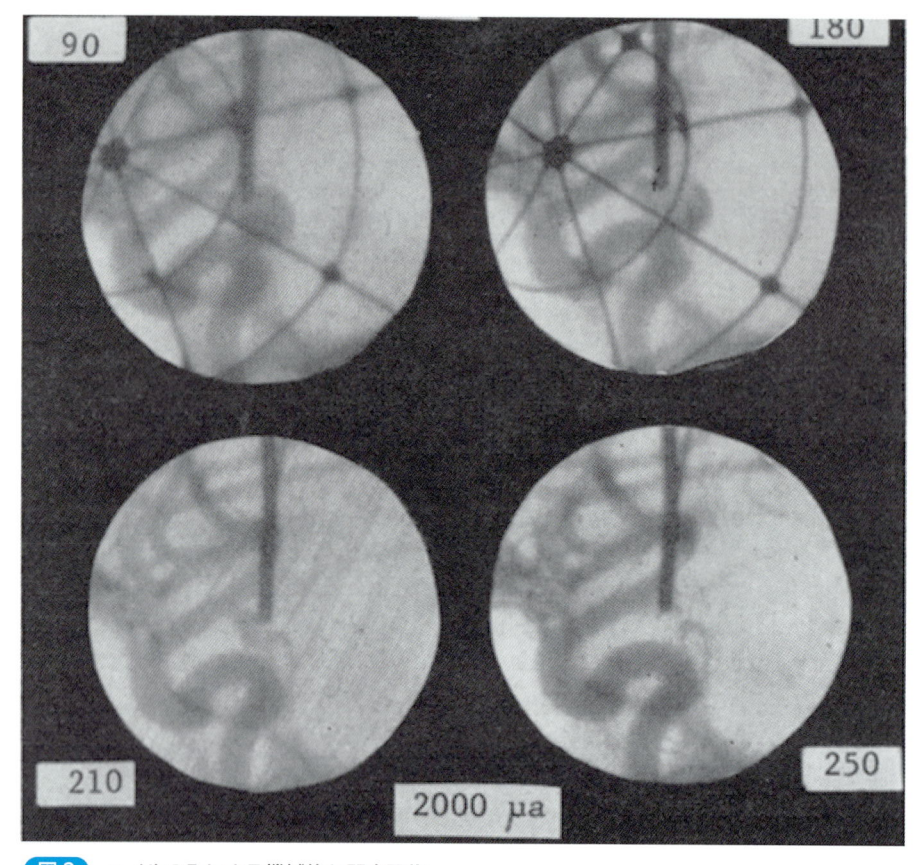

図3 コイルのみによる機械的な閉塞画像

Lateral view of aneurysm of internal carotid artery showing progressive thrombosis after applying 2000μA DC current.

ム銅線1本と25 cmの銅線で瘤を通電なしのコイルのみによる機械的な閉塞で治癒することに成功した（図2，図3）．このアイデアは1980年代のGuglielmiらによるGDCコイル開発の基礎理論となった．[12-14]

6）　グイドー・ググリエルミ（Guido Guglielmi 1948～）

ローマ大学卒業後，ムランによるelectro-thrombosisにヒントを得て，脳動脈瘤の血管内治療の基礎研究を始める．同時期に彼の父親がくも膜下出血を発症し，彼をこの研究に向かわせる大きな動機となった．1979年にはウサギの実験的動脈瘤で直流電流の通電による凝固法を試行．1983年にロンドンのオンタリオ大学でフェルナンド・ヴィニュエラ（Fernando Viñuela）に出会う．その後基礎研究を重ねヴィニュエラがロサンゼルスへ移籍するのに伴い，ググリエルミも一緒にロスヘ渡米．エンジニアリングのTarget社と共同で電気離脱式コイルを開発する．当初は一つのコイルに直流電流を通電することで瘤内を凝固させることを目論んだが，ヒトではうまく行かなかった．そこで電気凝固ではなく，プラチナ製コイルを複数挿入して充填率を上げることで瘤内への血流を遮断して治療する手法へと変革した．[8, 11, 15, 16]

Summary

1.　くも膜下出血の特徴的な臨床経過は古代ギリシャ時代すでにヒポクラテスにより正確に観察され，その予後まで把握されていた．

2.　髄膜・硬膜・軟膜などの解剖学的知識は古代エジプト時代に理解されていた．

3.　脳動脈瘤の破裂でくも膜下出血が発生するという機序は 16 世紀頃より明らかになっていった．

4.　19 世紀後半，脳動脈瘤に対する治療は主に内頸動脈の結紮や母血管閉塞であった．

5.　開頭手術による neck clipping はダンディーらが始め，その後脳血管撮影の発達普及に伴いより信頼性の高い術前診断が可能となり，1960 年代後半にはヤシャギールによる顕微鏡下クリッピング術へと発展した．

6.　脳動脈瘤に対する血管内治療は 1970 年代のセルビネンコによる離脱式バルーンカテーテルに始まり，その後ムランらのアイデアを元にググリエルミらが今日使われている離脱式プラチナ製コイルの基礎技術を開発した．

【文献】

1）Cohen-Gadol AA, *et al.*：Harvey W. Cushing and cerebrovascular surgery: Part I, aneurysms. *Journal of Neurosurgery* 2004；**101**：547-552. doi: 10.3171/jns.2004.101.3.0547

2）Cushing H：Original memoirs: the control of bleeding in operations for brain tumors: with the description of silver "clips" for the occlusion of vessels inaccessible to the ligature. 1911. *Yale Journal of Biology and Medicine* 2001；**74**：399-412.

3）Fox JL：Vascular clips for the microsurgical treatment of stroke. *Stroke* 1976；**7**：489-500. doi: 10.1161/01.STR.7.5.489

4）Polevaya N V, *et al.*：The transition from hunterian ligation to intracranial aneurysm clips: a historical perspective. *Neurosurgical focus* 2006；**20**：E3. doi: 10.3171/foc.2006.20.6.3

5）Dandy WE：Intracranial Aneurysm of the Internal Carotid Artery. *Annals of Surgery* 1938；**107**：654-659. doi: 10.1097/00000658-193805000-00003

6）Kretzer RM, *et al.*：Walter E. Dandy's contributions to vascular neurosurgery. *Journal of Neurosurgery* 2010；**112**：1182-1191. doi: 10.3171/2009.7.JNS09737

7）Link TE, *et al.*：Raymond M. P. Donaghy: a pioneer in microneurosurgery. *Journal of Neurosurgery* 2010；**112**：1176-1181. doi: 10.3171/2009.6.JNS09539

8）Yaşargil MG：A legacy of microneurosurgery: memoirs, lessons, and axioms. *Neurosurgery* 1999；**45**：1025-1092.

9）Milinis K, *et al.*：History of Aneurysmal Spontaneous Subarachnoid Hemorrhage. *Stroke* 2017；**48**：e280-e283. doi: 10.1161/STROKEAHA.117.017282

10）Doby T：Cerebral angiography and Egas Moniz. *American Journal of Roentgenology* 1992；**159**：364-364. doi: 10.2214/ajr.159.2.1632357

11）Richling B：History of endovascular surgery: Personal accounts of the evolution. *Neurosurgery* 2006；**59**：30-38. doi: 10.1227/01.NEU.0000226224.79768.83

12）Alksne JF：Stereotactic Thrombosis of Intracranial Aneurysms. *New England Journal of Medicine* 1971；**284**：171-174. doi: 10.1056/NEJM197101282840402

13）Mullan S, *et al.*：An experimental Approach To the Problem of Cerebral Aneurysm. *Journal of neurosurgery* 1964；**21**：838-45. doi: 10.3171/jns.1964.21.10.0838

14）Mullan S, *et al.*：Electrically induced thrombosis in intracranial aneurysms. *Journal of neurosurgery* 1965；**22**：539-47. doi: 10.3171/jns.1965.22.6.0539

15）Guglielmi G, *et al.*：Electrothrombosis of saccular aneurysms via endovascular approach. Part 1: Electrochemical basis, technique, and experimental results. *Journal of neurosurgery* 1991；**75**：1-7. doi: 10.3171/jns.1991.75.1.0001

16）Guglielmi G, *et al.*：Electrothrombosis of saccular aneurysms via endovascular approach. *Journal of Neurosurgery* 1991；**75**：1-7. doi: 10.3171/jns.1991.75.1.0001

脳動脈瘤はなぜ破裂するのか —基礎研究の観点から—

ロナルドレーガン UCLA メディカルセンター神経血管内治療部 **金子直樹**

$\mathcal{E}$ssential Point

- 脳動脈瘤の増大，破裂に関してはいまだ多くのことがわかっていない．
- ヒト脳動脈瘤標本，動物モデル，CFD を用いた研究が脳動脈瘤研究の中心であり，それぞれにメリット，デメリットがある．
- 破裂している脳動脈瘤では炎症と細胞外基質の変化が未破裂に比べ強い．
- 異常な流れが増大，破裂にかかわっている可能性がある．
- 様々な研究の組み合わせにより新たな知見を得ていく必要がある．

1 はじめに

　脳動脈瘤の増大，破裂に関してはいまだ多くのことがわかっていない．前向きの疫学調査から，生涯的に破裂するのは 30 % 程度で半数以上は破裂しないことや[1]，大きいほど破裂リスクは高いが，実際破裂している数としては小型が多いこと[2]がわかっている．

　それらの疫学調査を踏まえると，脳動脈瘤は発生してある程度の大きさになりそのまま安定しているもの（図 1a）が多いが，①最終的に破裂する脳動脈瘤にはある程度の大きさで安定していたのに不安定になり破裂（図 1b），②発生してすぐに破裂（図 1c），③徐々に増大を繰り返し破裂する（図 1d）などのパターンがあると考えられる[3]．しかし一つひとつの未破裂脳動脈瘤がどのパターンに当てはまるかを予測することは困難である．

　ヒト脳動脈瘤標本による破裂と未破裂の比較の研究では，破裂に炎症がより多くみられ

ることから，炎症による動脈瘤壁の不安定化によって増大，破裂が引き起こされると考えられる．なぜ，どのように炎症を中心としてそれぞれのパターンが引き起こされるのかを理解することが，破裂予測や破裂予防方法を開発する上で重要となる．しかし実際には遺伝子変異や加齢，高血圧，喫煙，閉経などの因子を背景に，血管内皮細胞，平滑筋細胞，線維芽細胞，細胞外基質だけでなく血液細胞，凝固線溶系，流れや圧力によるストレスなどの様々な要素が血管壁の中で作用し合う非常に複雑な現象である．それらの現象を理解するために基礎研究が必要となる．脳動脈瘤の基礎研究ではヒト脳動脈瘤標本，動物モデル，Computational Fluid Dynamics（CFD）を用いた研究が中心として行われている（図 2）．

2 ヒト脳動脈瘤標本

　手術摘出されたヒト脳動脈瘤標本を用いた

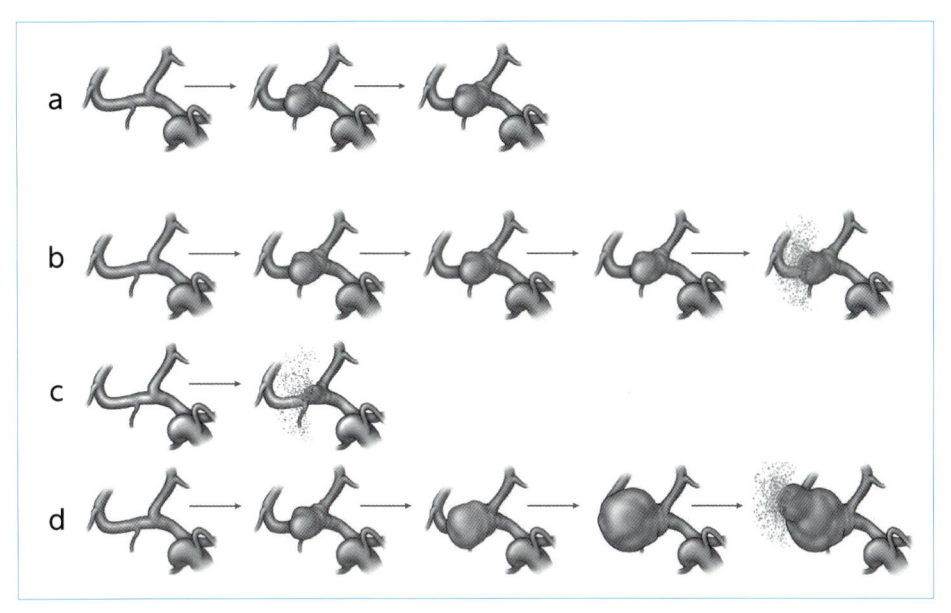

図1　脳動脈瘤の発生，増大，破裂パターン
（文献 3 を改変引用）

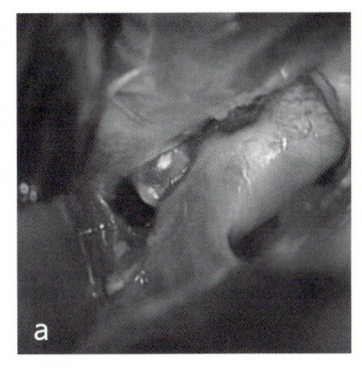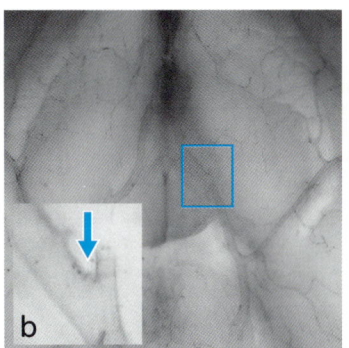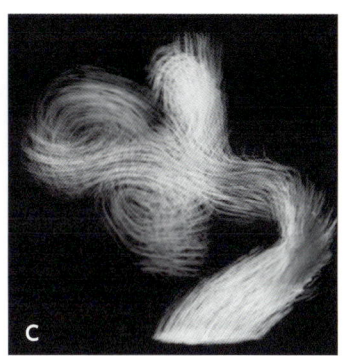

図2　脳動脈瘤の研究手法
a：ヒト脳動脈瘤標本.
b: 動物モデル.
c：CFD.

研究は，脳動脈瘤研究の中心的役割を果たすもので多くの報告がなされている．

1 ▶ 脳動脈の正常構造

　正常の頭蓋内動脈は筋性動脈で内膜，基底膜，内弾性板，中膜，外膜で構成される．内膜は一層の内皮細胞で構成され内腔に面し，血流刺激を感知し血管内腔を正常に機能させる．その外側にある内弾性板は主にエラスチンで構成され，600 mmHg の負荷に耐えられる．中膜は主に血管平滑筋と III 型コラーゲンで，外膜は線維芽細胞と I 型コラーゲンで構成される．外弾性板は存在せず外膜は疎である．

2 ▶ 脳動脈瘤病理

　脳動脈瘤において内膜の損傷，内弾性板の断裂，中膜の菲薄化，III 型コラーゲンから

異常な配列のⅠ型コラーゲンへの置換が起こる[4-6]．未破裂に比べ破裂脳動脈瘤では内膜の損傷や脱落，vasa vasorum の発達に加えマクロファージ，T細胞などの炎症細胞の浸潤を認める[4]．逆に未破裂脳動脈瘤では炎症性細胞の浸潤は破裂瘤に比べ少ない．モデル動物を用いた研究では炎症性細胞の浸潤により脳動脈瘤の発生が起こることが示されており，発生，増大後破裂しないで安定化している未破裂脳動脈瘤は炎症がおさまった状態になっていると考えられる．

3 ▶ 分子生物学的解析

最近では遺伝子発現の網羅的解析が進んでいる．破裂脳動脈瘤は未破裂と比べ炎症反応を促進する遺伝子発現変化に加えリソソーム経路に関わる遺伝子発現の増加が示されている[7,8]．また，破裂と未破裂との比較ではないものの，マイクロアレイを用いた microRNA や long noncoding RNA の解析で，炎症関連遺伝子の増加や平滑筋収縮に関わる遺伝子の減少を引き起こすと考えられる変化が報告されている[9,10]．これらの epigenetic な制御も含めて動脈瘤では炎症反応が引き起こされていることが示唆される．

4 ▶ その他の解析

破裂瘤と未破裂瘤にそれぞれ約70％に歯周病菌を認めるという報告がある[11]．これらの菌がどのように脳動脈瘤の発生，増大，破裂に関わっているかは不明であるが，壁内での炎症反応を誘引または悪化させる一因となっている可能性がある．核実験起源の放射性炭素を用いたコラーゲンの年代測定法を用いた研究で高血圧，喫煙という危険因子がある動脈瘤では，コラーゲンのターンオーバーが早いことが示されている[6]．また，未破裂脳動脈瘤のコラーゲンの配列を観察しつつ引張試験をした研究によると，瘤内のコラーゲンの配列は不規則で，正常血管に比べ引っ張られた際に動脈瘤壁が裂けやすいことが示されている．動脈瘤壁においても裂けやすいものもあれば裂けにくいものもあり，これらが脳動脈瘤の破裂しやすさと関係している可能性がある[12]．

以上のヒト脳動脈瘤標本からの研究をまとめると，破裂動脈瘤では未破裂に比べ炎症が強く起こりコラーゲンのダイナミックな変化が起こっていることが示唆される．しかしヒト脳動脈瘤標本を用いた研究では経時的変化を追えず，相関関係は示せても因果関係を示すことはできないという欠点がある．

3 動物モデル

動物モデルは 1978 年に Hashimoto らが一側総頚動脈結紮，高血圧負荷，コラーゲン重合阻害剤である β-aminopropionitrile（BAPN）投与により脳動脈瘤を誘発できることを報告[13]し，それ以降多くの報告がされている．遺伝子改変や薬物投与などを行うことで，特定の遺伝子やタンパク質などの脳動脈瘤における役割を研究したり，ヒト脳動脈瘤標本で得られた知見の因果関係を示すことができる．実際に内膜損傷やマクロファージの浸潤などヒト脳動脈瘤標本で観察されたものが動物モデルで再現されており，NF-$\kappa\beta$，TNF-αやMMP を中心とする炎症や細胞外基質の変性が破裂に関わることが示されている[14-17]．

しかし脳動脈瘤誘発動物モデルにおいて破裂はまれで，破裂率を高めるために脳槽内にエラスターゼを注入されるモデルがあるが[18]，生理的でないため破裂のメカニズムが異なっている可能性はある．また，マウスやラット

の脳動脈瘤はその絶対的な大きさがヒトとは異なり，一つの細胞が受ける血行力学的ストレスも異なるため，ヒト脳動脈瘤3次元画像からCFDで計算されるパラメータと組み合わせて検討することは難しい．動物モデルはこれらの欠点はあるものの，ヒト脳動脈瘤標本ではできない生物学的な因果関係を示すことができる重要な研究手法であり，今後もメカニズム解明や予防の薬剤開発などにおいて中心的な役割を担い続けると考えられる．

4　CFD

　CFDは脳血管撮影などの3次元画像からさまざまなパラメータを計算でき，それにより異常な血流と破裂の関連が数多く報告されている．依然としてCFDのみでは生物学的情報がない，後ろ向き研究だけでは因果関係を示せないという欠点がある．しかし最近はCFDと手術摘出標本と組み合わることで生物学的情報を得る試みがされている．その研究からは，流速が遅く流入部が広いと細胞成分が脱落し退行性変化が強い，壁面ずり応力が高い部位では炎症反応が強く破裂しやすい，低い壁面ずり応力部位では器質化血栓が多いことなどが示されている[19]．今後MRIによるVessel Wall Imagingや4D Flowなどとの組み合わせによる報告が増えてくると思われる．

5　おわりに

　上記のとおりヒト脳動脈瘤標本，動物モデル，CFDによる研究から異常な流れ，炎症と細胞外基質の変化が増大，破裂に関わっていることがわかってきた．しかしいまだになぜ小さいまま破裂してしまう脳動脈瘤があるのか，安定化していた脳動脈瘤はどのように不安定化するのかなど多くのことが不明であ

り，研究の余地が多く残されている．ヒト脳動脈瘤標本，動物モデル，CFDにはそれぞれ欠点があり一つひとつの研究手法で解明できることは限られている．それらの手法の組み合わせや，疫学研究，免疫学や血液学から得られた知見，患者情報，遺伝子，経時的画像などを組み合わせることで新たな知見を得ていく必要がある．

【文献】

1) Korja M, et al.：Lifelong rupture risk of intracranial aneurysms depends on risk factors: a prospective Finnish cohort study. *Stroke* 2014；**45**：1958-1963.
2) Morita A, et al.：The natural course of unruptured cerebral aneurysms in a Japanese cohort. *N Engl J Med* 2012；**366**：2474-2482.
3) Etminan N, et al.：Unruptured intracranial aneurysms: development, rupture and preventive management. *Nat Rev Neurol* 2016；**12**：699-713.
4) Korkmaz E, et al.：Comparative Ultrastructural and Stereological Analyses of Unruptured and Ruptured Saccular Intracranial Aneurysms. *J Neuropathol Exp Neurol* 2017；**76**：908-916.
5) Frosen J, et al.：Remodeling of saccular cerebral artery aneurysm wall is associated with rupture: histological analysis of 24 unruptured and 42 ruptured cases. *Stroke* 2004；**35**：2287-2293.
6) Etminan N, et al.：Age of collagen in intracranial saccular aneurysms. *Stroke* 2014；**45**：1757-1763.
7) Kleinloog R, et al.：et al.：RNA Sequencing Analysis of Intracranial Aneurysm Walls Reveals Involvement of Lysosomes and Immunoglobulins in Rupture. *Stroke* 2016；**47**：1286-1293.
8) Nakaoka H, et al.：Gene expression profiling reveals distinct molecular signatures associated with the rupture of intracranial aneurysm. *Stroke* 2014；**45**：2239-2245.
9) Bekelis K, et al.：MicroRNA and gene expression changes in unruptured human cerebral aneurysms. *J Neurosurg* 2016；**125**：1390-1399.
10) Li H, et al.：Expression profile of long noncoding RNAs in human cerebral aneurysms: a microarray analysis. *J Neurosurg* 2017；**127**：1055-1062.
11) Pyysalo MJ, et al.：Bacterial DNA findings in ruptured and unruptured intracranial aneurysms. *Acta Odontol Scand* 2016；**74**：315-320.
12) Robertson AM, et al.：Diversity in the Strength and Structure of Unruptured Cerebral Aneurysms. *Ann Biomed Eng* 2015；**43**：1502-1515.
13) Hashimoto N, et al.：Experimentally induced cerebral aneurysms in rats. *Surg Neurol* 1978；**10**：3-8.
14) Aoki T, et al.：Macrophage-derived matrix metalloproteinase-2 and -9 promote the progression of cerebral aneurysms in rats. *Stroke* 2007；**38**：162-169.

15）Aoki T, *et al.*：NF-kappaB is a key mediator of cerebral aneurysm formation. *Circulation* 2007：**116**：2830-2840.

16）Aoki T, *et al.*：Critical role of TNF-alpha-TNFR1 signaling in intracranial aneurysm formation. *Acta Neuropathol Commun* 2014：**2**：34.

17）Aoki T, *et al.*：Prostaglandin E2-EP2-NF-kappaB signaling in macrophages as a potential therapeutic target for intracranial aneurysms. *Sci Signal* 2017：**10**.

18）Nuki Y, *et al.*：Elastase-induced intracranial aneurysms in hypertensive mice. *Hypertension* 2009：**54**：1337-1344.

19）Cebral J, *et al.*：Flow Conditions in the Intracranial Aneurysm Lumen Are Associated with Inflammation and Degenerative Changes of the Aneurysm Wall. *AJNR Am J Neuroradiol* 2017：**38**：119-126.

3 破裂脳動脈瘤と未破裂脳動脈瘤で瘤内血流動態はどう違うか？

埼玉医科大学 総合医療センター脳神経外科・脳血管センター　**庄島正明**

*E*ssential Point

- 脳動脈瘤が破裂すると，その直後にサイズは増大し，ブレブができ，アスペクト比は増大する．いずれの変化も，瘤内の血流速度の低下につながる．
- CFD 的には，WSS(Wall shear stress)の低下・OSI(Oscillatory shear index)の上昇・Flow instability が破裂脳動脈瘤における血行力学的特徴である．

1 はじめに

　脳動脈瘤に対してコイル塞栓術を行っていると，未破裂脳動脈瘤ではコイルをタイトに挿入してもなかなか瘤内の血流が消失しないのに対して，破裂動脈瘤ではコイルをルースにしか入れていないにもかかわらず，瘤内の血栓化が起こるようなケースを経験することがある．

　ドイツの病理学者である Virchow は，血栓形成のリスクとして，血液の凝固機能亢進，血管壁の変化，血流状態の変化をあげた（Virchow の三徴）．破裂脳動脈瘤症例では，血液凝固機能が亢進しているという[1]．また，破裂後の動脈瘤では，瘤壁での内皮細胞の欠損や止血のために形成された血栓が瘤内に存在していることもある[2]．さらには，破裂後の脳動脈瘤に特徴的な血流動態も関与していると推察される．

　瘤内の流れは，瘤のカタチと密接にリンクしている．脳動脈瘤は破裂するとどのように形状が変化するのか，そしてどのように瘤内の流れが変わるのだろうかという点に関して簡単にまとめる．

2 破裂による動脈瘤の形状変化

　破裂前後で脳動脈瘤の形状がどのように変化するかに着目した研究がいくつか報告されている．

　Yi ら[3]は，破裂前後に脳動脈瘤の画像が保存されていた自施設の 6 症例に文献で報告されている 17 症例を加えて，合計 23 症例で破裂前後の形状変化を調査した．多くの動脈瘤（17 例）は破裂後にサイズが増大したが，縮小したものもわずかにみられた（2 例）．破裂後にブレブが新たに形成された症例が 11 例にみられた．

　Oygard ら[4]は，ノルウェーの全国調査で集められた破裂前後で画像が撮像されている 29 症例を対象に検討を行った．破裂後にはサイズは平均 2 ミリ程度増大するが，ネック径は変わらなかった．アスペクト比は増大し，動脈瘤のブレブが増えたという点で形状が不

規則になっていた.

Check Point

脳動脈瘤は破裂すると形が変化する
・2ミリ増大する
・ブレブが1つ増える
・アスペクト比が上昇する

つまり、破裂直後の脳動脈瘤は、同サイズの未破裂脳動脈瘤に比べると、アスペクト比が高く、ブレブを有する点で特徴的であるといえる.

アスペクト比が高くなるとどのように瘤内血流が変化するのだろうか？ Ujiie ら[5]が、ウサギの大動脈に静脈片を縫い付けてさまざまな形状の疑似動脈瘤を作成し、内部の流速をドップラー流速計で計測したところ、アスペクト比が1.6以上か以下かで瘤内の血流動態が大きく異なっていたという. アスペクト比が大きな「縦長」の動脈瘤では、奥の方では血流速度が非常に緩やかになっていた. また、アスペクト比に関係なく、小さな膨隆部分（ブレブ）においても同様の所見であった.

以上の知見をまとめると、破裂直後の脳動脈瘤は、未破裂脳動脈瘤に比べてアスペクト比が高く、ブレブを有するために、血流速度が非常に低下している部分があるという特徴があるといえる.

3　破裂動脈瘤と未破裂脳動脈瘤の CFD解析の所見

患者より取得されたCT画像や3D-RA画像を元に動脈瘤の血流解析を行うことをPatient-specific Image-based CFDとよぶが、このような解析は2000年頃より可能になって

きた. 破裂動脈瘤と未破裂脳動脈瘤で血流動態の違いを比較する研究は [Rupture status（破裂状態）] に関する研究として多数行われており、ある程度一致した見解が得られている.

Xiang ら[6]は、破裂動脈瘤38個と未破裂81個の形状解析およびCFD解析結果を比較し、破裂後の動脈瘤は、①サイズ（血管径）が大きい、② WSS（壁面せん断応力）が小さい、③ OSI（Oscillatory Shear Index）が大きい特徴があると報告している. WSSとは血液の流れが血管壁をこするような力の大きさのことで、壁際の流れが速いほど大きくなる. WSSが小さいということは瘤内の血流速度が小さいということを反映している. OSIとは血液の流れが血管壁をこするときの向きが心拍動周期内にどの程度変化するかを示す数値のことで、流れがよどんでいるところでOSIが大きくなる. 同一血管系に複数の脳動脈瘤が存在しており、CTや術中所見から破裂部位が同定された20例の多発動脈瘤症例を対象にCFD解析が行われた研究においても、やはり破裂した動脈瘤ではWSSが低いことが確認された[7].

WSSやOSIは「せん断応力」に関連する古典的なパラメータであるが、「Flow instability（流れの不安定性）」に着目した研究結果も報告されている. Xu ら[8]は多発動脈瘤の2症例に対して、心拍周期内での瘤内流速の変動に関して詳細な解析を行った. CFD解析では、血管モデルの入口部分に頚動脈エコーなどから取得されたこ二峰性の流速波形がインプットされるが、通常の血管部分における流速は、入口部分とほぼ同様した「平滑な」流速波形になる. 未破裂瘤内でも同様の「平滑」な流速波形が記録されたが、破裂動脈瘤内では、高周波のノイズ様変動を伴うまったく異

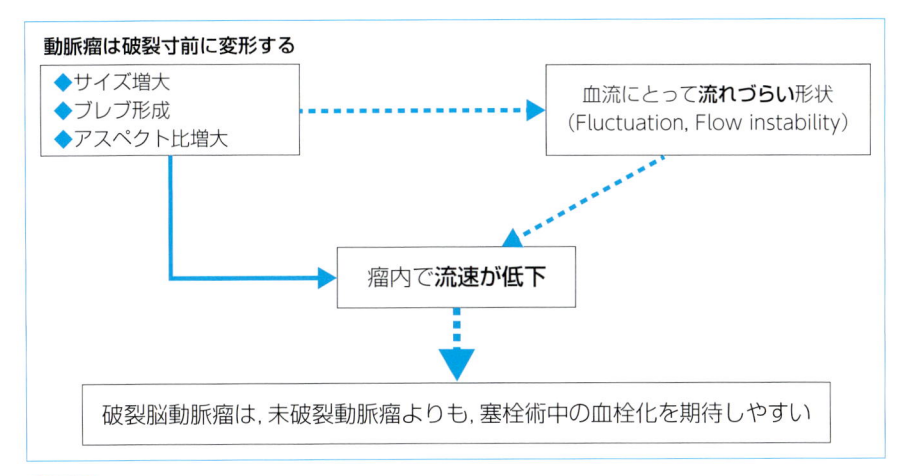

動脈瘤は破裂寸前に変形する
◆サイズ増大
◆ブレブ形成
◆アスペクト比増大

血流にとって**流れづらい形状**
(Fluctuation, Flow instability)

瘤内で**流速が低下**

破裂脳動脈瘤は，未破裂動脈瘤よりも，塞栓術中の血栓化を期待しやすい

図1　破裂と未破裂で瘤内血流動態はどう違うか？

なる流速波形が観察された．このような現象は流体力学的には「Flow instability」とよばれるが，わかりやすく考えると，未破裂脳動脈瘤では，血流が「するり」と流れるのに対して，破裂動脈瘤では，瘤内に入った血流がごった返していて，流れづらい状況になっているのを示唆している思われる．

4　おわりに

破裂直後の瘤では，未破裂瘤に比べると，瘤内の血流速度は低下しているといえる．このため，破裂直後の動脈瘤では，コイル塞栓術により瘤内の血栓化が得られやすいのかもしれない（図1）．また，破裂瘤のCFDパラメータに関しては，下記のCheck Pointに記載されるような特徴が認められる．

*C*heck Point
破裂脳動脈瘤は未破裂脳動脈瘤と比較して
・WSSが低下している
・OSIが上昇している
・流れが不安定である

【文献】
1) Ettinger MG.：Coagulation Abnormalities in Subarachnoid Hemorrhage. *Stroke*. 1970；**1**：139-142. doi:10.1161/01.STR.1.3.139
2) Frösen J, *et al.*：Remodeling of saccular cerebral artery aneurysm wall is associated with rupture: histological analysis of 24 unruptured and 42 ruptured cases. *Stroke*. 2004；**35**：2287-2293. doi:10.1161/01.STR.0000140636.30204.da
3) Yi J, *et al.*：Cerebral Aneurysm Size before and after Rupture: Case Series and Literature Review. *J Stroke Cerebrovasc Dis Off J Natl Stroke Assoc*. 2016；**25**：1244-1248. doi:10.1016/j.jstrokecerebrovasdis.2016.01.031
4) Skodvin TØ, *et al.*：Cerebral Aneurysm Morphology Before and After Rupture: Nationwide Case Series of 29 Aneurysms. *Stroke*. 2017；**48**：880-886. doi:10.1161/STROKEAHA.116.015288
5) Ujiie H, *et al.*：Effects of size and shape（aspect ratio）on the hemodynamics of saccular aneurysms: a possible index for surgical treatment of intracranial aneurysms. *Neurosurgery*. 1999；**45**：119-129; discussion 129-130.
6) Xiang J, *et al.*：Hemodynamic-morphologic discriminants for intracranial aneurysm rupture. *Stroke*. 2011；**42**：144-152. doi:10.1161/STROKEAHA.110.592923
7) Zhang Y, *et al.*：Influence of morphology and hemodynamic factors on rupture of multiple intracranial aneurysms: matched-pairs of ruptured-unruptured aneurysms located unilaterally on the anterior circulation. *BMC Neurol*. 2014；**14**：253. doi:10.1186/s12883-014-0253-5
8) Xu L, *et al.*：Exploring potential association between flow instability and rupture in patients with matched-pairs of ruptured-unruptured intracranial aneurysms. *Biomed Eng Online*. 2016；**15**：166. doi:10.1186/s12938-016-0277-8

4 総論：疫学，危険因子，病態：ガイドラインはどうなっているのか？

国立病院機構大阪医療センター脳神経外科　**藤中俊之**

Essential Point

- くも膜下出血とは頭蓋内くも膜下腔への出血を表す総称である．種々の原因があるが，臨床上最も重要なものは脳動脈瘤破裂によるくも膜下出血である．
- わが国におけるくも膜下出血の年間発症率は人口10万人あたり約20人であり，発症の危険因子としては多量飲酒，喫煙，高血圧，感染症，くも膜下出血の家族歴などがあげられる．
- くも膜下出血患者は発症時に重症であるほど予後も悪いことが多い．経過中の予後悪化因子としては再出血と遅発性脳血管攣縮が重要である．特に再出血は高率に予後を悪化させ，初回出血重症例と再出血例で予後不良例の2/3を占める．
- 本稿ではくも膜下出血の基本事項についてガイドライン[1-6)]に準拠して概説する．

1 くも膜下出血の原因

　くも膜下出血はその原因により外傷性と非外傷性（特発性）に大別される（表1）．頻度的には外傷性のものが多いが，外傷性くも膜下出血は脳挫傷からの出血がくも膜下腔に流入し血腫を形成したもので，くも膜下出血の程度としては軽度であることが多い．

　非外傷性のくも膜下出血の原因としては脳動脈瘤の破裂がもっとも多く，その約70～80％を占める．脳動脈瘤の形成原因には諸説があり，血行力学的因子，脳動脈における中膜欠損や弾性板の脆弱化，動脈硬化，動脈内コラーゲンの減少などがあげられる[7)]．家族性脳動脈瘤（2親等以内）は4～10％に認めるとされているが，典型的な遺伝様式はなく，遺伝的要因と環境因子がともに関与するものと考えられる[8)]．また，脳動脈瘤を合併しやすい遺伝性疾患としてはEhlers-Danlos症候群（type IV），常染色体優性遺伝であるpolycystic kidney disease，Marfan症候群，弾性繊維性偽性黄色腫などが知られている．

2 くも膜下出血の病態（図1,2）

　脳動脈瘤破裂によるくも膜下出血の病態は頭蓋内圧亢進や脳循環障害など多くの要素が複雑に関係しており，それが治療を困難にする一因でもある．

　出血直後の急性期には出血量に応じて頭蓋内圧が亢進する．出血が少量であれば頭蓋内圧亢進は軽度で一過性であるが，多量の出血や脳内血腫，脳室内血腫を合併する場合や，出血による脳脊髄液循環障害を合併する場合には著明な頭蓋内圧亢進をきたし，脳灌流圧（CPP）低下による脳虚血が更なる深刻な脳損傷を引き起こす．脳底部に多量の出血を認める場合には頭蓋内圧亢進に加え，視床下部や

表1　くも膜下出血の原因

外傷性		頭部外傷，脳神経外科手術などによる出血
非外傷性 （特発性）	脳動脈瘤	嚢状脳動脈瘤，解離性脳動脈瘤破裂による出血
	動静脈奇形	脳動静脈奇形，脊髄動静脈奇形，硬膜動静脈瘻からの出血
	もやもや病	もやもや血管破綻による出血
	頭蓋内腫瘍	神経膠腫，下垂体腺腫，髄膜腫，転移性脳腫瘍などからの出血
	全身血液疾患	白血病，血友病，抗凝固療法などの血液凝固異常による出血
	感染症	髄膜炎，脳炎，脳静脈洞血栓症などによる出血
	その他	中脳周囲非動脈瘤性くも膜下出血，その他原因不明のもの

脳幹の直接損傷により重度の意識障害や呼吸障害，全身の循環不全を生じ得る．重症例では交感神経系の著明な興奮により不整脈や心機能低下，肺循環障害と透過性亢進による中枢性肺水腫などを生じる．

　出血後数日から2週間前後の亜急性期には遅発性脳血管攣縮が生じる．発症機序については不明な部分も多いが，くも膜下腔に存在する血腫の溶血に伴いフリーラジカルが放出され，脂質過酸化などによる血管内皮細胞や血管平滑筋の障害が原因の一つと考えられている．また，血管内皮細胞障害に起因する内膜肥厚や血小板凝集促進による血栓形成も脳循環を悪化させる一因と考えられている．血管攣縮自体は可逆的なものであるが，虚血の程度によっては脳梗塞を発症し神経脱落症状を残すことも少なくない．亜急性期には循環血液量やナトリウムバランスの異常（多くは低ナトリウム）もしばしばみられる．この機序についても不明な部分が多いが，ナトリウム利尿ペプタイドの異常や抗利尿ホルモンの異常によると考えられている．前者は腎臓からのナトリウムおよび水の過剰排泄をきたし，低張性脱水と低ナトリウムを伴った中枢性塩類喪失症候群（Cerebral salt wasting syndrome; CSWS）を引き起こす[9]．CSWSは抗利尿ホル

モン異常によるADH分泌不適合症候群（SIADH）と異なり循環血液量の低下を伴うため，脳血管攣縮期には脳虚血を悪化させる危険性がある（表2）．

　慢性期にも脳脊髄液循環・吸収障害により水頭症が生じる可能性がある．急性期のみならず，遅発性脳血管攣縮の時期を過ぎる頃からも水頭症を発症することがある．くも膜下出血後慢性期には10〜37％の頻度で水頭症を発症すると報告されている．

3　くも膜下出血の発症率と危険因子

　わが国でのくも膜下出血の年間発症率は人口10万人あたり約20人（10〜23人）である．くも膜下出血の発症頻度は国や調査法により異なっており，最も低い中東地域での人口10万あたり年間1.04人から，フィンランドや日本の約20人までと差がみられる[10-11]．性別は特に一定した傾向がみられないという報告から女性に多いという報告までさまざまであるが，わが国では女性に多い（男女比1:2）．全米の死亡統計をもとにしたくも膜下出血の死亡率も，すべての人種で女性のほうが高いと報告されている．日本国内での脳血管障害に占めるくも膜下出血の割合は増加傾

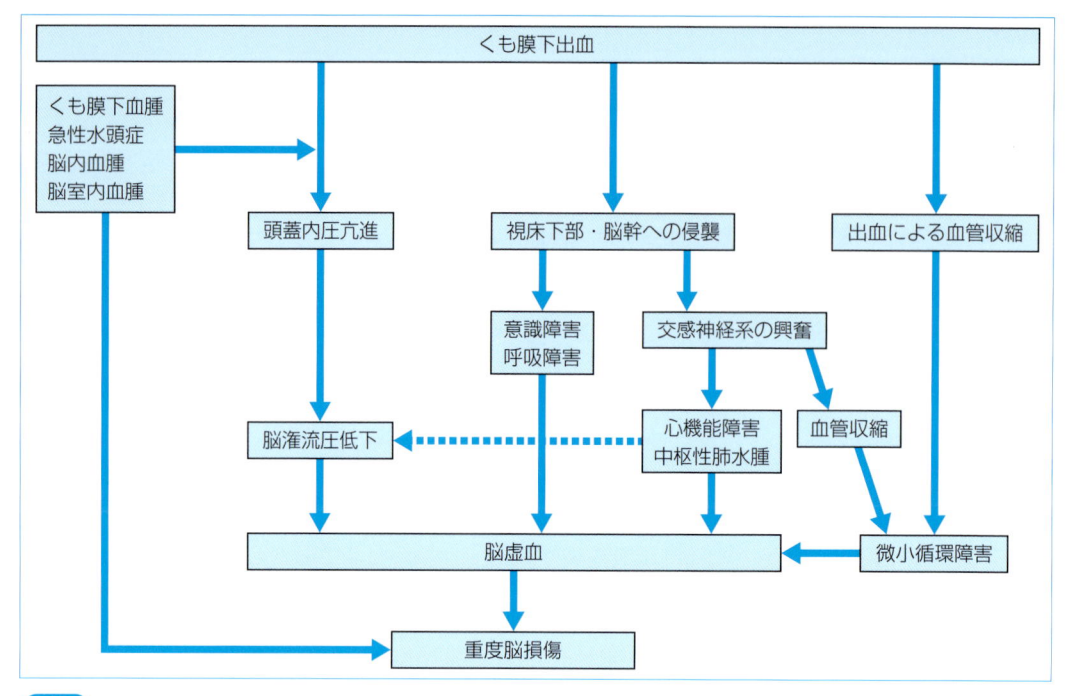

図1 くも膜下出血急性期の病態

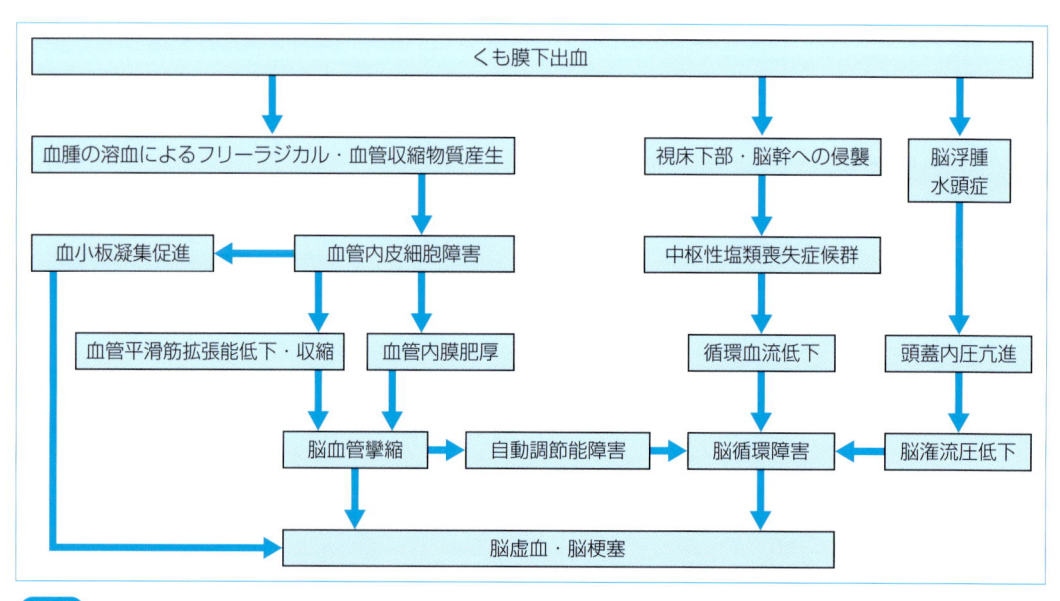

図2 くも膜下出血亜急性期の病態

向にある．年齢調整死亡率でも，男性が横ばい傾向を示しているのに比べ女性は倍増しており，近年の女性の生活形態の変化による影響が考えられている．

くも膜下出血をきたす危険因子としては，喫煙習慣，高血圧保有，多量の飲酒（1週間に150 g以上のアルコール摂取）や感染症があげられる[12]．なかでも多量の飲酒は，単独

表2　CSWS と SIADH

	CSWS	SIADH
循環血液量	減少	増加
Na バランス	負	症例により異なる
脱水症状	有	無
体重	減少	不変〜増加
中心静脈圧	低下	正常〜上昇
血清浸透圧	低下〜正常	低下
ヘマトクリット値	上昇	低下
尿中 Na 排泄	増加	増加

ではくも膜下出血の最も危険な因子とされている．また，7 mm 以下の比較的小さな脳動脈瘤を保有する患者群において，高血圧保有，比較的若年（50 歳未満），後方循環の動脈瘤が破裂の危険因子であるとの報告もある．スタチンや降圧薬を内服中の患者においては，それらの中止がくも膜下出血の危険性を高めるとの報告もある．逆に，アスピリンの内服や禁煙は危険性を低下させるとの報告もある．コレステロール値，ヘマトクリット，心疾患，糖尿病，アスピリン以外の NSAIDs の使用歴とは明らかな関連を認めないと報告されている．BMI を指標とした肥満度は，くも膜下出血の発症と逆相関がみられる[13]．複数の危険因子を有する場合，例えば喫煙習慣と高血圧を有する人，痩せた高血圧の人，喫煙習慣と多量飲酒のある人，高血圧と多量飲酒のある人などではくも膜下出血の危険性がさらに高くなる．

　時間帯，季節や精神的身体的緊張度とくも膜下出血発症との関連性も検討されている．日中の発症時刻では午前 6 時から 12 時までの間が多いとする報告や，午前 8 時から 10 時までと午後 6 時から 8 時に 2 つのピーク

がみられるとする報告がある．季節，気候についても報告により結果が異なり，最近のメタアナリシスでも夏より冬に多い傾向はみられるものの，気候（温度，気圧，湿度）との関連は示されなかった[14]．精神的身体的緊張度との関連についても，認められるとするものと認められないとするものがある．

　また，脳動脈瘤保有やくも膜下出血の家族歴も危険因子の一つである．前述の通り家族性脳動脈瘤（2 親等以内）は 4 〜 10 ％ に認めるとされている．家族性脳動脈瘤には，くも膜下出血を発症する平均年齢が非家族性のものより約 5 歳若い多発性脳動脈瘤が多い．同胞例では同一部位あるいは鏡像部位に動脈瘤を認めることが多く，同年代で発症することが多いなどの特徴がある[15]．

4　くも膜下出血の予後

　くも膜下出血患者は発症時に重症であるほど予後も悪いことが多く，入院時の Glasgow coma scale（GCS）は転帰とよく相関すると報告されている．死亡率は 10 〜 67 ％ と報告されており，とくに大量の脳室内出血や脳内血

腫を合併した例では死亡率が高い[12]．海外ではくも膜下出血患者の約40％は予後不良であり，また，専門施設での治療を受けていない例が約20％に達するとの報告もある．眼底出血はくも膜下出血患者の20％弱にみられ，これらの症例では重症度も有意に高いことが指摘されている[16]．長期成績の検討ではくも膜下出血患者は破裂脳動脈瘤の治療が順調に行われた後の死亡も多く，脳血管疾患や心血管疾患がその原因であったと報告されている．

5 くも膜下出血の予後悪化因子

経過中に予後を悪化させる因子としては再出血と遅発性脳血管攣縮が重要である．とくに再出血は高率に予後を悪化させ，初回出血重症例と再出血例で予後不良例の3分の2を占めるとされている[17]．したがって再出血予防はくも膜下出血診療において最も重要である．その他，予後に影響を与える因子としては高齢，高血圧症，脳血管障害の既往，動脈硬化症，アルコール摂取などがあげられる．また，発症1週間以内に内科的合併症（特に呼吸器合併症）を発症する頻度も40％と高く，これらが死につながることも多いため合併症対策も重要な課題である．

6 くも膜下出血の臨床症状

くも膜下出血は多くの場合，「突然起こった今までに経験したことのない激しい頭痛」で発症する．脳血管障害が疑われる患者のうち，突然の頭痛に加えて，比較的若く（50～60歳），局所神経症状を欠く場合にはくも膜下出血が強く疑われる．典型例では臨床症状と頭部CT検査で診断が確定するが，軽症である場合や重篤な出血をきたす前のごく少量の

出血（警告症状）では頭痛が一過性であったり，めまいや悪心・嘔吐，意識消失が主症状であることもある．脳卒中患者のうち，突然の頭痛に加えて，局所神経症状を欠き，項部硬直，痙攣などがみられればくも膜下出血の可能性が高くなる．警告症状を正しく診断した場合と見逃した場合では予後に大きな差がみられるため注意が必要である．動脈瘤が直接動眼神経を圧迫することによる動眼神経麻痺が主症状である場合もある．また，項部硬直はくも膜下出血の症状としてよく知られているが，発症直後はみられないことも多く，項部硬直がなくてもくも膜下出血が否定されるわけではない．

急性頭痛患者におけるくも膜下出血の除外については，近年カナダの研究グループより臨床診断基準が提案されている（Ottawa SAH Rule）．①40歳以上，②頚部痛または項部硬直，③意識消失，④労作時に発症，⑤雷鳴頭痛（短時間にピークに達する），⑥頚部屈曲制限の6項目すべてに当てはまらなかった急性頭痛患者はすべてくも膜下出血ではなかったと報告されている．逆に考えれば上記のうち一つでも当てはまればくも膜下出血である可能性があるといえる[18]．

【文献】

1) 科学的根拠に基づくくも膜下出血診療ガイドライン（吉峰俊樹編集）．日本脳卒中の外科学会，2003.
2) EBMに基づくクモ膜下出血診療ガイドライン（日本脳卒中の外科学会　監，日本脳卒中の外科学会　クモ膜下出血診療ガイドライン改訂委員会　編）．じほう，2004.
3) 脳卒中ガイドライン2004（篠原幸人，吉本高志，福内靖男，石神重信　編）．脳卒中合同ガイドライン委員会．協和企画，2004.
4) 科学的根拠に基づくくも膜下出血診療ガイドライン第2版（吉峰俊樹編）．日本脳卒中の外科学会，2008.
5) 脳卒中治療ガイドライン2009（篠原幸人，小川彰，鈴木則宏，片山泰朗，木村彰男編）．脳卒中合同ガイドライン委員会．協和企画，2009.
6) 脳卒中治療ガイドライン2015．日本脳卒中学会脳卒中ガイドライン委員会編．協和企画，2015.
7) Stehbens WE. Etiology of intracranial berry aneurysms. J Neurosurg 1989：70：823-831.

8）The Magnetic Resonance Angiography in Relatives of Patients with Subarachnoid Hemorrhage Study Group. Risks and benefits of screening for intracranial aneurysms in first-degree relatives of patients with sporadic subarachnoid hemorrhage. *N Eng J Med* 1999；**341**：1344-1350.

9）Harrigan MR,：Cerebral salt wasting syndrome: a review. *Neurosurgery* 1996；**38**：152.

10）Ingall T, *et al.*：A multinational comparison of subarachnoid hemorrhage epidemiology in the WHO MONICA stroke study. Stroke 2000；**31**：1054-1061.

11）Inagawa T, *et al.*：Study of aneurysmal subarachnoid hemorrhage in Izumo City, Japan. *Stroke* 1995；**26**：761-766.

12）van Gijn J, Rinkel GJ. Subarachnoid haemorrhage: diagnosis, causes and management. *Brain.* 2001；**124**：249-278.

13）Knekt P, *et al.*：Risk factors for subarachnoid hemorrhage in a longitudinal population study. *Journal of clinical epidemiology* 1991；**44**：933-939.

14）de Steenhuijsen Piters WA1, Algra A, van den Broek MF, Dorhout Mees SM, Rinkel GJ. Seasonal and meteorological determinants of aneurysmal subarachnoid hemorrhage: a systematic review and meta-analysis. *J Neurol.* 2013；**260**：614-619.

15）Ronkainen A,*et al.*：Special features of familial intracranial aneurysms: report of 215 familial aneurysms. *Neurosurgery.* 1995；**37**：43-46; discussion 46-47.

16）Frizzell RT, *et al.*：Screening for ocular hemorrhages in patients with ruptured cerebral aneurysms: a prospective study of 99 patients. *Neurosurgery.* 1997；**41**：529-533; discussion 533-534.

17）Roos YB, *et al.*：Complications and outcome in patients with aneurysmal subarachnoid haemorrhage: a prospective hospital based cohort study in the Netherlands. Journal of neurology, neurosurgery, and psychiatry. 2000；**68**：337-341.

18）Perry JJ1, *et al.*：Clinical decision rules to rule out subarachnoid hemorrhage for acute headache. *JAMA* 2013；**310**：1248-1255.

5 超高齢社会におけるくも膜下出血に対する血管内治療

九州大学大学院医学研究院脳神経外科学　飯原弘二，有村公一，連　乃駿

*E*ssential *Point*

- 超高齢社会において高齢者のくも膜下出血は脳卒中診療における大きな問題の一つである.
- ISAT の 65 歳以上におけるサブ解析では，内頚動脈瘤では血管内治療のほうが，中大脳動脈瘤においては開頭手術のほうが予後良好群の割合が高かった. その他の研究でも高齢者の破裂動脈瘤に対する血管内治療の有効性が報告されている.
- わが国の全国調査では高齢者でもコイル塞栓術の手技的な成績は非高齢者と遜色ない.

1 はじめに

　厚生労働省発表の「人口動態統計月報年計の概況」によると，2017 年 1 年間の脳血管疾患による死亡数は約 11 万人で，前年に比べ増加傾向を示し，全死因においても再び第 3 位となった. くも膜下出血の発症率は年齢差があり，40〜60 歳では人口 10 万人あたり 15 人であるのに対し，80 歳代では人口 10 万人あたり 78 人へと急増する[1]. 来たる超高齢社会において，われわれがくも膜下出血をきたした高齢者に直面する機会は増加するものと考えられる. しかし高齢者のくも膜下出血は，発症前の状態不良や基礎疾患などによる全身合併症，解剖学的問題などから外科治療リスクも低くない. そのため適切な治療方針をより厳密に検討する必要がある.

2 高齢者のくも膜下出血に対する血管内治療のエビデンス

　2008 年に ISAT（International Subarachnoid Aneurysm Trial）における高齢者のサブ解析が発表された[2]. 65 歳以上の，クリッピングとコイル塞栓術がどちらも可能と判断された動脈瘤破裂によるくも膜下出血症例 278 例について解析された. 主要評価項目は 1 年後の modified Rankin Scale（mRS）で，その他に手術の合併症や有害事象についても検討された. その結果，発症 1 年後の予後良好群（indipendent survival, mRS 0-2）はコイル塞栓術群で 83 / 138 例（60.1 ％）に対しクリッピング群で 78 / 140 例（56.1 ％）と有意差はみられなかった. しかし動脈瘤の部位別に解析を行うと，前大脳動脈・前交通動脈の動脈瘤については差が認められなかったものの，内頚動脈瘤・後交通動脈瘤において予後良好群はコイル塞栓術群で 36 / 50 例（72.0 ％），クリッピング群で 26 / 50 例（52.0 ％）とコイル塞栓術群で

表1　高齢者くも膜下出血における発症1年後 mRS 0-2 の割合

	コイル塞栓術群		クリッピング群		
	n	(%)	n	(%)	
ACA-Acom	36/65	55.4 %	36/71	50.7 %	N.S.
ICA-Pcom	36/50	72.0 %	26/50	52.0 %	$p<0.05$
MCA	10/22	45.5 %	13/15	86.7 %	$p<0.05$
All locations	83/138	60.1 %	78/139	56.1 %	N.S.

（文献2より改変）

有意に予後良好群が多く，それに対して中大脳動脈瘤において予後良好群はコイル塞栓術群で 10 / 22 例（45.5 %），クリッピング群で 13 / 15 例（86.7 %）とクリッピング群で有意に予後良好群が多かった（表1）．また術中破裂はクリッピング群に有意に多いものの（コイル塞栓術 6.4 % vs クリッピング 16.7 %），予後には関連していなかった．親動脈閉塞・神経所見の増悪・血栓塞栓性合併症については有意差はなかった．その他の有害事象として，クリッピング群でてんかん・感染症・呼吸器合併症などが有意に多かったが，遅発性神経所見増悪・水頭症・頭蓋内血腫・鼠径部血腫・頭痛やその他の有害事象に関しての差は認められなかった．これらの結果は実臨床にさまざまな影響を及ぼしており，ISAT の報告を受けてから3年で，米国でのコイル塞栓術を選択する比率が増え，くも膜下出血での致死率が低下した代わりに，入院治療費が増加したとの報告もある[3,4]．

　その他にもビッグデータを利用し，高齢患者を対象とした解析を行う報告がみられるようになった．Smith MJ らは，高齢者に対する治療方針を決定するために，1995 年から 2012 年に報告された英語文献から，70 歳以上の破裂および未破裂動脈瘤の報告 44 編を集め，抽出された 2,141 症例に対してコイル塞栓術ないし開頭手術の治療効果を解析（de-cision analysis）した．ほとんどが前方循環の動脈瘤である ISAT と異なり，前方循環および後方循環がほぼ同数含まれていた．破裂・未破裂にかかわらずクリッピング群に比べてコイル塞栓術群で"Health-related QOL"は有意に高かった．周術期死亡率は未破裂動脈瘤においてコイル塞栓術群で有意に低かったが，破裂動脈瘤においてはコイル塞栓術群とクリッピング群の間に差は認められなかった．また本論文ではモンテカルロシミュレーションによるリスク分析が行われているが，破裂あるいは未破裂によらずコイル塞栓術群で"Health-related QOL"が有意に高く，高齢者の破裂・未破裂動脈瘤に対する血管内治療の有効性を報告した[5]．

　Bekelis K らは，米国の Medicare database に登録された 65 歳以上の破裂脳動脈瘤の症例 3,210 例を，操作変数法や Propensity score matching 法，inverse probability weighting 法を用いて患者背景の調整や交絡因子の調整を行い retrospective に解析した．その結果コイル塞栓術群とクリッピング群の間で1年後の死亡率や 30 日以内の再入院率，リハビリテーション病院への転院率には有意差はないものの，クリッピング群で在院日数が 2.7 日長かった[6]．

　また超高齢者については単施設の報告があり，80 歳以上の破裂動脈瘤に対してコイル

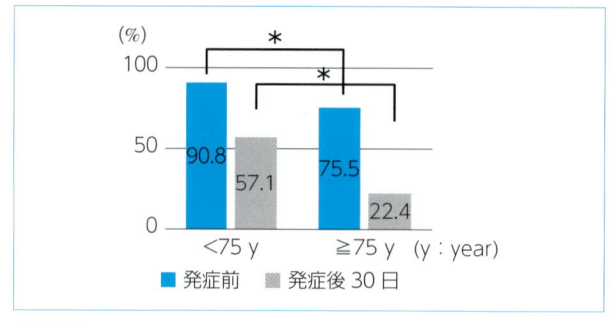

図1 高齢者 SAH における，発症前・発症 30 日後 mRS 0-2 の割合

（文献 9 より改変）

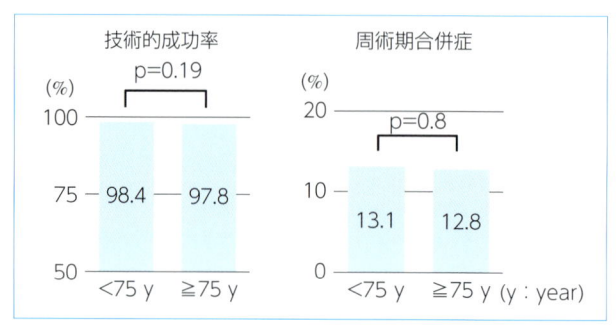

図2 高齢者 SAH における，技術的成功と周術期合併症の割合

（文献 9 より改変）

塞栓術を行った 16 症例が解析された．6 か月後のフォローアップで 56 ％が予後不良であったが，生存退院できたうちの 88 ％が 6 か月後のフォローアップで Glasgow outcome Scale 4,5 の良好な転帰をたどった．発症時神経学的重症例やバルーンの併用，冠動脈疾患の合併などが予後不良因子となっていた[7]．

3 わが国における高齢者のくも膜下出血に対する血管内治療の現状

わが国における DPC データを用いた J–AS-PECT 班の解析では，コイル塞栓術はクリッピング術と比較して，75 歳以下の群では予後良好因子となったものの，高齢群では予後

良好因子とはなっていなかった．

また今村らによる Japanese Registry of Neuro-endovascular Therapy（JR-NET）および JR–NET 2 で集められた破裂脳動脈瘤に対するコイル塞栓術 5,102 例の解析では，高齢を予後不良因子の一つとしてあげている[8]．

さらにわれわれは 2010 年から 2014 年に収集された JR-NET 3 のデータより高齢者（75 歳以上）の破裂動脈瘤に対する瘤内塞栓術が行われた 5,866 例について解析を行った[9]．その結果，高齢者では発症前・30 日後の mRS 0-2 の割合は低かったが（図 1），塞栓術の技術的成功率は 75 歳未満と比較しても差はなく，合併症率も有意な差はなかった（図 2）．わが国においては高齢者の破裂動脈瘤

に対するコイル塞栓術の治療自体は非高齢者
と比較しても遜色ないため，よく適応を検討
すれば高齢者においても血管内治療を行うこ
とは妥当と思われる．

【文献】

1）Sacco RL, *et al.*：Subarachnoid and intracerebral hemorrhage: natural history, prognosis, and precursive factors in the Framingham Study. *Neurology* 1984；**34**：847-854.

2）Ryttlefors M, *et al.*：International subarachnoid aneurysm trial of neurosurgical clipping versus endovascular coiling: Subgroup analysis of 278 elderly patients. *Stroke* 2008；**39**：2720 -2726.

3）Qureshi AI, *et al.*：Impact of International Subarachnoid Aneurysm Trial results on treatment of ruptured intracranial aneurysms in the United States. *J Neurosurg* 2011；**114**：834-841.

4）Al-Tamimi YZ, *et al.*：A comparison of the outcome of aneu-

rysmal subarachnoid haemorrhage before and after the introduction of an endovascular service. *J Clin Neurosci* 2010；**17**：1391-1394.

5）Smith MJ, *et al.*：Elderly patients with intracranial aneurysms have higher quality of life after coil embolization: a decision analysis. *J Neurointerv Surg* 2015；**7**：898-904.

6）Bekelis K, *et al.*：Medicare expenditures for elderly patients undergoing surgical clipping or endovascular intervention for subarachnoid hemorrhage. *J Neurosurg* 2017；**126**：805-810.

7）Wilson TJ, *et al.*：Endovascular treatment for aneurysmal subarachnoid hemorrhage in the ninth decade of life and beyond. *J Neurointerv Surg.* 2014；**6**：175-177.

8）Imamura H *et al.*：Endovascular Treatment of Aneurysmal Subarachnoid Hemorrhage in Japanese Registry of Neuroendovascular Therapy（JR-NET）1 and 2. *Neurol Med Chir（Tokyo）* 2014；**54**：81-90.

9）Arimura K *et al.*：Safety and Feasibility of Neuroendovascular Therapy for Elderly Patients: Analysis of Japanese Resistry of Neuroendovascular Therapy 3. *Neurol Med Chir（Tokyo）* 2019. doi:10.2176/nmc.oa.2018-0325.

1 治療法のおさらい

虎の門病院脳神経血管内治療科　**鶴田和太郎**

> **E**ssential Point
>
> - 破裂椎骨動脈解離の治療においては，再出血予防が最優先事項であり，その中で虚血性合併症にも留意した治療戦略をとる必要がある．
> - 治療方法は，対側椎骨動脈の発達程度，解離部と後下小脳動脈の位置関係によって規定される．

1 椎骨動脈解離の分類（図1）

　椎骨脳底動脈解離（VAD）に対する血管内治療では，椎骨脳底動脈（vertebral artery: VA）の血流，後下小脳動脈（posterior inferior cerebellar artery: PICA）の血流，および VA，PICA から分岐する延髄への穿通枝の血流温存が鍵となる．そのため破裂 VAD の治療戦略は，PICA の分岐と解離部との位置関係および対側 VA の発達程度によって考える必要がある．VAD は PICA 分岐部より解離部が中枢側にある pre-PICA type，末梢側にある post PICA type，解離部から PICA が分岐する PICA involved type および PICA がみられない non PICA type / AICA-PICA type の4つのパターンがある．

2 治療方法（表1）

1 ▶ Internal trap

　解離部を含めた親血管閉塞．破裂予防効果

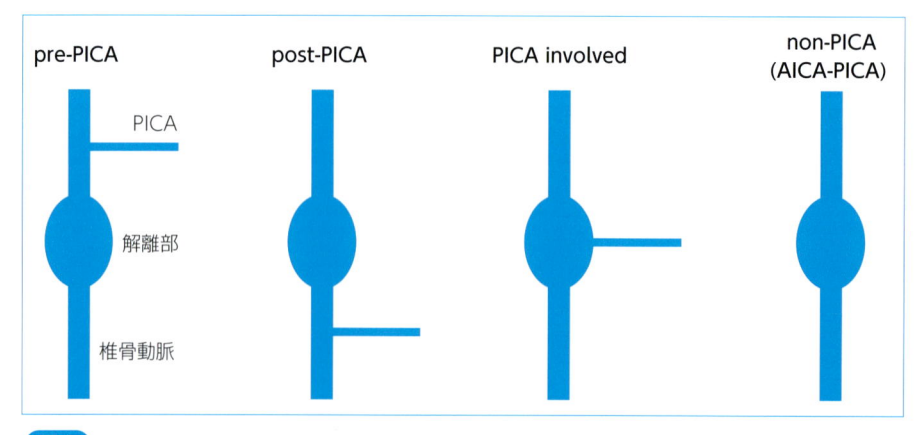

図1　PICA 分岐による VAD の分類

治療法	Internal trap	Proximal occlusion	SACE
破裂予防効果	◎	△	○
親血管温存	×	×	○
解離部分枝温存	×	○	△
抗血小板療法	なし	なし	DAPT

表1 治療法の比較

SACE：stent assisted coil embolization

は最も高い.

2 ▶ Proximal occlusion

　解離部の近位の親血管閉塞を行って, 順行性の血流を遮断し, 解離部の血流を逆転させること（flow alteration）により再出血を予防する方法である. 解離部への血流は残存するため, 再破裂予防効果は完全ではない.

3 ▶ Stent assisted coil embolization

　ステントにより VA の血流を温存して解離部をコイル塞栓する. dual antiplatelet therapy（DAPT）が必要になる.

3 穿通枝の解剖

1 ▶ 延髄外側への穿通枝

　VA と PICA から分岐するが, そのバランスは PICA の分岐位置や発達程度により変わる. VA からの起始は右 VA では union から平均 7.8 mm（0〜20 mm）, 左 VA では平均 7.0 mm（1〜22 mm）と報告されている[1].

2 ▶ non-PICA type / AICA-PICA type

　延髄外側への穿通枝は VA から分岐するとされ, union から 10 mm 以上近位からの分岐もある[2]. 頭蓋外起始の PICA の場合にも穿通枝は VA から起始する.

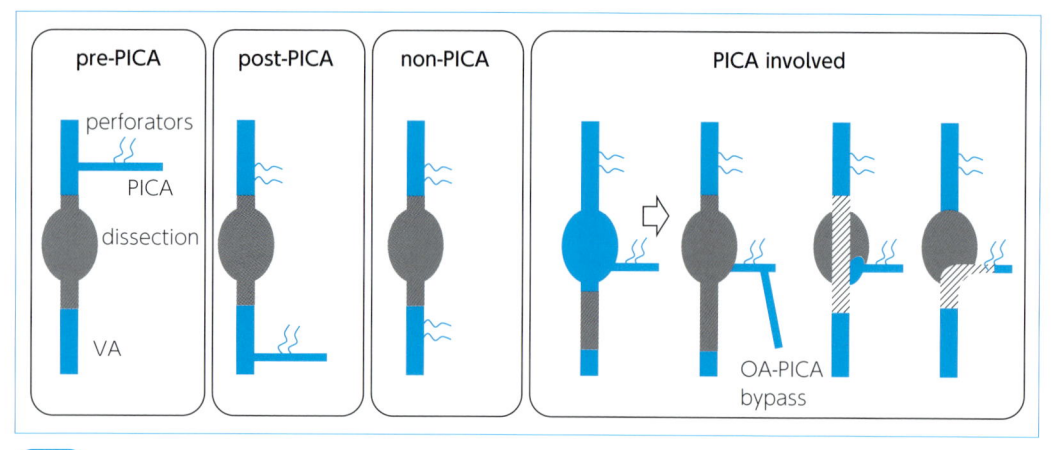

図2 PICA 分岐部位による治療バリエーション

4 治療戦略の立て方（図2）

1 ▶ 患側椎骨動脈閉塞の可否判定

　患側 VA 閉塞の可否については，対側 VA の発達に加え，後交通動脈の発達も考慮する必要がある．VA の発達程度については，282例の剖検例の報告があり，equal（2 倍以下の径差）が 72.3 %，dominancy あり（2 倍以上の径差）が 24.7 %，hypoplastic もしくは PICA end が 3.1 % であった[3]．

　閉塞可能な対側 VA の発達程度については，明確な基準はないが，両側ほぼ同径で脳底動脈先端部までの連続性があれば，閉塞はまず問題ない．対側 VA が union まで連続していれば，血管径にかかわらず閉塞は問題ないとする報告もある[4]．判断が難しい場合には balloon occlusion test（BOT）を行って，神経症状と造影所見を評価する．後方循環の BOT については明確な評価基準はない．

2 ▶ 患側椎骨動脈閉塞可能な場合

1) 解離部から PICA の分岐（ー）

① pre-PICA type

　PICA 分岐部より近位の VA から穿通枝が分岐する可能性は低く，Internal trap が可能である．

② post-PICA type

　internal trap が基本になるが，VA union 近傍では，穿通枝が分岐している可能性が高いため注意が必要である．解離の遠位側は short segment での閉塞が求められる．また前脊髄動脈の分岐にも注意が必要である．

③ non-PICA type

　穿通枝は VA から直接分岐するとされ，Internal trap を行う際，近位側・遠位側とも short segment での閉塞が求められる．

2) 解離部から PICA の分岐（＋）

① PICA involved type

　解離部を閉塞すると PICA 領域の梗塞を起こす危険がある．根治のためには，PICA の閉塞試験を行い，虚血症状が出現する場合には，後頭動脈−後下小脳動脈（OA-PICA）バイパスを行ったうえで解離部の血管閉塞を行う必要がある．しかしながら，くも膜下出血の急性期に OA-PICA バイパスを行うことは実際には難しい．そのため，急性期には proximal occlusion を行って PICA の血流を温存し，慢性期に BOT を行って，根治的治療を行う戦略がとられることがある．

また昨今では，ステントを併用してPICAを温存した形で解離部を塞栓できる場合，ステント併用コイル塞栓術が行われることも増えている．ステントはVAに留置してVAとPICAのpatencyを保つ方法が一般的であるが，VAからPICAにかけてステントを留置し，その他の解離部はinternal trapを行う方法も用いられることがある．抗血小板薬2剤投与が必須となるため，塞栓直後から破裂予防効果が十分に得られることが前提となる．

3▶ 患側椎骨動脈閉塞不可能な場合

VAを温存したステント併用コイル塞栓術が行われる．

5　合併症と予防

1▶ 術中破裂

解離性動脈瘤であり，偽腔でのコイルの過度な充填は破裂のリスクとなる．

2▶ 穿通枝梗塞

Wallenberg症候群が有名である．PICA分岐部よりdistal側のVAを閉塞する症例，すなわちpost-PICAやPICA involved typeの塞栓時にはunion近傍まで塞栓が及ばないよう注意する．さらにnon-PICA typeや頭蓋外起始のPICAでは，延髄外側への穿通枝は通常すべてVAから起始するため近位部でも注意を要する．

3▶ 脊髄梗塞

union近傍からは前脊髄動脈が分岐しており，閉塞による前脊髄動脈領域の梗塞は重篤な神経後遺症となる．前脊髄動脈の起始部は視認できるため，診断時に必ず評価する．後脊髄動脈については，側副血行が豊富であり

梗塞のリスクは低いとされるが，頻度は低いものの存在する[5-6]．穿通枝閉塞予防と同様，short segmentでの塞栓を行うことが重要である．

4▶ 遠位塞栓

VA閉塞過程での血栓形成と遠位塞栓による脳梗塞．予防には術中ヘパリン化が必要である．

6　最近の動向

頭蓋内ステントの普及により，stent assisted coil embolization，overlapping stent，flow diverter留置によるVADの治療報告が増えている．ステントを用いるreconstructive treatmentではDAPTが必要となるため，再破裂を含めた出血性合併症が問題となる．一方，deconstructive treatmentであるinternal trapでは，治療直後から止血効果が高いことが最大のメリットであるが，穿通枝梗塞のリスクは課題である[7]．穿通枝閉塞のメカニズムとしては，coil massによる直接的な閉塞に加え，閉塞部stumpからのextended thrombosisによる閉塞も考えられている[5]．stent assisted coil embolizationとinternal trapを比較したメタアナリシスでは，VADにおいてinternal trap群で術直後の完全閉塞が高かったが，神経機能予後，長期閉塞，死亡率とも同等であったとされている[8]．破裂VADの治療においては，再出血予防が治療の最優先事項であり，急性期のステント使用には十分慎重であるべきであるが，今後reconstructive treatmentが増えてくることが予想される．

■症例1　Internal trap
48歳男性．Lt. VAD non PICA type. H&K gradeⅣ.
左VAは蛇行が強く右側に偏位していた

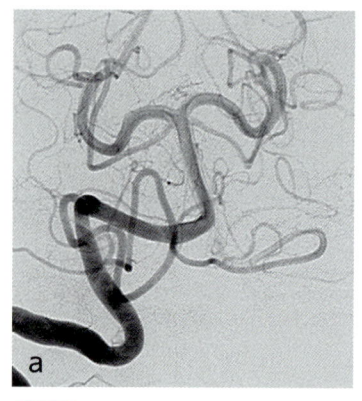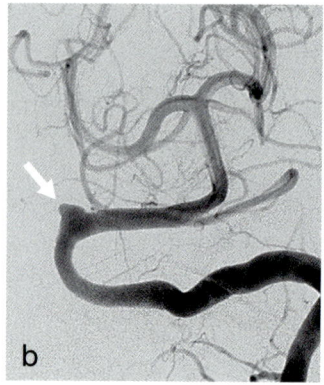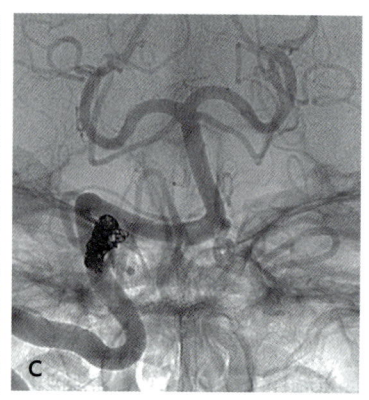

図3 症例1 DSA
a: 治療前 Rt.VAG 正面像
b: 治療前 Lt.VAG 正面像（白矢印：解離部）
c: 治療後 Rt.VAG 正面像

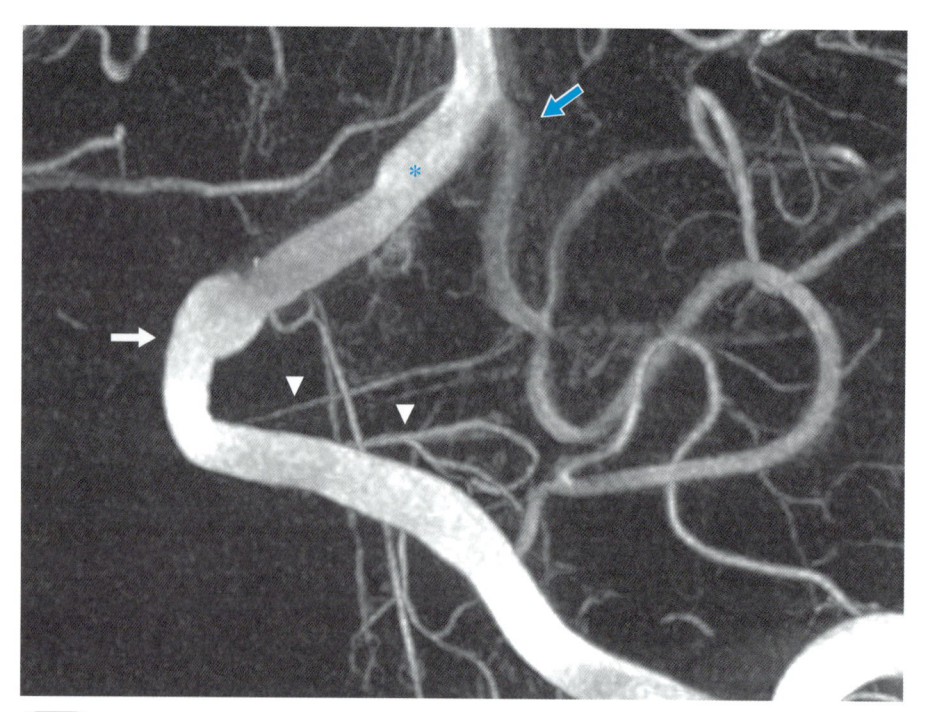

図4 症例1 Lt.VA 3 D-RA MIP
白矢印：解離部，青矢印：左 AICA-PICA，矢頭：左 VA から起始する延髄への穿通枝，＊：VA union

（図3a，b）．解離部から明らかな穿通枝や PICA の分岐は認めず（non-PICA type），解離部の近位側から延髄への穿通枝が分岐していた（図4矢頭）．

Single catheter で拡張部から近位正常血管まで short segment でコイルによる internal trap を行った．閉塞後，両側 VA 撮影を行い，解離腔の描出がないことを確認し手技を終了した（図3c）．

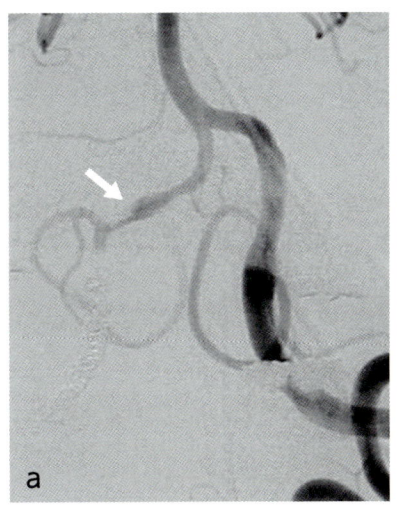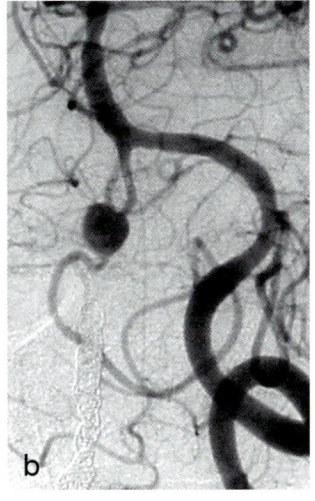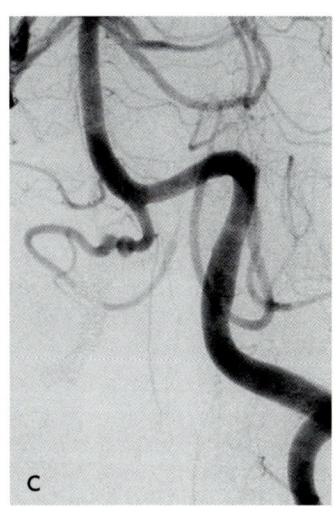

図5 症例2 治療経過
a: proximal occlusion 後(白矢印 : pearl & string を呈する PICA involved lesion.)
b: Follow up
c: post. OA-PICA bypass

■症例2 Proximal occlusion

42 歳 女 性. Rt. VAD PICA involved type.
H&K gradeII.

proximal occlusion 後に解離部の造影は残
存し(図5a), follow up の血管撮影では解離
部の拡大が認められた(図5b). PICA の血
行再建後に解離部を含めた血管閉塞を行う方
針とし, OA-PICA 吻合術を施行したところ,
解離部は急速に縮小したため, 経過観察の方
針に変更となった(図5c).

■症例3 Stent assisted coil embolization

37 歳女性. H&K gradeII.

pre-PICA type. 対側 VA は脳底動脈先端部
までの連続性はあるが細いため, 患側 VA を
温存する目的で, stent assisted coil emboliza-
tion の方針となった. EnterpriseVRD(Cod-
man)4.5 × 14 mm と 4.5 × 28 mm で over-
lapping stent を行った(図6a, b). 瘤内の造
影剤は停滞する所見となったが, 破裂例であ
るため引き続き jail されたマイクロカテーテ
ルからコイル塞栓を行った. 終了時完全閉塞
が得られた(図6c). 3 か月後の follow up an-
giography で再発は認めなかった(図6d).

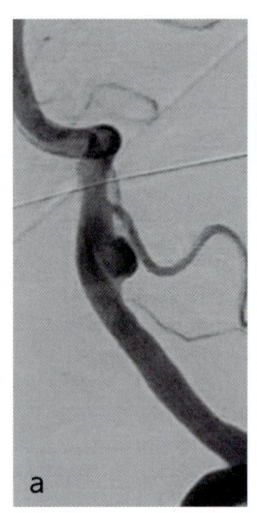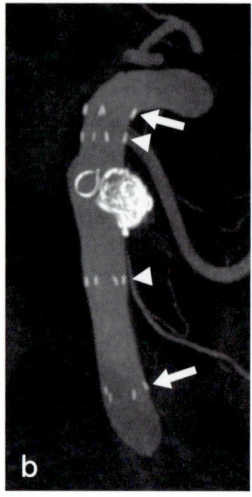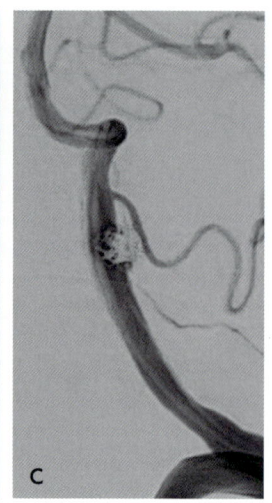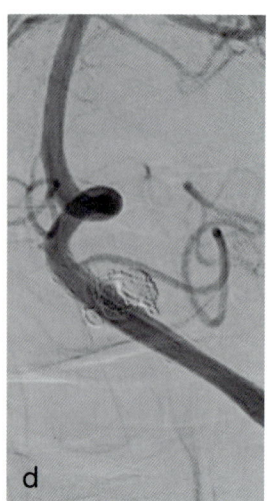

図6　症例3　Overlapping stent assisted coil embolization
a: working angle
b: cone-beam CT（矢印：EnterpriseVRD 4.5 x28 mm，矢頭：EnterpriseVRD 4.5 x14 mm）
c: final angiogram
d: 3 mo. FU angiogram

（横浜栄共済病院 脳神経外科 森健太郎先生ご提供）

7 まとめ

①破裂椎骨動脈解離の治療方法は，対側椎骨動脈の発達程度，解離部と後下小脳動脈の位置関係により規定される．

②再出血予防の基本は，確実性の高い internal trap であるが，昨今ステントを用いた reconstructive treatment の報告が増えている．

③ reconstructive treatment は親血管温存の観点においてすぐれているが，破裂急性期でのステント使用は，出血・虚血合併症の両者においてリスクが高いため，その適応決定は慎重に行われるべきである．

謝辞

貴重な症例画像をご提供頂きました，横浜栄共済病院　森健太郎先生に深謝いたします．

〔文献〕

1）Akar ZC, *et al.* : Microvascular anatomy of the anterior surface of the medulla oblongata and olive. *J Neurosurg* 1995 ; **82** : 97 –105.

2）Mercier PH, *et al.* : Vascular microanatomy of the pontomedullary junction, posterior inferior cerebellar arteries, and the lateral spinal arteries. *Interv Neuroradiol*, 2008 ; **14** : 49–58.

3）望月廣, 他：脳底部動脈の Variation, その頻度, 左右差, 脳血管写との関連について. Jpn. *J. Stroke* 1980 ; **2** : 382–387.

4）Zoarski GH, *et al.* : Safety of unilateral endovascular occlusion of the cervical segment of the vertebral artery without antecedent balloon test occlusion. *AJNR Am J Neuroradiol* 2014 ; **35** : 856–861.

5）Iwai T, *et al.* : Angiographic findings and clinical significance of the anterior and posterior spinal arteries in therapeutic parent artery occlusion for vertebral artery aneurysms. *Interv Neuroradiol* 2000 ; **6** : 299–309.

6）Tsuruta W, *et al.* : Spinal Cord Infarction in the Region of the Posterior Spinal Artery After Embolization for Vertebral Artery Dissection. *Oper Neurosurg* (*Hagerstown*) 2018 ; **15** : 701–710.〔Epub ahead of print〕

7）Fang YB, *et al.* : Treatment of ruptured vertebral artery dissecting aneurysms distal to the posterior inferior cerebellar artery: stenting or trapping? *Cardiovasc Intervent Radiol* 2015 ; **38** : 592–599.

8）Guan J, *et al.* : Endovascular treatment for ruptured and unruptured vertebral artery dissecting aneurysms: a meta-analysis. *J Neurointerv Surg* 2017 ; **9** : 558–563.

② VA dissection における short segment での tight packing のコツ

国立循環器病研究センター脳神経外科　**佐藤　徹**

---

*E*ssential Point

- 破裂椎骨動脈解離性動脈瘤（RVADA）における超急性期の母血管閉塞（parent artery occlusion）において，解離腔のみの塞栓は再開通のリスクがあり，正常母血管にもコイルを留置したほうがよい.
- ただし，正常母血管を長い距離で塞栓すると穿通枝梗塞のリスクが高く，患者の予後不良の原因となる.
- 正常血管を short segment で塞栓するには anchoring, filling, accumulating の3ステージに分けて塞栓するのがわかりやすい.
- いずれのステージにおいても適切なコイル選択（形状，大きさ）とマイクロカテーテルの出し入れ操作が重要である.

1　はじめに

　破裂椎骨動脈解離性動脈瘤（ruptured vertebral artery dissecting aneurysm: RVADA）はくも膜下出血の一因であり，囊状動脈瘤と比較して超急性期の破裂が多いため早急な治療が推奨されている[1,2].

　1990年代以降より internal trapping を含めた母血管閉塞（parent artery occlusion: PAO）を意味する deconstructive method（DM）が治療の主流であったが，今世紀に入り stent-assisted coiling や stent monotherapy，あるいは flow diverter の使用といった母血管温存（reconstructive method：RM）の報告も多くなってきている．Sönmez らのメタアナリシスの結果によると，閉塞率については DM のほうに分があるものの急性期の再破裂率には差はなく，周術期の morbidity については RM

のほうが良好な成績であった[3].

　この結果からは従来 DM が主体であった RVADA の治療において，今後 device のさらなる改良，周術期管理の改善などにより RM が主体となる可能性が十分にあることを示していると思われる.

　一方，解離性病変を確実に処理することのできる DM，すなわち PAO もしくは internal trapping も確立された手技であり[4]，この手技も安全に行いうることが治療医には求められる.

　RVADA の DM において最も重要なことは解離部位への血流の阻止であり，そのためには解離腔のみの塞栓では再開通がしばしば起こることが報告されている[5,6]．したがって解離腔と母血管の双方をコイルで塞栓する internal trapping においては母血管にコイルを留置し，完全に血流を遮断することを目指す

必要がある．解離腔よりも細い正常血管のほうが血流を遮断しやすいのは，dural AVF において sinus packing を行うよりも狭い shunt segment を塞栓したほうが少ないコイル数で確実に血流を遮断できるのと同じ理屈である．

また，PICA-involved type などにおいては近位 VA の正常範囲を閉塞する proximal occlusion が従来提唱されており[7]，2005 年～2009 年に JSNET 専門医を対象として施行された登録研究である JR-NET/JR-NET 2 の結果でも，その急性期再破裂予防効果は実証された[8]．

一方，DM における合併症の多くは虚血性合併症であり，延髄外側症候群に代表される，母血管から起始する穿通枝領域の梗塞がしばしば発生する．

Endo らは internal trapping を行った自験例38 例を解析し，延髄外側症候群が予後不良因子であり，塞栓範囲が長距離（15 mm 以上）に及ぶと延髄外側症候群が発症しやすいと述べている[9]．

このような虚血性合併症を避けるためには，塞栓範囲を短い距離にとどめることが肝要であり，internal trapping においても proximal occlusion においても正常母血管の短い segment にコイルを留置して血流を止める手技をマスターすることが治療医には求められる．実際に正常血管のような管腔構造を閉塞することは，周囲に瘤壁がある囊状動脈瘤を塞栓するよりも難しく，技術と道具を上手に活用する必要がある．

本稿では RVADA に対する PAO 時に short segment で tight packing を達成するためのテクニック（コツ）につき，自験例を交え概説する．

2　基本コンセプト

解離腔から詰め戻る internal trapping においては解離腔そのものの tight packing も要求されるが，解離腔の壁は非常に脆弱であるため，囊状動脈瘤の塞栓術とは違い，柔らかめ，やや小さめのコイルでの packing が安全である．前述の通り解離腔の塞栓のみでは再開通の危険性があるため，この際にも正常部位の短い範囲にコイルを留置することが推奨される．本テーマにおいては正常血管での PAO の tips に限定して述べることをお許しいただきたい．

筆者は正常血管の閉塞には，① anchoring，② filling，③ accumulating の 3 ステップがあると考えている．この中で最も重要なのは①の anchoring であり，この anchoring がしっかりと決まれば，②③は器具の選択により比較的容易に行うことができる（図 1）．

1 ▶ Anchoring

1.　Guiding catheter (GC) の位置

コイルを上手に anchor させる，畳み込む，といった操作においては，後述するコイル選択と同様 microcatheter (MC) の出し入れが重要である．この MC の manipulation を思いどおりに行うためには guiding catheter のしっかりとしたサポートが必要である．バルーン付きの GC は単に flow control を行うのみならずサポート力を増加させる意味もあると考えられるし，distal access catheter (DAC) の使用によりサポート力を強化するのも一手である．いずれにせよ破裂急性期は血栓塞栓症が起こりやすい状態であるため，リスク／ベネフィットを十分に勘案したうえでこれらの使用については検討されるべきである．

2.　MC の shape

これについても諸説あるが，コイルを瘤壁

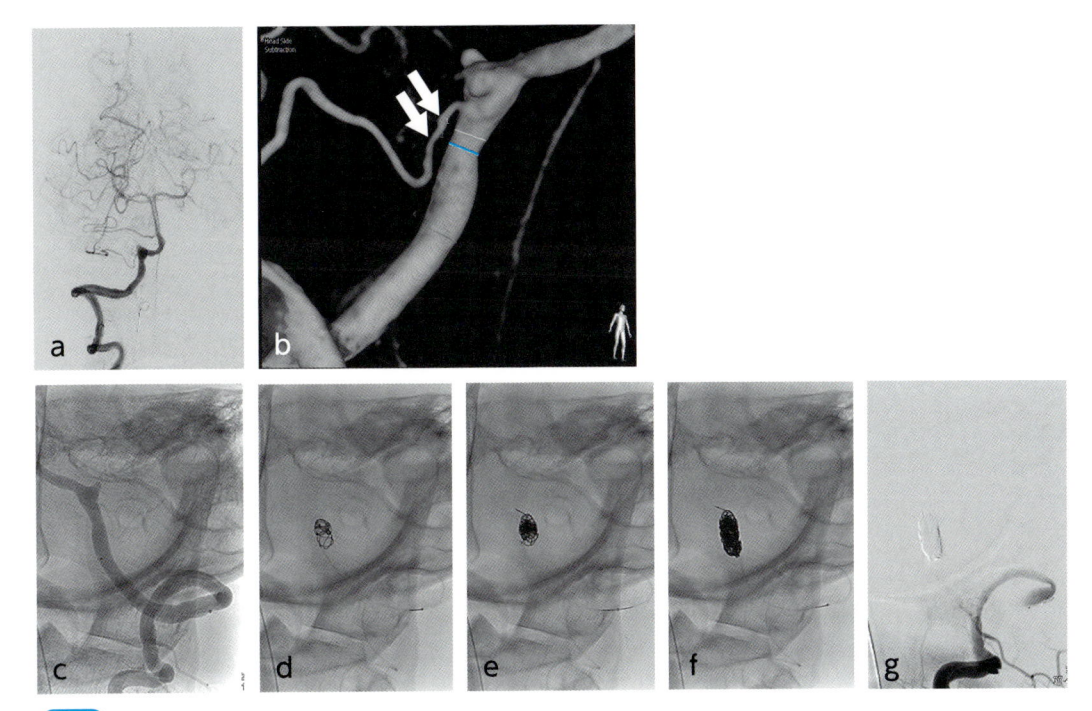

図1 症例1

40歳代男性．WFNS Grade 5 の SAH．Rt. RVADA（PICA-involved type）と診断．PICA 温存のため近位 VA の proximal occlusion を企図．
a：術前右椎骨動脈撮影正面像．
b：3-D RA 画像，解離腔から PICA（白矢印）が起始している．青線（血管径3 mm）
　　より近位での proximal occlusion を開始することとした．
c：治療直前のワーキングアングル．
d：Anchoring．Micrusframe S　4 mm x 11.5 cm で良好な anchor が作成できた．
e：Filling．本症例では Galaxy G3 を3本使用．
f：Accumulating．DELTAFILL を3本用い，short segment での閉塞を行った．
g：治療終了時撮影．

にあてて anchor を作りやすくするためには少し曲がりをつけたほうがよいと思われる．筆者は基本的に MC の先端3〜3.5 mm 程度を30度曲げて使用しているが，この程度の曲げをつけただけでもコイルが血管壁にあてやすくなる．曲げを強い角度にしてしまうと filling 以降のステージでコイルの分布に偏りが出てしまうので要注意である．

3. コイルの選択

これが anchoring を最も左右する因子である．解離腔から塞栓をスタートし anchoring をしっかりと安定した形にしておかないと塞栓範囲予定部位より遠位にコイルが突出した

り，filling の際に anchor が動いてしまったりする原因となる．

しっかりとしたフレームを作る観点からは form memory の強い内向きコイル（box-like type）が最も向いている．囊状動脈瘤でよく用いられるやや外向きの 3-D complex coil ではループがどうしても cage 外に突出しやすく，MC の煩雑な操作を有することが多いため，積極的にはお勧めできない．コイルのサイズについては血管径より 0.5〜1 mm 大き目の径が最も安定しやすい．

4. Technique（図2）

MC の操作には完全なる方程式は存在しな

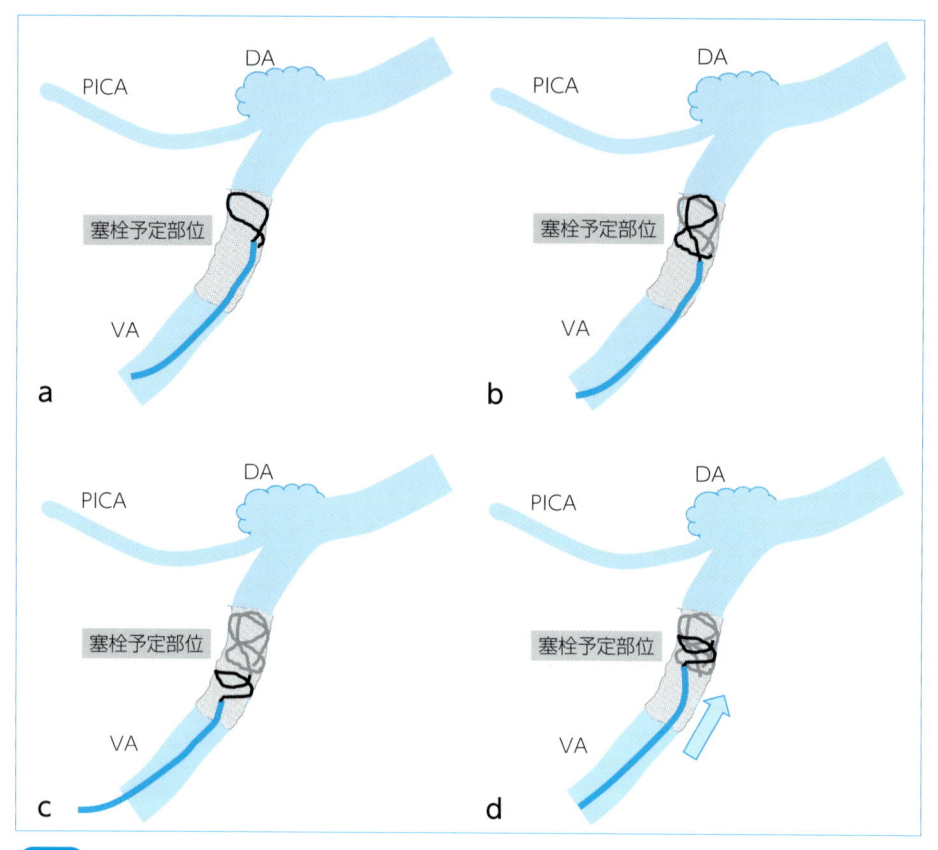

図2 Anchor を作る際のテクニック
a～d は本文の Technique の項を参照のこと．新しく出したループを濃く（黒く）表示している．VA: 椎骨動脈，PICA: 後下小脳動脈，DA: 解離性動脈瘤.

いが，基本は，

①血管壁の全周近くに接するループを巻く．

②次に MC を手前に戻してそのループに対してたすき掛けになるようなループを作る．あとは遠位にコイルが出そうになれば MC を引いて anchor 内にループが収まるように巻き直し，

③コイルが近位に突出しそうになった場合はコイルを引き戻しながら MC の位置を下げて

④手前にできたループを MC ごと押し上げて anchor 内に収める．

の繰り返しを行う．

2 ▶ Filling coil の選択

いわゆる box-like の cage ができてしまえば，その内部を通常の嚢状動脈瘤と同様に柔らかいコイルで塞栓する．これを finishing coil で行ってもよいが，血管径が 3 mm 以上あるようなところでは素線径の太い（0.012 inch 前後）のコイルを使用するのも short segment で塞栓するためには有効である．

3 ▶ Accumulating coil の選択

短い segment で tight packing を達成するため，最近筆者は一次コイル径が太い DeltaFill（Cerenovus, 0.015 inch） や Target XL mini

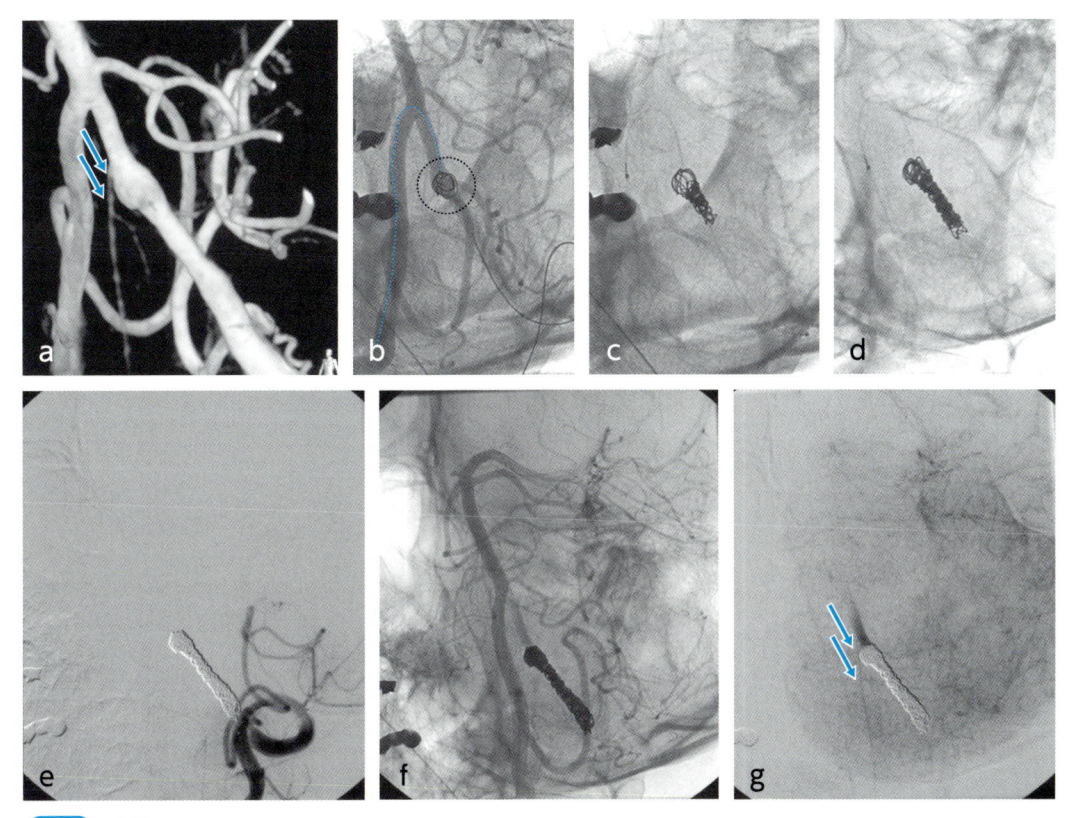

図3　症例2

30 歳代男性．WFNS Grade 5 の SAH, Lt. RVADA（distal to PICA type）と診断．解離腔（瘤状拡張部位）および近位を含めた internal trapping を企図．

a：術前 3-D RA 画像．解離腔のすぐ遠位から前脊髄動脈（ASA, 青矢印）が起始している．これを温存するため，対側からも MC を誘導し，anchoring を行い，患側から filling と accumulating を行うこととした．

b：Anchoring．対側からの MC（青点線で走行を示す）を通じ，ASA を温存する形で Target ultra 4.5 mm × 10 cm で anchor を作成した．

c：Filling．本症例では Axium Prime ES を使用したが結果的には Accumulating coil となってしまった．

d：Accumulating の追加を Axium Prime ES で行い，一方対側から Filling として Target Nano を 2 本用いた．

e：治療終了時左椎骨動脈撮影で近位での閉塞を確認．

f：治療終了時右椎骨動脈撮影（動脈相）．椎骨脳底動脈系血管および左椎骨動脈の遠位が描出されている．

g：治療終了時右椎骨動脈撮影（毛細血管相）．左椎骨動脈の遠位から ASA の描出を認める（青矢印）．

（Stryker, 0.014 inch）などを用いることが多いが，形状としては前者のほうが畳み込みやすい．ただし，コイル長が長いため，Filling coil の途中（つまり anchor の中）から巻きはじめるのも一手である．3 mm 未満の血管では Galaxy G3（Cerenovus, 0.012 inch）や Axium Prime ES 3 D（Medtronic, 0.0108 inch）も候補に上がってくる．

> **Do not**
>
> Filling stage において，安易に同じ径のコイルを重ねないこと．これではコイル間隙を埋めるような塞栓がしづらくなり，結果的に長い距離での塞栓になりがちである．

4 ▶ Advanced technique: Double catheter technique（DCT）

はじめの anchoring を作成するときに2本のカテーテルを用い，互いのカテーテルから出したコイルを絡ませることにより，堅固な anchor を作成することが可能である．ただし，少々煩雑な手技になるため DCT への慣れが必要である．また，対側の VA からのアクセスが容易である場合（対側 VA の径が小さくなく，VA union が比較的開大している場合）には対側からの union 経由でのカテーテル誘導を行い，対側から誘導した MC からの coil で anchor を作成し，患側からの MC を用いて filling を行う，といった手法も効果的である（図3）[10]．

3 考察・結語

以上，RVADA における母血管閉塞において，いかに short segment で tight packing を行うかにつき概説した．今後 RVADA の治療において母血管を温存する RM が主流になる可能性は否定できないが，DM すなわち母血管閉塞という手技を必要とする機会はまだまだ存在すると考えられる．母血管閉塞の最大の問題点である虚血合併症を可能な限り低減するためには，short segment で血管閉塞

を達成することが必要十分条件であり，本稿が役立つことを願ってやまない．

【文献】

1）Aoki N, *et al.*: Rebleeding from intracranial dissectinganeurysm in the vertebral artery. *Stroke* 1990；**21**：1628-1631.

2）Mizutani T, *et al.*: Recurrent subarachnoid hemorrhage from untreated ruptured vertebrobasilar dissecting aneurysms. *Neurosurgery* 1995；**36**：905-911; discussion 912-913.

3）Sönmez Ö, *et al.*: Deconstructive and reconstructive techniques in treatment of vertebrobasilar dissecting aneurysms: A systematic review and meta-analysis. *AJNR Am J Neuroradiol* 2015；**36**：1293-1298.

4）Madaelil TP, *et al.*: Endovascular parent vessel sacrifice in ruptured dissecting vertebral and posterior inferior cerebellar artery aneurysms: clinical outcomes and review of the literature. *J Neurointerv Surg* 2016；**8**：796-801.

5）Sawada M, *et al.*: Antegrade recanalization of a completely embolized vertebral artery after endovascular treatment of a ruptured intracranial dissecting aneurysm. Report of two cases. *J Neurosurg* 2005；**102**：161-166.

6）Shin GW, *et al.*: Endovascular treatment of intracranial vertebral artery dissecting aneurysms: follow up angiographic and clinical results of endovascular treatment in serial cases. *Neurointervention* 2015；**10**：14-21.

7）Iihara K, *et al.*: Dissecting aneurysms of the vertebral artery: a management strategy. *J Neurosurg* 2002；**97**：259-267.

8）Satow T, *et al.*: Endovascular treatment for ruptured vertebral artery dissecting aneurysms: results from Japanese Registry of Neuroendovascular Therapy（JR-NET）1 and 2. *Neurol Med Chir (Tokyo)* 2014；**54**：98-106.

9）Endo H, *et al.*: Medullary infarction as a poor prognostic factor after internal coil trapping of a ruptured vertebral artery dissection. *J Neurosurg* 2013；**118**：131-139.

10）Kai Y, *et al.*: Endovascular coil trapping for ruptured vertebral artery dissecting aneurysms by using double microcatheters technique in the acute stage. *Acta Neurochir (Wien)* 2003；**145**：447-451; discussion 451.

3 破裂椎骨動脈解離に対するステントを併用した急性期血管内治療

新潟大学脳研究所脳神経外科学教室 **長谷川 仁**

Essential Point

- 破裂椎骨動脈解離に対する血管内治療は母血管閉塞による "deconstructive" な治療が原則であるが，優位側椎骨動脈病変など母血管を温存する必要がある場合には，ステントを用いた "reconstructive" な治療が選択肢となる.
- ステントを複数用いたオーバーラップ法や，コイルを留置するスペースが少ない場合のジャッキアップ法など，いくつかの応用テクニックがある.
- 破裂急性期におけるステント留置については，抗血栓薬のマネジメントをはじめ未だ不明な点が多い治療法であり，母血管閉塞のリスクが明らかに高いと判断した場合に選択するよう注意すべきである.

1 はじめに

破裂椎骨動脈解離（vertebral artery dissecting aneurysm: VADA）の治療目的が再破裂予防であることはいうまでもないが，病変側 VA の発達程度や解離部と後下小脳動脈（PICA）分岐の関係などを考慮して治療方針を計画する必要がある．本稿では，ステントを併用して母血管の血流を温存しながら解離部を塞栓して再破裂予防を達成する方法を中心に解説する.

2 椎骨動脈解離の分類（図 1）

破裂してくも膜下出血をきたす VADA のほとんどは V4 segment に発生し，VA の発達程度，解離部と PICA および前脊髄動脈（ASA）との位置関係によって（図 1a, b, c）のように分類可能である.

3 治療法の考え方[1-3]

治療目的はあくまで再破裂予防であり，可能であれば破裂部（膨隆部）を含めた母血管閉塞を行う（internal trapping）ことに異論はない．しかしながら，VA に著しい左右差があり，解離が優位側に発生した場合（図 1d）や，解離近傍から PICA や ASA，その他の穿通枝が分岐し，それらを温存する目的で short segment にコイルを留置する必要がある場合（図 1e），さらには優位側 VA でコイル留置が可能な膨隆部分がほとんど存在しない場合（図 1f），VA の両側性解離などでは，ステントを併用したコイル塞栓もしくはステント単独の留置術を考慮する.

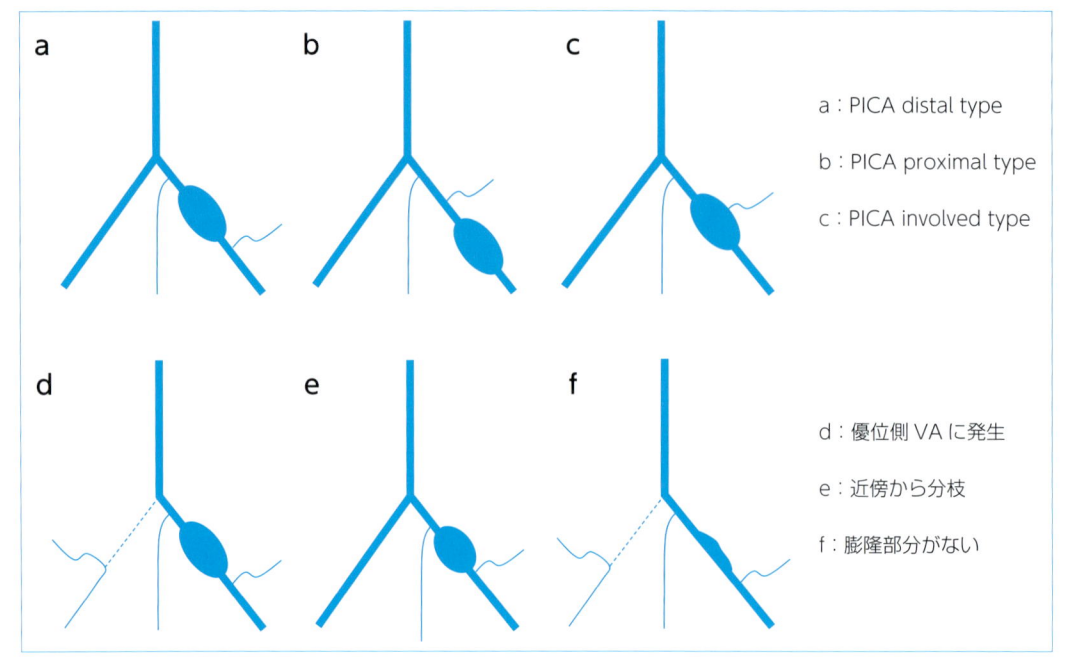

a : PICA distal type

b : PICA proximal type

c : PICA involved type

d : 優位側 VA に発生

e : 近傍から分枝

f : 膨隆部分がない

図1 椎骨動脈解離の分類

Check Point

抗血栓薬マネジメント

　破裂急性期にステントを併用した血管内治療を計画した場合，原則的には抗血小板療法として DAPT（dual antiplatelet therapy）を loading した後に手技を開始する．具体的には，アスピリン 300 mg，クロピドグレル 300 mg を急速 loading し，治療翌日からはそれぞれ 100 mg, 75 mg を投与継続する．高度意識障害を呈している場合には，胃管を挿入して粉状にした同量のアスピリン，クロピドグレルを投与する．血管内治療中は抗凝固療法としてヘパリンを ACT250 前後にコントロールすることを目標に静注する．

4 セットアップとカテーテルシステム

　やむを得ない場合を除いて，患者の無動化および血圧を含めた管理が容易な全身麻酔下に施行することが望ましい．

　ガイディングカテーテルは VA の血管径に応じて検討するが，本法を選択する場合には基本的に病変が VA 優位側であることから，6 Fr または 7 Fr サイズのガイディングカテーテルを留置することが多くの症例で可能である．ステント留置用に内腔 0.021 inch の，コイル塞栓用に内腔 0.0165 inch の 2 本のマイクロカテーテルを誘導する必要がある．6 Fr ガイディングカテーテルの場合，上記 2 本のマイクロカテーテルを操作中に friction が気になることがある．

表1　ネックブリッジステントのスペック

	Maximum size of An.	Cell design	Stent form	Microcatheter for stent delivery	Length (mm)	Diameter (mm)	Target vessel diameter (mm)
Enterprise VRD 2 (Cerenovus)	7 mm	Closed	Laser-cut tube	Prowler Select Plus (0.021 inch)	39	5	2.5 - 4.0
					30	5	
					23	5	
					16	5	
Neuroform Atlas (Stryker)	7 mm	Open	Laser-cut tube	Excelsior XT17 or SL10 (0.017 or 0.0165 inch)	15/21	3.0	2.0 - 3.0
					21	4.0	3.0 - 4.0
					21/30	4.5	4.0 - 4.5
LVIS Jr. (Microvention Terumo)	5 mm	Closed	Braided	Headway 17 (0.017 inch)	13/17/23/34	2.5	2.0 - 2.5
					18/23/28/33	3.5	2.5 - 3.5
LVIS (Microvention Terumo)	5 mm	Closed	Braided	Headway 21 (0.021 inch)	17/22	3.5	2.5 – 3.5
					18/23/32	4.5	3.0 – 4.5
					30/33	5.5	4.0 – 5.5

Pitfall

　脳室または腰椎ドレナージについては，必要であれば原則的に塞栓終了後に行う．ただし DAPT 下に行うため，十分な注意が必要である．合併する高度の急性水頭症が術前グレードを著しく低下させている場合には，塞栓前にドレナージ留置を行うことがあるが，頭蓋内圧を下げすぎないように注意すべきであり，ときに再破裂の誘因となることを踏まえて適用しなければならない．

5 ステント留置の目的と選択

　ステントを解離部に留置する目的は3つある．1つ目は，母血管の血流を温存すること，2つ目は，解離部に留置したコイルの scaffold となること，そして3つ目は，解離の entry をステントで押さえ込むことである．

　血管造影所見から真腔と偽腔を判別し，マイクロカテーテルを真腔のみに誘導することは困難であるし，確認のしようもない．したがって，確実に解離部をステントでカバーするためには，VA の遠位正常部から近位正常部まで確実にステントを留置することが重要であり，その経路の途中でステントの一部が

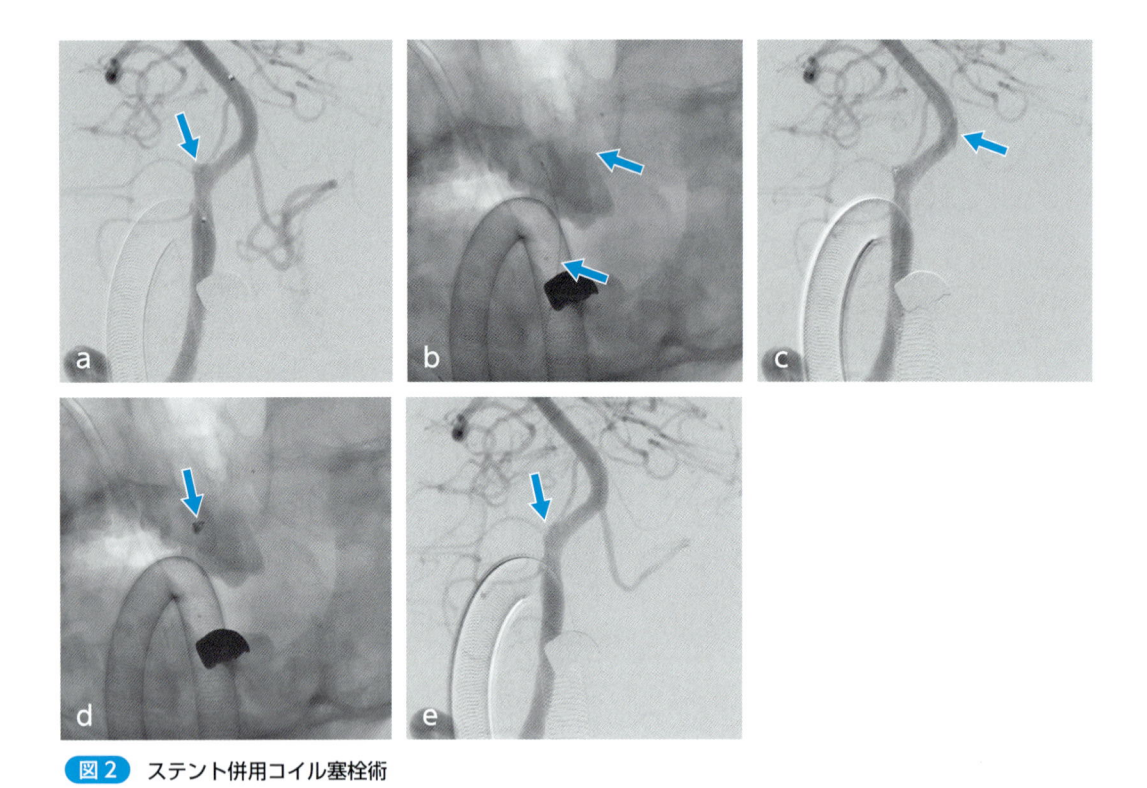

図2 ステント併用コイル塞栓術

仮に偽腔を通過していたとしても原則的には問題ないと考える.

現在わが国で使用可能なステントは（表1）のごとく4種類であるが，VAの血管径を考えると，LVIS Jr.を除く3種類が候補となる.病変好発部位の解剖学的特徴から，留置血管の高度屈曲が問題となる症例は少なく，flow diversion効果に乏しく（mesh densityが低く），コイルのscaffolding効果が期待しづらいNeuroform Atlas（Stryker）をあえて選択する意味は少ない.したがって，選択肢としてはlaser-cut closed-cell stentである Enterprise VRD（Cerenovus）もしくはbraided closed-cell stentであるLVIS（Microvention テルモ）のいずれかを検討することになる.LVISのほうが留置方法に応じてmesh densityのコントロールがしやすく，高いflow diversion効果やコイルのscaffolding効果が期待できる反面，偽腔を通過しているか否かが判然としない状態でmesh densityを高めるためにステントを押しながら留置すると，ステント径が拡がるような挙動を示す可能性があり，解離をさらに悪化させたり，最悪の場合は破裂させるリスクも考えられる.一方でEnterprise VRDでは，留置法に応じたステント径の変化はわずかであるが，LVISに比して mesh densityやflow diversion効果は低くなる.完璧なステントは存在せず，いずれの要素もすべてトレードオフの関係であることを考慮し，選択することが重要である.

代表例を図2に示す.

優位側である右VAにいわゆるpearl & string signの所見を呈し，膨隆部にブレブを認めた.膨隆部分のproximalより非常に細い右PICAと考えられる分枝がみられた.ASAは健側VAのunion近傍から主に造影されたが，病側VAからもわずかな造影は認められた.VAは病側である右が明らかに優位

であり，左 VA は PICA end ではなかったが比較的細かった．発達した Pcom は認められなかった．以上から，右 VA 本幹を温存しながら破裂点と考えられる膨隆部のみコイル塞栓する方針がベストと考えた．

　ガイディングカテーテルは 7 Fr Roadmaster TH STR（Goodman）を選択して右 VA に留置．3D-RA 後，ワーキングアングルを設定した．ステント併用下に膨隆部のコイル塞栓術を行う方針とし，まず Headway 21 STR（Microvention，テルモ）を CHIKAI14（朝日インテック）先行下に BA 本幹まで誘導．次に塞栓用に SL10/45（Stryker）を膨隆部へ誘導した（図 2a 矢印）．

　右 VA は遠位部が 3.5 mm，近位が 4.4 mm 径であり，LVIS 4.5 mm × 23 mm を選択し，VA union の just proximal から膨隆部を十分カバーするように展開した（図 2b 矢印）．Mesh density を高めるようにステントを push して留置した．留置後 Headway はステントを越えて再び BA 本幹まで進めておいた（図 2c 矢印）．次に jailing されている SL10 から膨隆部分を塞栓することとして，Target Helical Nano（Stryker）1.5 mm × 3 cm，1 × 2 × 2 本を挿入離脱した．Total 7 cm，3 本のコイルを留置した（図 2d 矢印）．膨隆部はほぼ造影されない状態となったため，この時点で塞栓は終了した（図 2e 矢印）．術後，再破裂や脳幹・小脳の虚血症状を含めた合併症なく良好に経過した．

⑥ オーバーラップステント法

　より高い flow diversion 効果を期待したい症例ではオーバーラップステントを考慮する．解離部（膨隆部）へ破裂予防効果が十分期待できる程度のコイルが留置できない場合には，ステントを重ねるように留置して膨隆部への

血流が低下することを期待する．また膨らみが血管撮影上比較的明瞭に見える場合でも，実際の解離の形状は複雑である可能性も考慮しオーバーラップステントを適用することもある．しかしながら 2 ～ 3 枚のオーバーラップステントでも留置直後から膨隆部に全く造影剤が流入しなくなるわけではないため，破裂予防効果としては不完全と認識し，術後の管理は厳重に行う必要がある．同種のステントを複数使用する方法と，異種ステントのコンビネーション法[4]のいずれを選択するか，という点についても flow diversion 効果の観点から重要な選択ポイントである．また，急性期例で複数のステントを使用することは，血栓塞栓症のリスクがより高くなる可能性も考慮しなければならない．

　自験例を図 3 に示す．

　優位側である左 VA にいわゆる pearl & string sign を呈する病変部を認め，破裂部位と考えられた（図 3a）．膨隆部は PICA（図 3a 矢印）遠位であったが，解離の起始と考えられる血管壁の不整は PICA 近位部から認められ，PICA involved type の VADA と診断した．ASA は対側 VA 遠位より分岐している所見であった．以上から，左 VA 本幹を温存し，解離の起始をカバーする目的でステントを留置したうえで，破裂点と考えられる膨隆部のみコイル塞栓する方針がベストと考えた．

　Guiding catheter は 7 Fr Roadmaster TH STR を選択して左 VA に留置．まず Headway 21 STR を CHIKAI14 先行下に mid BA まで誘導．次に塞栓用に steamshaped SL10 を膨隆部へ誘導した．

　左 VA は遠位部が 3.5 mm，近位部が 4.4 mm 径であり，LVIS 4.5 mm × 23 mm を選択し，VA union の just proximal から膨隆部を十分カバーするように展開した．Mesh density を高めるようにステントをプッシュし，semi-

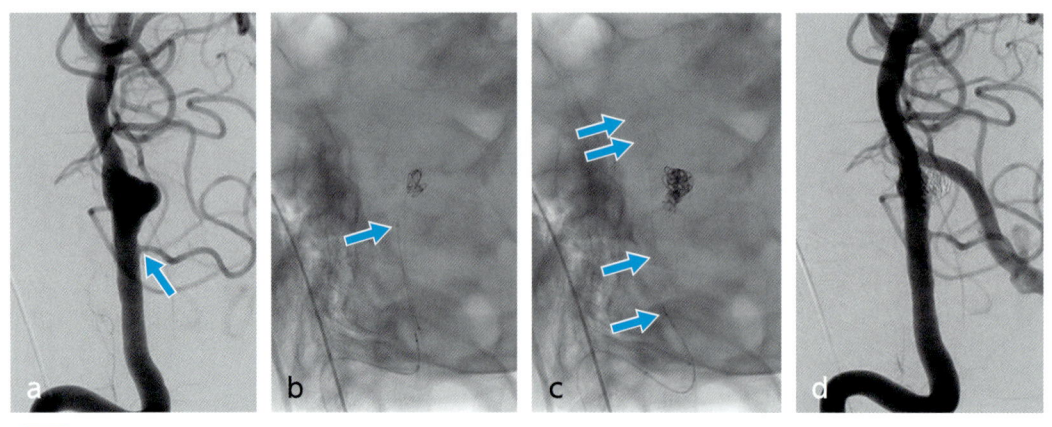

図3 オーバーラップステント

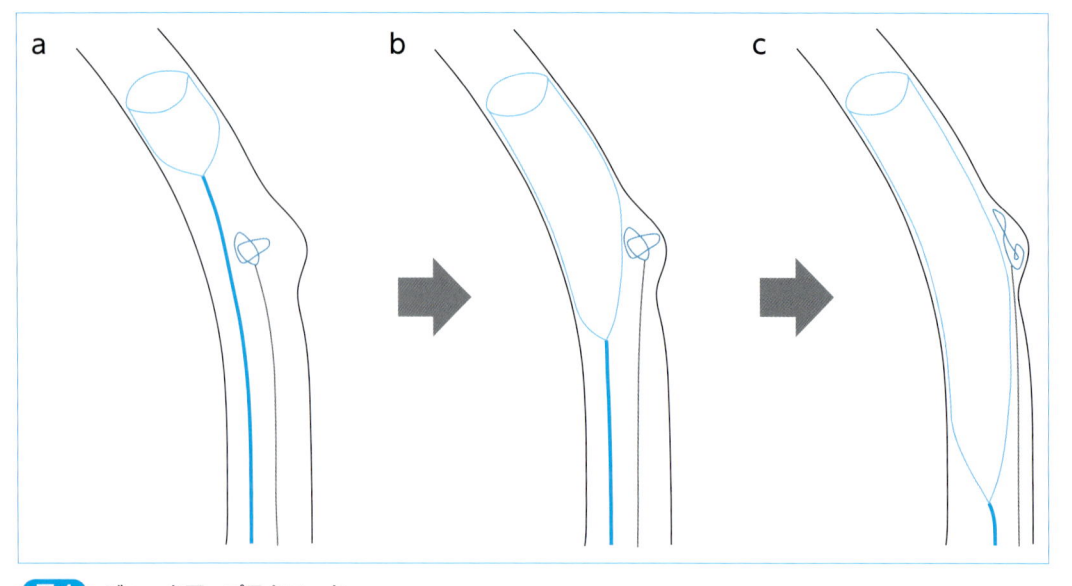

図4 ジャッキアップテクニック
a：膨隆部近傍でいくらかコイルを巻いた状態で，ステント展開を開始
b：ステントの拡張力を利用して塞栓用カテーテルをコイルと共に膨隆部へジャッキアップする
c：ステントで塞栓用カテーテルを jail して膨隆部をコイル塞栓する

jail として瘤内塞栓を開始した（図 3b）．SL10 から可能な限り膨隆部分を塞栓することとして，SMART（Penumbra）extrasoft 3 mm × 8 cm × 2 本，Hydrosoft 3D（Microvention, テルモ）2.5 × 6, SMART wave 2 × 4, 2 × 3, 2 × 2 を挿入離脱した．Total 31 cm, 6 本のコイルを留置した．留置後，展開途中の LVIS をすべて展開して留置したが（図 3c 矢印），

近位部が解離の起始とほぼ一致する部分に展開されたため，telescoping にステントを追加して膨隆部の mesh density をさらに高めつつ，近位をより確実にカバーすることとした．Headway21 を再度遠位 VA まで誘導し，同じく LVIS 4.5 mm × 23 mm を選択して最初のステントのやや近位から展開して留置した（図 3c 矢印）．解離は十分にステントでカバ

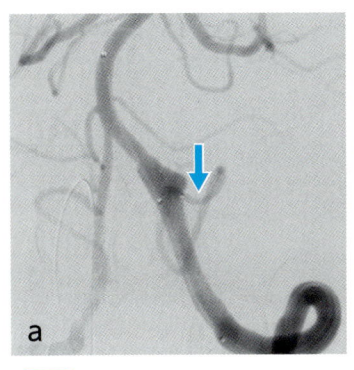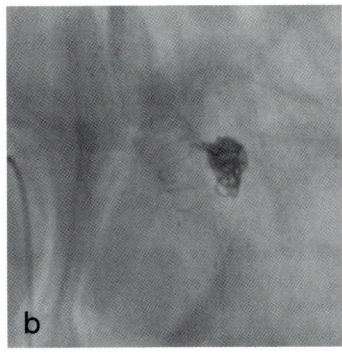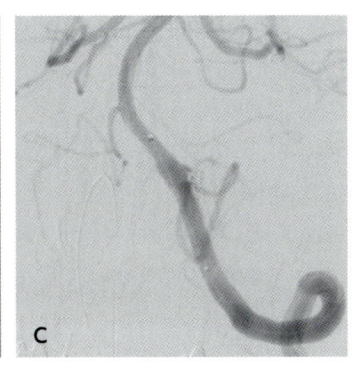

図5　PICA involved type への対処
a：優位側 VA に解離を認め，PICA は膨隆部近傍から分岐（arrow）．Headway21 を BA 本幹へ，SL10 を膨隆部へ誘導．
b：LVIS overlap stenting（4.5 mm × 23 mm × 2 枚）併用下に PICA の血流に注意して膨隆部をコイル塞栓．
c：膨隆部は造影されず，PICA の血流は維持された．

ジャッキアップテクニック(jack-up technique)(図4)

　破裂急性期では，ステント単独の留置ではたとえオーバーラップさせても破裂予防効果としては不十分であることが推察される方法であり，膨隆部にわずかでもコイルを留置することを最優先に考えたほうがよい．しかしながら破裂部位と考えられる部分がごく小さな膨隆でいわゆる "sac" が存在しない例などでは，通常の方法による瘤内塞栓は困難であり，その場合にはジャッキアップテクニックを試みる．

　具体的には，塞栓用マイクロカテーテルを膨隆部近傍の VA 内に誘導し，いずれかのコイルをいくらか巻いておいたうえでステントの留置を開始する(図4a)．ステントの拡張によって巻いていたコイルと共に塞栓用カテーテルが膨隆部分へ "jack-up" され(図4b)，さらにステントを展開することでカテーテルが安定化する．その状態で可能な限り密にコイルを充填する(図4c)ことで，わずかな膨隆しか持たない症例でも破裂と考えられる部分の塞栓が可能となる．

一され，かつ膨隆部はほぼ造影されない状態となったため，この時点で塞栓は終了と判断した(図3d)．PICA の描出は終始変化がなかった．術後経過は良好であり，再出血や血栓塞栓性合併症はなかった．

7　PICA involved type への対処

　極めて細い PICA であれば，小脳梗塞になることもやむを得ないと考えて膨隆部の塞栓とともに閉塞させてしまうという考え方は，急性期の破裂予防を最優先に考えると必ずしも間違いとはいえない．しかしながら原則はやはり温存すべき血管であり，そのためにどう治療すべきかという思考法が正しいと思われる．

　解離部が優位側 VA かつ発達した PICA が同部より分岐しているような，血管内治療にとって極めて悪条件の症例はそう遭遇するわけではない．自験例(図5)のように，PICA involved type ではあるが，PICA が膨隆部の辺縁から分岐していることにより，同血管を温存した状態で膨隆部の大部分を塞栓可能な場合もある．発達した PICA が膨隆部の中央近傍から分岐する場合には，OA-PICA によ

る血行再建を併用した膨隆部のみまたは母血管を含めた閉塞，もしくはややリスクが高くなるが，温存すべき PICA および VA にそれぞれステントを留置したうえで，膨隆部分をできる限りコイルにて塞栓するなどの方法が考えられる．将来的には後方循環に使用可能な flow diverter による治療が理論的には十分期待できる[5]．

8 おわりに

破裂 VADA に対するステントを併用した急性期血管内治療について概説した．急性期抗血栓薬のマネジメントや確実な急性期破裂予防効果，さらには中長期的な durability など，いまだわかっていない点が多い治療であることを踏まえ，現時点は従来法で対応が難しい症例に適応すべきである．しかしながらこれまでの自験例はいずれも良好な治療成績

であることから，母血管や分枝を温存して病変のみを"target embolization"可能な理想的治療法になり得ると考えられ，今後症例を積み重ねながら成績を明らかにしていく必要がある．

［文献］

1) Sonmez O, *et al.*：Deconstructive and reconstructive techniques in treatment of vertebrobasilar dissecting aneurysms: a systematic review and meta-analysis. *AJNR Am J Neuroradiol* 2015；**36**：1293-1298.

2) Guan J, *et al.*：Endovascular treatment for ruptured and unruptured vertebral artery dissecting aneurysms: a meta-analysis. *J NeuroIntervent Surg* 2017；**9**：558-563.

3) Madaelil TP, *et al.*：Endovascular parent vessel sacrifice in ruptured dissecting vertebral and posterior inferior cerebellar artery aneurysms: clinical and review of the literature. *J NeuroIntervent Surg* 2016；**8**：796-801.

4) Lim YC, *et al.*：Flow diversion via LVIS blue stent within Enterprise stent in patients with vertebral artery dissecting aneurysm. *World Neurosurgery* 2018；**117**：203-207.

5) Guerrero WR, *et al.*：Endovascular treatment of ruptured vertebrobasilar dissecting aneurysms using flow diversion embolization devices: single-institution experience. *World Neurosurgery* 2018；**109**：164-169.

II　くも膜下出血のすべて

C.　破裂脳動脈瘤治療，成功のヒント（マネージメント）

破裂脳動脈瘤に対する血管内治療周術期の抗血栓療法

筑波大学医学医療系脳卒中予防・治療学講座，筑波大学附属病院脳卒中科　**早川 幹人**

Essential Point

- 破裂脳動脈瘤（くも膜下出血）急性期の血管内治療は，虚血性・出血性合併症のリスクが未破裂瘤に比べいずれも高い.
- ステント非併用のコイル塞栓術においては，抗血小板薬投与の有効性が，ステント併用コイル塞栓術では，術前からの二剤併用抗血小板療法の優位性が示唆されている.
- 破裂瘤急性期の血管内治療における周術期抗血栓療法にあたっては，個々の症例の虚血・出血リスクの勘案が重要である.

1 はじめに

　破裂脳動脈瘤（くも膜下出血）急性期の血管内治療では，全身性の凝固能亢進のため虚血性合併症のリスクが高いとされる一方，破裂点が一時的に止血されているに過ぎないことから出血性合併症（術中破裂，術後早期の再出血）のリスクも高い. そのため未破裂瘤治療で一般に行われる周術期抗血栓療法について，いまだ定見はない. わが国では，即座に抗血小板作用を発揮し術中血栓形成等に海外で広く用いられているグリコプロテイン IIb/IIIa 受容体阻害薬（glycoprotein IIb/IIIa inhibitor: GPI）が使用できないため，「術中に血栓を形成させず」かつ「出血性合併症を増やさない」マネージメントが求められる. 本稿では，破裂脳動脈瘤急性期のコイル塞栓術（ステント非併用 / 併用）における周術期抗血栓療法についてまとめる.

2 術中抗凝固療法

　脳血管内治療では一般に虚血性合併症が出血性合併症に比し高頻度なため，破裂瘤治療といえど，ヘパリンによる術中抗凝固療法が勧められている[1]. しかし，ヘパリンの投与時期，投与量，術後投与期間含め一致した見解は得られていない. わが国の登録研究であるJR-NET1 ではヘパリン投与率は約 90 ％であったが，その時期は「シース留置後（58.3 ％）」,「マイクロカテーテル誘導後（6.5 ％）」,「コイル留置後（25.4 ％）」等さまざまであった[2].

3 （ステント非併用）コイル塞栓術

1 ▶ 周術期合併症の頻度

　Brooks ら[3]の検討では，破裂瘤に対するコイル塞栓術（ステント併用を含む）は，未破裂

表1 抗血小板療法非投与下の破裂脳動脈瘤コイル塞栓術における周術期合併症率

著者(年)	研究方法	症例数	合併症(%)	
			虚血性	出血性
Brilstra (1999)[6]	メタ解析	509 例	6.7	2.8(術中破裂)
Gallas (2005)[7]	多施設後ろ向き	650 例 705 瘤	5.2	3.6(術中破裂)
van Rooji (2006)[8]	単施設後ろ向き	681 例	4.7	4.6(術中破裂) 1.2(症候性)
Renowden (2009)[9]	単施設後ろ向き	711 例 717 瘤	4.5	4.7(術中破裂)
CLARITY (2010)[10]	多施設前向き	782 例 782 瘤	12.5	4.3(術中破裂)
JR-NET (2014)[11]	多施設後ろ向き	5,102 例	6.4	4.5(術中破裂) 1.4(術後再出血)
Choi (2018)[12]	単施設後ろ向き	394 例	12.4(術中血栓形成 / 血管閉塞)	1.8(術中破裂) 0.5(術後再出血) 2.0(脳室ドレナージ関連) 0.5(GP2b3a 阻害薬に関連)

瘤に比し術後頭部 MRI 拡散強調画像陽性率が高率(40% vs 13%, $p<0.001$)で，Altay ら[4]も同様の結果(51% vs 30%, $p=0.019$)を報告している．Cloft ら[5]のメタアナリシス(17 研究)では破裂瘤は術中破裂率が高率(4.1% vs 0.5%, $p<0.001$)であり，破裂瘤に対するコイル塞栓術の虚血性・出血性合併症は，いずれも未破裂瘤に比し実際に高率とわかる．

多数例の観察研究での，抗血小板薬非投与下の破裂瘤コイル塞栓術における周術期合併症率を表1に示す[6-12]．虚血性合併症は5〜12%，出血性合併症(術中破裂)は4%前後で，術後早期(30 日以内)再出血(多くは術後 24 時間以内)は 1.4%〜3.6% とされている[13]．

2 ▶ 周術期抗血小板療法の効果

ISAT に参加した 19 施設(1,422 例 = 全体

の 66 %)を対象とした事後解析では，抗血小板療法施行施設と非施行施設で転帰に差はなく，同療法を支持する結果は得られなかった[14]．一方で，Ries ら[15]は，術中抗血栓療法を，ヘパリンのみからヘパリン＋アスピリン 250 mg 静注(ファーストコイル挿入後)としたことで，術中血管閉塞が 20 % から 10.1 % に減少($p=0.047$)，術中破裂は増えなかった(9.3% vs 7.3%)とし，術中抗血小板療法の有効性を示した．Shimamura ら[16]は，発症後 72 時間以内の破裂瘤コイル塞栓術 35 例において，治療 2 時間以上前にアスピリン 200mg ＋クロピドグレル 150 mg を投与し，一過性の術中血栓形成が 1 例(2.9%)にみられたのみで，出血性合併症は認めなかったと報告している．Muraoka ら[17]の検討でも，治療開始前のアスピリン 200mg ＋クロピドグレル

表2　虚血・出血性合併症の危険因子[8,10,18,20-23]

虚血性合併症	術中破裂	術後(早期)再破裂
● 広頚瘤(>4 mm) ● 細径母血管(<1.5 mm) ● コイルループ逸脱 ● 瘤からの分枝起始 ● 動脈硬化性変化 ● 大型瘤(>10 mm)	● 小型瘤 ● 後方循環瘤 ● 中大脳動脈瘤 ● 前交通動脈瘤 ● Bleb の存在 ● Small basal outpouching 　(頚部付近のブレブ)	● 小型瘤 ● 瘤隣接血腫の存在 ● 不完全閉塞(<70 %)

300 mg 投与が，抗血小板療法非投与時に比し出血性合併症(術中破裂)を増やすことなく(併用時 5.9 % vs 非併用時 10.3 %)，有意に術中血栓形成を抑制していた(0 % vs 19.2 %，p=0.0396).

Edwards ら[18]は，虚血性合併症高リスク例(広頚 >4 mm，母血管径 <1.5 mm，母血管径の 1/2 未満のコイルループ逸脱，瘤からの分枝起始，母血管の動脈硬化性変化，術中血栓形成のうち 1 項目以上を満たす)に対し，手技終了時にアスピリン 650 mg を経管投与(その後 14 日間 325 mg/ 日継続)し，アスピリン非投与例に比し 72 時間以内の脳梗塞 / 一過性脳虚血発作が減少(53.8 % vs 10.6 %，p=0.001，オッズ比 [Odds ratio: OR] 0.16，95 % confidence interval [CI] 0.03-0.8)したと報告している.

3 ▶ 虚血性・出血性合併症に関連する因子

Edwards らの「虚血性合併症高リスク」因子も含む既報の虚血・出血性合併症危険因子を記す(表 2). バルーンアシストテクニックは，van Rooji ら[8]は周術期合併症の危険因子(OR 5.1, 95 %CI 2.3-15.3)としたが，フランスの多施設前向き観察研究 CRALITY[19]や，Brooks ら[3]，Altay ら[4]の検討では虚血性合併症発症率はバルーン非併用例と同等であると

し，結果は一定しない.

破裂瘤コイル塞栓術の周術期抗血栓療法(抗血小板療法)にあたっては，Edwards らが虚血性合併症リスク評価に則って抗血小板療法を行い，その有効性を示したように，個々の症例の虚血性・出血性合併症リスクを考慮することが重要となろう.

4　ステント併用コイル塞栓術

1 ▶ 周術期合併症の頻度

Chalouhi ら[24]の検討では，破裂瘤 47 例では 25 % に合併症(死亡 / 後遺症 12.7 %)が生じたのに対し，未破裂瘤 461 例では 4.7 %(死亡 / 後遺症 1.9 %)にすぎず(p<0.001)，破裂瘤はステント併用コイル塞栓術の合併症に関連(OR 2.8, 95 %CI 1.1-7)した. Bechan ら[25]も，破裂瘤は症候性合併症発症率が未破裂瘤に比し高率(22.2 % [脳梗塞 11.1 %，早期再出血 11.1 %] vs 2.2 % [脳梗塞 2.2 %]，p=0.001)とし，破裂瘤に対するステント併用コイル塞栓術は高リスク手技とわかる. Choi ら[12]は，破裂瘤 55 例に抗血小板療法非投与下(術中血栓形成時に GPI 投与)にステント併用コイル塞栓術を行い，虚血性合併症は 25.5 % に生じていた. GPI で全例再開通を

表3 破裂脳動脈瘤に対するステント併用コイル塞栓術における周術期合併症発症率

著者(年)	研究方法	症例数	合併症(%)	
			虚血性	出血性
Bodily (2011)[26]	メタアナリシス	339例	5.6	4(術中破裂) 1(術後早期再出血) 8(すべての出血性合併症)
Chung (2014)[27]	多施設前向き	72例	5.6(無症候性) 6.9(症候性)	6.9(症候性)
Yang (2015)[28]	単施設後ろ向き	211例	8.1	4.3(術中破裂) 1.9(術後再出血)
Ryu (2015)[29]	メタアナリシス	1,090例	11.2	5.4(術中) 3.6(術後)

得たが，通常のコイル塞栓術(12.4%)に比し明らかに高率($p=0.01$)であった．特にGPIが使用できない場合，抗血小板療法非投与での治療は容認できるものではない．

多数例の観察研究における周術期合併症率を表3に示す[26-29]．Ryuら[29]の33研究のメタ解析では，虚血性合併症11.2%，術中出血5.4%，術後出血3.6%であった．

2 ▶ 抗血小板療法レジメンと合併症率の関連

Ryuら[29]は抗血小板療法別のサブ解析を行っている．治療2時間以上前に二剤併用抗血小板療法(dual antilatelet therapy: DAPT)をローディング投与する「前投与」群，治療直後にDAPTを導入する「後投与」群，ステント留置後GPIを静注する「改変」群を比較したところ，虚血性合併症：7.4% vs 12.3% vs 13.9%，術中破裂：5.3% vs 4.9% vs 8.8%，術後再出血：2.9% vs 3.9% vs 3.7%と，統計学的有意に至らないものの「前投与」群で累計合併症率が低率であった．未破裂瘤と比較した13研究のメタ解析では，総じて破裂例は虚血性合併症(リスク比2.25, 95%CI 1.43-

3.55)，術中破裂(5.03, 2.42-10.45)，死亡(7.39, 3.40-16.03)が高率であったが，虚血性合併症は「前投与」群(リスク比1.34 ,95%CI 0.59-3.06)，「改変」群(リスク比1.65, 95%CI 0.96-2.85)で未破裂瘤に比して増加を認めなかった．一方で「後投与」群では有意に増加し(リスク比4.54, 95%CI 2.61-7.89)，術中破裂も「後投与」群で増加した(リスク比6.68, 95%CI 2.31-19.36)．破裂瘤に対するステント併用コイル塞栓術では，術前DAPTローディング投与の優位性が示唆されている．

5 術後の抗血栓療法

破裂瘤に対する血管内治療後の，虚血性・出血性合併症を最少化する抗血栓療法についての報告は渉猟の限り見出されないが，脳血管攣縮予防が主題の報告は散見される．ランダム化比較試験であるMASH study[30]では，アスピリンの脳血管攣縮予防・転帰改善効果は認められなかったが，Nagahamaら[31]は，ステント併用コイル塞栓術/フローダイバーター留置術後DAPT投与例はコイル塞栓術

後抗血小板薬非投与例に比し症候性脳血管攣縮（OR 0.244, 95％CI 0.097-0.615），遅発性脳虚血（OR 0.056, 95％CI 0.01-0.318）が低率であったと報告している．Saber ら[32]の，シロスタゾールの有効性を検討した5研究（うち4研究はランダム化比較試験）のメタアナリシスでは，シロスタゾールは症候性脳血管攣縮（OR 0.31, 95％CI 0.20-0.48），脳梗塞（OR 0.32, 95％CI 0.20-0.52），転帰不良（OR 0.32, 95％CI 0.20-0.52）を有意に低減させていた．術後のヘパリン持続投与に関しても，Simard ら[33]，Bruder ら[34]の観察研究で脳血管攣縮または脳梗塞発症率の低減に関連したとされている．

JR-NET1, 2[35]では術後抗凝固療法としてアルガトロバンが17.1％，ヘパリンが13.9％に，術後抗血小板療法は34.6％（アスピリン24.4％，シロスタゾール5.6％，アスピリン＋シロスタゾール2.5％）に投与されるなど，術後抗血栓療法は実臨床で一定の頻度で行われている．術後の低分子ヘパリン投与と再出血の関連を示唆する報告[28]もあることから，出血低リスク例，あるいは出血リスクが減じた時期を見極めて施行すべきであろう．

［文献］

1) Qureshi AI, *et al.*：Prevention and treatment of thromboembolic and ischemic complications associated with endovascular procedures: Part II- Clinical aspects and recommendations. *Neurosurgery* 2000；46：1360-1375.

2) 坂井信幸, 他．循環器病研究班編．脳血管内治療診療指針2009 循環器病研究委託費(17 公 -1)総括研究報告書 カテーテルインターベンションの安全性確保と担当医師の教育に関する指針（ガイドライン）作成に関する研究．*Journal of Neuroendovascular Therapy* 2009；3：1-78.

3) Brooks NP, *et al.*：Frequency of thromboembolic events associated with endovascular aneurysm treatment: retrospective case series. *J Neurosurg* 2008；108：1095-1100.

4) Altay T, *et al.*：Thromboembolic events associated with endovascular treatment of cerebral aneurysms. *J Neurointerv Surg* 2011；3：147-150.

5) Cloft HJ, *et al.*：Cerebral aneurysm perforations complicating therapy with Guglielmi detachable coils: a meta-analysis. *AJNR Am J Neuroradiol* 2002；23：1706-1709.

6) Brilstra EH, *et al.*：Treatment of intracranial aneurysms by embolization with coils: a systematic review. *Stroke* 1999；30：470-476.

7) Gallas S, *et al.*：A multicenter study of 705 ruptured intracranial aneurysms treated with Guglielmi detachable coils. *AJNR Am J Neuroradiol* 2005；26：1723-1731.

8) van Rooij WJ, *et al.*：Procedural complications of coiling of ruptured intracranial aneurysms: incidence and risk factors in a consecutive series of 681 patients. *AJNR Am J Neuroradiol* 2006；27：1498-1501.

9) Renowden SA, *et al.*：Detachable coil embolisation of ruptured intracranial aneurysms: a single center study, a decade experience. *Clin Neurol Neurosurg* 2009；111：179-188.

10) Pierot L, *et al.*：Ruptured intracranial aneurysms: factors affecting the rate and outcome of endovascular treatment complications in a series of 782 patients（CLARITY study）．*Radiology* 2010；256：916-923.

11) Imamura H, *et al.*：Endovascular treatment of aneurysmal subarachnoid hemorrhage in Japanese Registry of Neuroendovascular Therapy（JR-NET）1 and 2. *Neurol Med Chir (Tokyo)* 2014；54：81-90.

12) Choi HH, *et al.*：Antiplatelet Premedication-Free Stent-Assisted Coil Embolization in Acutely Ruptured Aneurysms. *World Neurosurg* 2018；114：e1152-e1160.

13) Li K, *et al.*：Acute rerupture after coil embolization of ruptured intracranial saccular aneurysms: A literature review. *Interv Neuroradiol* 2018；24：117-124

14) van den Bergh WM, *et al.*：Effect of antiplatelet therapy for endovascular coiling in aneurysmal subarachnoid hemorrhage. *Stroke* 2009；40：1969-1972.

15) Ries T, *et al.*：Intravenous administration of acetylsalicylic acid during endovascular treatment of cerebral aneurysms reduces the rate of thromboembolic events. *Stroke* 2006；37：1816-1821

16) Shimamura N, *et al.*：Safety of preprocedural antiplatelet medication in coil embolization of ruptured cerebral aneurysms at the acute stage. *Interv Neuroradiol* 2014；20：413-417.

17) Muraoka K, *et al.*：Effectiveness of antiplatelet drug loading before acute-phase coil embolization of ruptured cerebral aneurysms. *Journal of Neuroendovascular Therapy* 2018；12：75-80

18) Edwards NJ, *et al.*：Antiplatelet therapy for the prevention of peri-coiling thromboembolism in high-risk patients with ruptured intracranial aneurysms. *J Neurosurg* 2017；127：1326-1332.

19) Pierot L, *et al.*：Remodeling technique for endovascular treatment of ruptured intracranial aneurysms had a higher rate of adequate postoperative occlusion than did conventional coil embolization with comparable safety. *Radiology* 2011；258：546-553.

20) Kang DH, *et al.*：Morphological predictors of intraprocedural rupture during coil embolization of ruptured cerebral aneurysms: do small basal outpouchings carry higher risk? *J Neurosurg* 2014；121：605-612.

21) White AC, *et al.*：Factors associated with rerupture of intracranial aneurysms after endovascular treatment: A retrospective review of 11years experience at a single institution and review of the literature. *J Clin Neurosci* 2017；44：53-62.

22) Sluzewski M, *et al.*：Early rebleeding after coiling of ruptured

cerebral aneurysms: incidence, morbidity, and risk factors. *AJNR Am J Neuroradiol* 2005 ; **26** : 1739-1743.

23）Johnston SC, *et al.* : Predictors of rehemorrhage after treatment of ruptured intracranial aneurysms: the Cerebral Aneurysm Rerupture After Treatment（CARAT）study. *Stroke* 2008 ; **39** : 120-125.

24）Chalouhi N, *et al.* : Stent-assisted coiling of intracranial aneurysms: predictors of complications, recanalization, and outcome in 508 cases. *Stroke* 2013 ; **44** : 1348-1353.

25）Bechan RS,*et al.* : Stent-Assisted Coil Embolization of Intracranial Aneurysms: Complications in Acutely Ruptured versus Unruptured Aneurysms. *AJNR Am J Neuroradiol* 2016 ; **37** : 502-507.

26）Bodily KD, *et al.* : Stent-assisted coiling in acutely ruptured intracranial aneurysms: a qualitative, systematic review of the literature. *AJNR Am J Neuroradiol* 2011 ; **32** : 1232-1236.

27）Chung J, *et al.* : Stent-assisted coil embolization of ruptured wide-necked aneurysms in the acute period: incidence of and risk factors for periprocedural complications. *J Neurosurg* 2014 ; **121** : 4-11.

28）Yang P, *et al.* : Stent-assisted Coil Placement for the Treatment of 211 Acutely Ruptured Wide-necked Intracranial Aneurysms: A Single-Center 11-Year Experience. *Radiology* 2015 ; **276** : 545-552.

29）Ryu CW, *et al.* : Complications in Stent-Assisted Endovascular Therapy of Ruptured Intracranial Aneurysms and Relevance to Antiplatelet Administration: A Systematic Review. *AJNR Am J Neuroradiol* 2015 ; **36** : 1682-1688.

30）van den Bergh WM; MASH Study Group. Randomized controlled trial of acetylsalicylic acid in aneurysmal subarachnoid hemorrhage: the MASH Study. *Stroke*. 2006 ; **37** : 2326-2330.

31）Nagahama Y,*et al.* : Dual antiplatelet therapy in aneurysmal subarachnoid hemorrhage: association with reduced risk of clinical vasospasm and delayed cerebral ischemia. *J Neurosurg* 2018 ; **129** : 702-710.

32）Saber H, *et al.* : Efficacy of Cilostazol in Prevention of Delayed Cerebral Ischemia after Aneurysmal Subarachnoid Hemorrhage: A Meta-Analysis. *J Stroke Cerebrovasc Dis.* 2018 ; **27** : 2979-2985. doi: 10.1016/j.jstrokecerebrovasdis.2018.06.027.

33）Simard JM,*et al.* : Low-dose intravenous heparin infusion in patients with aneurysmal subarachnoid hemorrhage: a preliminary assessment. *J Neurosurg* 2013 ; **119** : 1611-1619.

34）Bruder M, *et al.* : Effect of heparin on secondary brain injury in patients with subarachnoid hemorrhage: an additional 'H' therapy in vasospasm treatment. *J Neurointerv Surg* 2017 ; **9** : 659-663.

35）Enomoto Y,*et al.* : Current perioperative management of anticoagulant and antiplatelet use in neuroendovascular therapy: analysis of JR-NET1 and 2. *Neurol Med Chir (Tokyo)* 2014 ; **54** : 9-16.

破裂脳動脈瘤に対する血管内治療術中の血栓性合併症が発生した時のトラブルシューティング

東海大学医学部付属病院脳神経外科　**キッティポン スィーワッタナクン**

Essential Point

- 急性期脳動脈瘤塞栓術における血栓形成は少なくない．
- あわてず，段階的に対応することで多くはリカバリーできる．
- 抗血小板薬の投与で多くの症例では十分に対処が可能である．
- 予後に影響するのは遠位血管への塞栓である．
- 血栓溶解薬の使用は破裂急性期においては致死的な合併症を起こすため，禁忌である．

1　破裂脳動脈瘤の血管内治療における血栓性合併症

　未破裂脳動脈瘤の治療の場合，術前に抗血小板薬を投与することが治療のスタンダードになっているが，急性期の破裂脳動脈瘤における抗血小板薬の適正使用については結論がでていない．しかし，急性期治療における血栓性合併症は少なくなく，当施設の過去3年間のデータでは少量の血栓も含めて，血栓の形成が確認できたのは約20％であった．特にグレードが悪い症例では血栓性合併症が多かった．血管の完全な閉塞に至るものは数％以内であるが，血栓が発生し，虚血合併症に発展しないようにするためには適切な対応が重要である．

2　血栓性合併症の予防について

　血栓の形成は，①コイルと母血管が接する部位に発生（図1），②その他より近位のカテーテルから発生（図2）に大きく分けることができる．

　血栓性合併症は抗凝固薬や抗血小板薬で予防するが，破裂急性期では術中破裂の危険性があり，過剰な抗血栓療法の使用は躊躇されるものである．当施設では基本としてフレームのコイルが完成したあとにヘパリンを全身投与することが多いが，動脈瘤の形状によっては抗血小板薬を途中から投与することもある．いずれにしても，急性期の治療における抗血栓療法は統一の見解がまだないのが現状である．

　コイルと母血管が接する部位からの血栓形成は，急性期の治療において観察されることは少なくない．経験上治療の終盤に発生することが多く，対策をとらずに治療を続けると血栓は成長し虚血合併症につながる．そのため早期発見，対応が重要である．

　近位部のカテーテルから発生する血栓の予防には灌流ルートの確実な確認が重要で，特にYコネクター内に赤い血液がないように

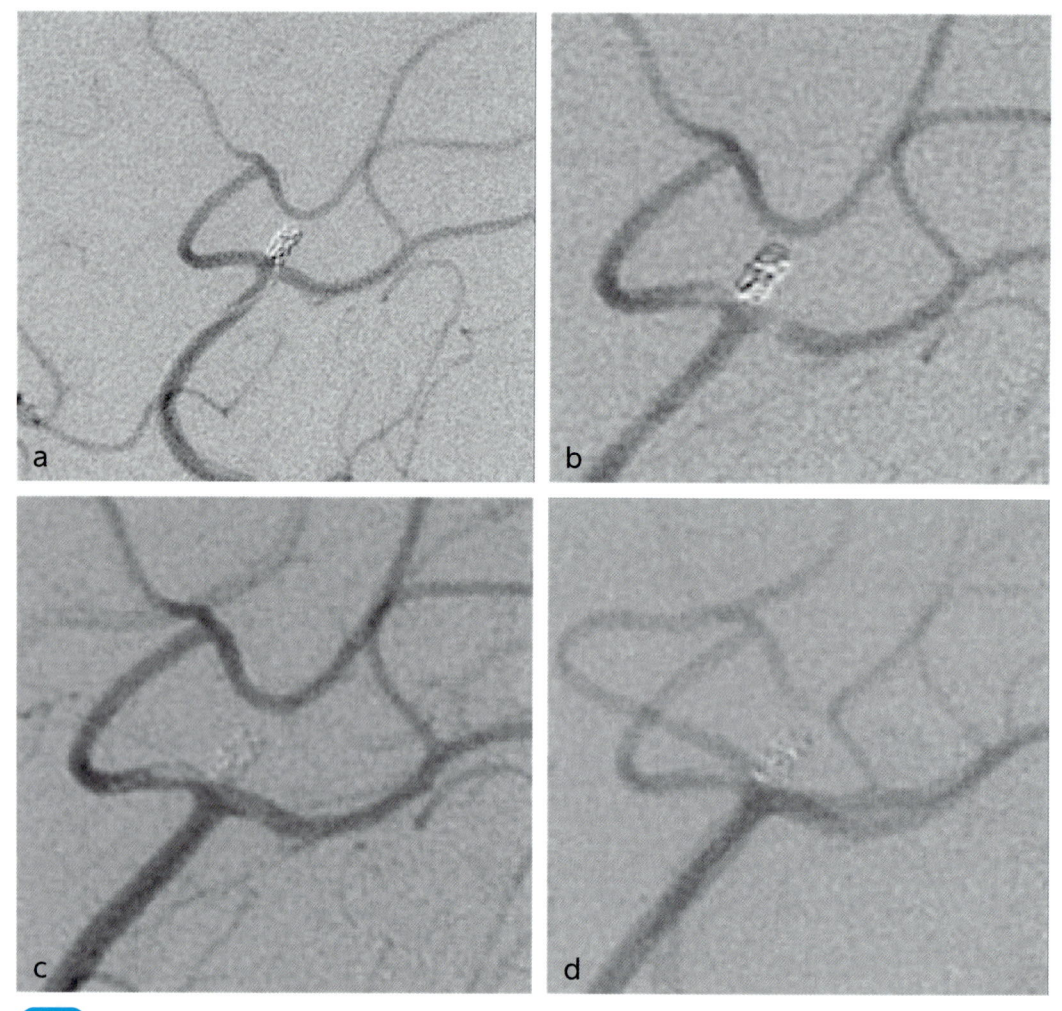

図1 前交通動脈遠位部動脈瘤の塞栓術
a：最後のコイルを挿入する前の状態では特に血栓形成はなかった.
b：最後のコイルを挿入後にネック付近に血栓形成が確認される. ここでは異物が最小限になるようにコイル塞栓は追加せず, マイクロカテーテルは瘤付近から除去し, アスピリンを 200 mg 経管投与した.
c：30 分後の撮影では血栓の増大を認めなかった.
d：さらに 60 分後の撮影では血栓の消失が確認できた.

する習慣をつける必要がある. 術者のみならず, 助手や外回りの介助者も目を配るようにする. 確認撮影を各段階で, 病変部の動脈瘤のみではなく近位部の血管の異常にも注意する.（図2）

3　手技中の注意点／早期発見のためのポイント

　サブトラクションされた画像では動脈瘤のネック付近のコイルに血栓が付着しても発見しにくいことがあるため, サブトラクションされていない画像でも確認することが早期発見につながることがある. ワーキングアングルは通常動脈瘤と母血管が分離されるように

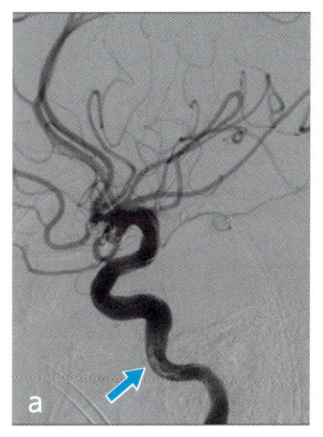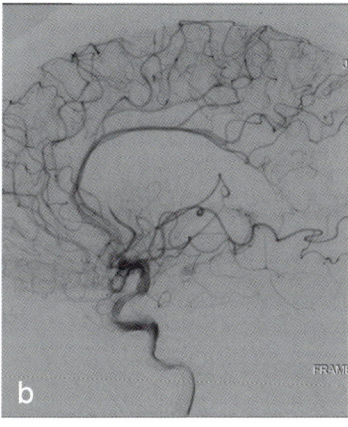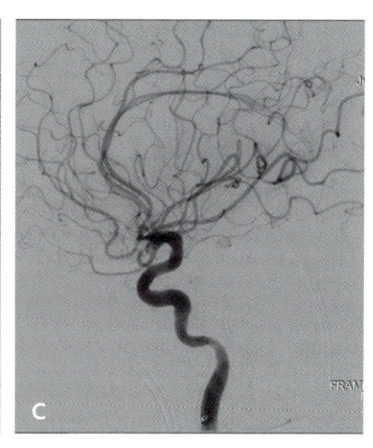

図2　ダブルカテーテルで治療中の前交通動脈瘤の画像
治療の終盤での確認撮影（a）．ここでは内頚動脈近位部に血栓の形成が確認される（矢印）．これはマイクロカテーテルが2本入っていることも関係していると思われる．この段階ではこの血栓に気づくことができず，マイクロカテーテルを回収したところ，bのように遠位の塞栓を起こした．このケースではペナンブラシステムで血栓の吸引を行い，再開通が得られた（c）．

設定されるが，血栓による遠位の閉塞などを確認するための全体の正面，側面像での確認撮影も必要と感じたら行うようにする．

われわれの経験では，血栓が形成されやすい症例はターミナルタイプの動脈瘤やグレードが悪い症例である．これらの症例に対しては，より血栓形成の有無に気を配る必要がある．

4　血栓性合併症が発生した場合の対応

血栓性合併症の部位と規模は予後を左右する要因になるが，術中破裂よりも時間的余裕があるため，あわてないで対応することがリスク回避の重要なポイントとなる．血栓形成は異物が留置されることによって惹起されるものであり，血栓が形成され始めたら，まず成長しないようにするためにはそれ以上異物を挿入，留置しないことである．手技をいったん中断し，遠位塞栓の有無を確認するために全体の撮影（できれば正面／側面像で）を行い，術前の画像を比較する．

遠位塞栓がある場合でも，細かい塞栓子であり，遠位に複数存在する場合は抗血栓療法で改善することがあり，部位によっては血栓回収を無理に行うことはすべきではない．明らかな近位部の血管の完全閉塞の場合は，血栓回収を行うことを検討するが，動脈瘤がある血管の遠位の塞栓の場合，ステント型血栓回収デバイスの使用では，コイルと干渉する可能性があり，吸引カテーテルによる血栓除去が安全と考える（図2）．ただし，動脈瘤部を通過するときは動脈瘤に損傷を与えないように注意を要する．

血栓が動脈瘤のネック部のコイルにのみ存在している場合，それ以上のコイルの追加は行わずに，ヘパリンが有効域になっていることを確認し，さらに抗血小板薬を投与する．

当施設では血栓の程度によりアスピリン単剤（200 mg を経管投与）か，これに加えてクロピドグレル 300 mg も同時投与かを判断する．

経験上，30 分以上の観察でも血栓が成長し続けなければ，多少血栓が残っている状態で手技を終了してもそのあとに虚血合併症が

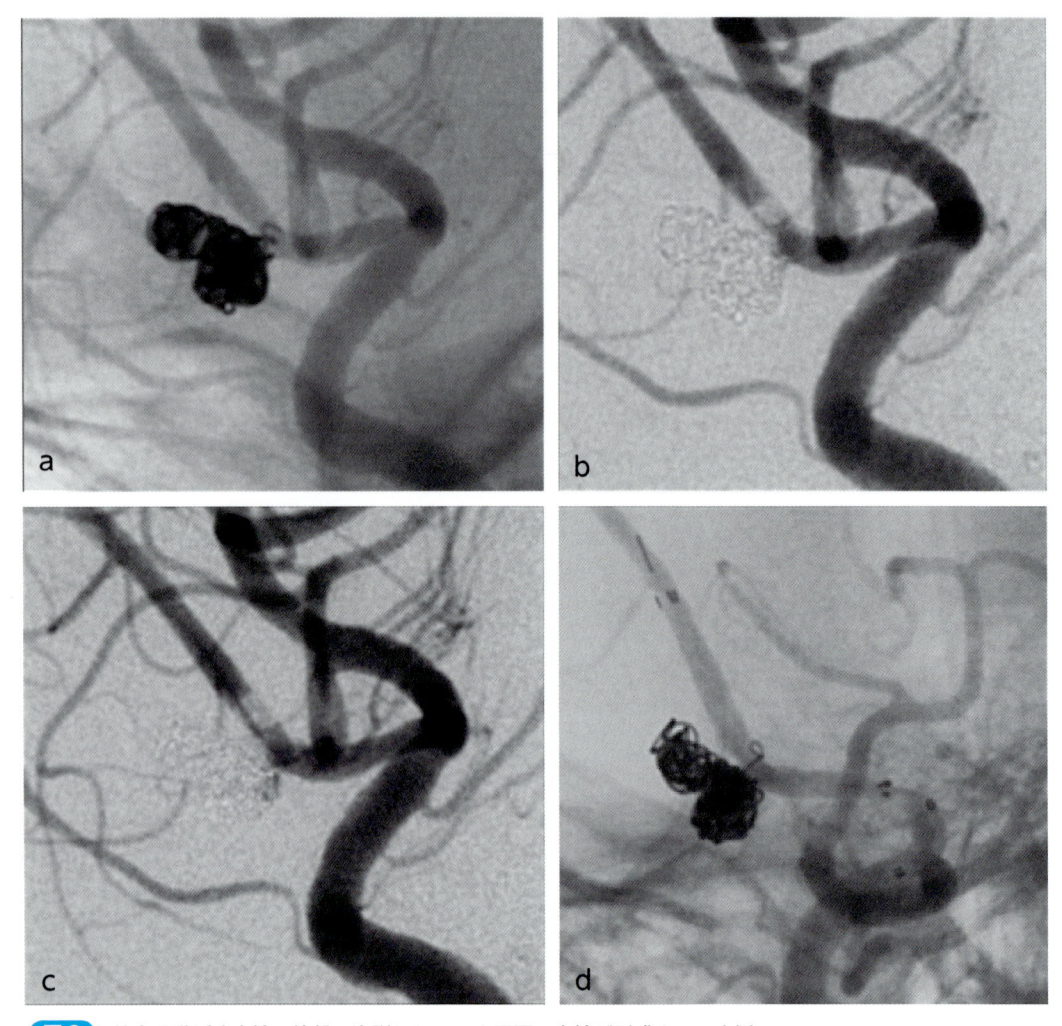

図3 前交通動脈瘤塞栓の終盤に逸脱したコイル周囲に血栓が形成された症例

a：最後のコイルをデタッチした直後にコイルのループの逸脱を認めた．
b：直後よりその部位に血栓が付着．
c：抗血小板薬（アスピリン，クロピドグレル）を投与し，40分経過しても血栓が増大した．
d：バルーンによる破砕も試みたが，再度血栓が形成されるため，このケースではやむをえず，コイルを血管壁に固定する目的でステント（Neuroform Atlas）を留置した．

発生することはない．ただし，投与された抗血小板薬は通常の維持量で少なくとも3日間は継続する．

抗血小板薬を投与してもなお血栓が増大するケースはまれであるが，その場合に血栓をバルーンなどで破砕する方法がある．いかなる場合でもウロキナーゼなどの血栓溶解薬の投与は，破裂脳動脈瘤の治療において用いることは高率に動脈瘤の破裂を起こし不良な結果になるため，禁忌である．血管の完全な閉塞がなければ，あわてずに気長に撮影を繰り返し，待つ気持ちで対応したい．

コイルの逸脱などがあり，血栓がその付近に発生した場合は母血管内の異物の除去も考慮すること．除去が困難な場合は保険適用外ではあるが，ステントなどでコイルを母血管に固定する必要があるケースもある．（図3）

血栓性合併症への対応を図4にまとめた．

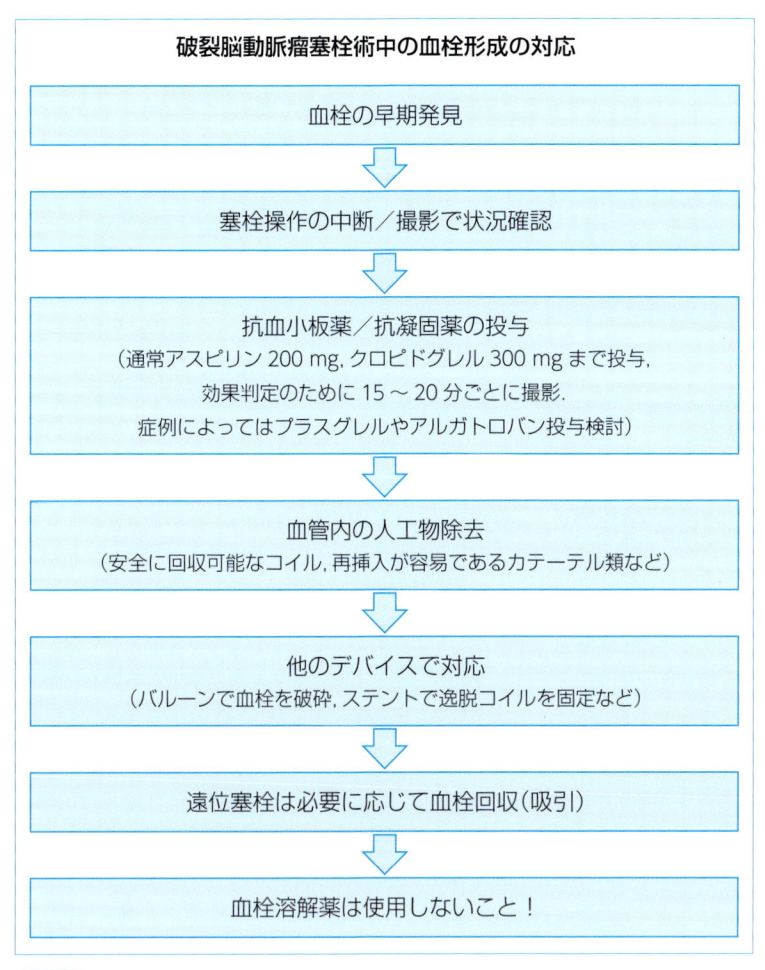

破裂脳動脈瘤塞栓術中の血栓形成の対応

血栓の早期発見

↓

塞栓操作の中断／撮影で状況確認

↓

抗血小板薬／抗凝固薬の投与
（通常アスピリン 200 mg，クロピドグレル 300 mg まで投与，
効果判定のために 15 〜 20 分ごとに撮影．
症例によってはプラスグレルやアルガトロバン投与検討）

↓

血管内の人工物除去
（安全に回収可能なコイル，再挿入が容易であるカテーテル類など）

↓

他のデバイスで対応
（バルーンで血栓を破砕，ステントで逸脱コイルを固定など）

↓

遠位塞栓は必要に応じて血栓回収（吸引）

↓

血栓溶解薬は使用しないこと！

図4　破裂脳動脈瘤塞栓術中に血栓が発生した場合の対応のフローチャート
基本は異物除去と抗血小板薬の投与である．血栓が増大を続ける場合，機械的除去も
検討．遠位塞栓の完全な閉塞の場合は吸引システムによる血栓回収を行う．

5　最後に

　重症のくも膜下出血症例や治療が複雑な動脈瘤の場合，破裂急性期でも抗血小板薬の積極的な使用が血栓性合併症を軽減する可能性がある．術後に脳室ドレナージが必要な症例が存在するが，当施設の経験では抗血小板薬の使用下では脳室穿刺による出血の合併症は特に経験していない．ただし，この場合はヘパリンのリバースを行っている．

Pitfall

　血栓形成の初期は DSA のみでの確認では発見しにくいことがあり，疑わしい場合はノンサブトラクション画像での確認も重要である．

くも膜下出血における脳動脈瘤塞栓術の際の髄液ドレナージの方法とタイミング

東京慈恵会医科大学脳神経外科脳血管内治療部　**石橋敏寛**

*E*ssential Point

- くも膜下出血の遅発性脳血管攣縮に対してドレナージは有効である．
- 腰椎ドレナージのほうが早期に血腫排除する可能性がある．
- くも膜下出血による脳血管攣縮の予防に腰椎ドレナージは有効である．
- ステント留置術併用塞栓術を考えている場合には，脳室ドレナージは避けたほうがよい．
- 脳室ドレナージをする場合は塞栓術前に施行したほうがリスクが少ない．

破裂脳動脈瘤に対する脳血管内治療の有用性は確立されている．しかしながら，動脈瘤の治療は，くも膜下出血治療の一部分にしかすぎず，その他関連事象に対しては未解決なことが多い．その中でも，破裂脳動脈瘤塞栓術の際のヘパリンの投与，髄液ドレナージの有無，ステント併用塞栓術の是非などが議論の対象となる．本稿ではくも膜下出血急性期における脳動脈瘤塞栓術に伴い，髄液ドレナージの留置を施行するのか，またその方法に関して言及する．まず，第一に髄液ドレナージを留置するのかどうか？　留置するのであれば，どのような方法で，どのタイミングであるのかに関してさまざまな意見と主張が存在する．

1　くも膜下出血の遅発性脳血管攣縮に対してドレナージは有効か？

くも膜下出血による遅発性脳血管攣縮（Delayed neurological vasospasm）に対してド

レナージは有効かという検証を行った論文は少ない．以前より脳血管攣縮とくも膜下腔の血管周囲の血腫量との間には，予後の相関があるといわれている[1]．また術後にウロキナーゼ灌流を施行することの有用性は報告されている[2]．以上からくも膜下の血腫量が少ないほうが脳血管攣縮にはプラスに働くことは間違いない．一方で，開頭手術に比べ脳血管内塞栓術のほうが血管攣縮が少ないという報告も散見される[3]．くも膜下出血におけるドレナージの役割は脳血管攣縮予防のための血腫排除であるが，これらの報告の結果はある意味矛盾していることになる．いまだ議論がある部分と思われるが，いかに効率よく正常の髄液循環を崩さずに排除するということが肝要である．また，ドレナージの主目的は，くも膜下出血による頭蓋内圧亢進による損傷を可及的速やかに軽減し得る効果が期待されると考える．これらを総合的に考えドレナージの是非を検討する必要がある．

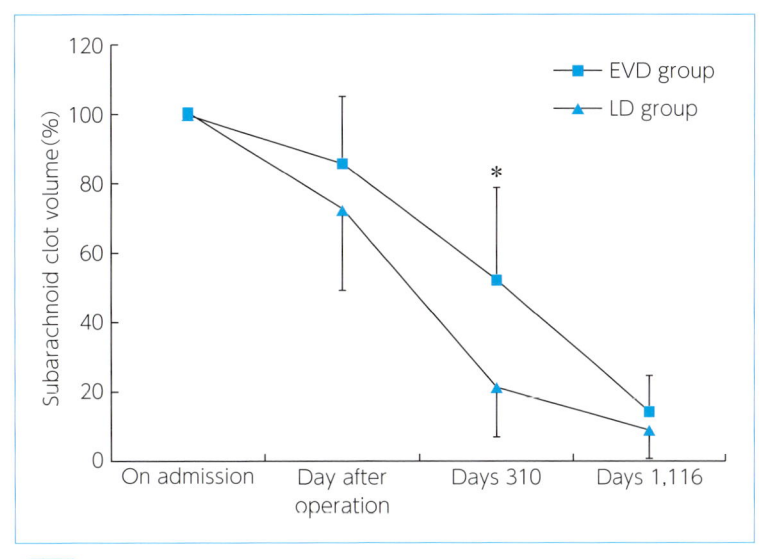

図1 Clearance of subarachnoid clots on CT.
Percentage clot clearance is shown for the lumbar drainage(LD)(▲, $n = 30$)
and external ventricular drainage(EVD)(■, $n = 13$)groups. *$P < 0.01$ vs. the
LD group on Days 3-10.

2 ドレナージの方法の選択ー腰椎ドレナージのほうが有効か？

1 ▶ 脳室ドレナージと腰椎ドレナージの比較

● 腰椎ドレナージのほうが早期に血腫排除する可能性がある．

参考論文

Comparison of lumbar drainage and external ventricular drainage for clearance of subarachnoid clots after Guglielmi detachable coil embolization for aneurysmal subarachnoid hemorrhage.[4]
（Maeda Y, et al.：Clinical Neurology and Neurosurgery. 2013：115：965-970）

①目的

　くも膜下出血後の血腫は，SAH 後の遅延性脳血管攣縮の発症において重要な役割を果たす．研究の目的は，SAH に対するコイル（GDC）塞栓術の後に，脳室ドレナージ（EVD）または腰椎ドレナージ（LD）を用いたくも膜下の血腫のクリアランスを比較すること．

②方法

　被験者は，発症の 72 時間以内に，Fischer 3 SAH の GDC コイル塞栓術で治療した 51 例．くも膜下の血腫の容積定量を CT スキャンでソフトウェアに基づいて行い，各カテーテルから流出した CSF でヘモグロビン（Hb）レベルを測定．脳室ドレナージは術後に頭蓋内圧が高いと判断した症例に対して施行（17 例）．腰椎ドレナージは安全性から脳室ドレナージが対象外と判断された症例に対して施行（34 例）．脳室ドレナージ群では，閉塞によって頭蓋内圧が上昇する危険性がある群に対して 7 例腰椎ドレナージを追加で施行した．

　腰椎もしくは脳室ドレナージは通常術後に挿入して術翌日まで閉鎖して維持した．術後頭部 CT で新たな出血がないことと，閉塞性水頭症がないことを確認してドレーンを開放した．直後の CT で急性水頭症の所見が認められ，頭蓋内圧コントロールが必要である場合には手術直後に開放した．ドレーンは 14

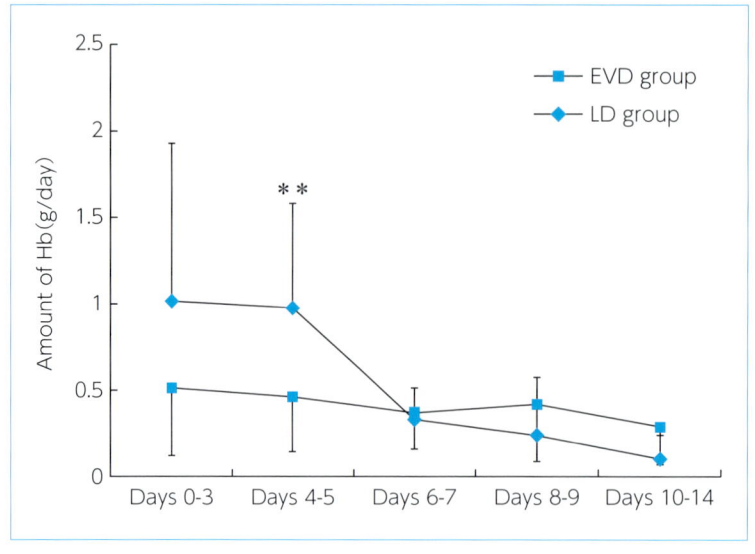

図2 Time courses if the amount of Hb in CSF drained from catheters.

The amounts of Hb(g/day)in CSF are shown for the lumbar drainage(LD)(◆, n = 18)and external ventricular drainage(EVD)(■, n = 6)groups. **P < 0.05 vs. the LD group.

日間継続した. 1 日 120 から 240 mL 排液した. 術後は normo tension, normovolemia の治療を施行.

③結果

くも膜下出血のクリアランスは, LD(n = 34)で処置した患者において, EVD(n = 17)で処置した患者より迅速であった(図1).

CSF における Hb レベルは, SAH の発症後 4〜5 日目(p < 0.05)に LD 群で有意に低かったが, 8〜9 日目に EVD 群でより高かった(図2).

症候性血管攣縮の発生率は両群間で有意差なし. CT スキャンでの新しい低吸収領域の発生率は, EVD で治療した患者で高く, LD 群での頻度より有意に高かった(表1).

④結論

コイル塞栓術に引き続く腰椎ドレナージはくも膜下出血の減少を促進するが, EVD はくも膜下腔内の出血の停滞に寄与する可能性がある. 図1に示すように 腰椎ドレナー

ジ群のほうが経時的なくも膜下血腫の排除にすぐれているという結果であった. 図2に示すように4〜5日までは腰椎ドレナージのほうが脳室ドレナージよりも有効に血腫排除を行えるが, その後は逆転している. したがって, 脳腫脹などがない症例では腰椎ドレナージが勧められると結論している.

2 ▶ 開頭手術での腰椎ドレナージは脳血管攣縮軽減に有効か？

● **くも膜下出血による脳血管攣縮の予防に腰椎ドレナージは有効である**

参考論文

Spinal cerebrospinal fluid drainage for prevention of vasospasm in aneurysmal subarachnoid hemorrhage : A prospective, randomized controlled study.[5]
(Borkar S, et al. : Asian J Neurosurg. 2018 : 13 : 238-214)

本研究は腰椎ドレナージが効果的であるかどうかの無作為前向き登録試験研究.

表1　腰椎ドレナージおよび脳室ドレナージ群の患者の背景および臨床的特徴

Characteristic	腰椎ドレナージ	脳室ドレナージ	P 値
年齢(年)			
範囲	36-91	38-82	
平均	72.8	63.5	< 0.01
男・女，数	8：26	8：9	NS
WFNS Grade 数(%)			
Grade I-III(入院時)	26(76.4)	2(11.8)	< 0.01
Grade IV, V(入院時)	8(23.5)	15(88.2)	
WFNS Grade の分布，数　I/II/III/IV/V	12/11/3/4/4	0/1/1/3/12	
動脈瘤の部位，数(%)			
前方循環	17(50.0)	6(35.3)	NS
後方循環	17(50.0)	11(64.7)	
動脈瘤部位の分布，数			
ICA/ACA/AcomA/MCA	4/2/9/2	0/1/5/0	
IC-PC/PCA/BA/VA	10/1/3/3	4/1/6	
急性水頭症，数(%)	11(32.4)	11(64.7)	< 0.05
出血量(mL)	37.3	41.3	NS

NS, not significant；WFNS, World Federation of Neurosurgical Societies；ICA, internal carotid artery；ACA, anterior cerebral artery；AcomA, anterior communicating artery；MCA, middle cerebral artery；IC-PC, internal carotid artery-posterior communicating artery；PCA, posterior cerebral artery；BA, basilar artery；VA, vertebral artery.
Aneurysm location(anterior circulation)defined as ICA, ACA, AcomA, and MCA.
Aneurysm location(posterior circulation)defined as BA, VA, PCA, and IC-PC.

(文献 4 より改変)

①方法，対象
全例クリッピング群を 2 群に分類.
Group 1(30 名)：腰椎ドレナージ(LCSFD)施行群.
Group 2(30 名)：腰椎ドレナージ非施行群

②評価項目
結果の評価：(1)臨床的脳血管攣縮，(2)脳血管攣縮に関連した脳梗塞，(3)退院時の評価，(4)1，3 か月後の GOS.

③結果
● LCSFD 群は有意に臨床的脳血管攣縮を軽減した.（63 % vs 30 %，$p = 0.01$）
● LCSFD 群は有意に脳血管攣縮による脳梗塞を軽減した.（53 % vs 20 %，$p = 0.007$）
● H&H grade のすべての成績において，脳血管攣縮の発生率は LCSFD 群で定量的に低かった．しかし，それは SAH グレード III において統計学的に有意であった（$p = 0.008$）.
● 入院期間に関してはわずかに LCSFD 群で低かった（有意差なし）.
● 髄膜炎は LCSFD 群で高いが有意差なし.
● 1，3 か月後の GOS は LCSFD 群で高かった（表 2）.

④結論
くも膜下出血に対する腰椎ドレナージは臨床的，画像診断的に有意に脳血管攣縮を軽減した．入院期間を有意に短縮して 1，3 か月

表2 腰椎ドレナージ群と非腰椎ドレナージ群の比較

Parameters analyzed	腰椎ドレナージ群 (%)	非腰椎ドレナージ群 (%)	P
脳血管攣縮による臨床的影響	9/30(30)	19(63.3)	0.01
神経学的脱落症状			
片麻痺	6/30(20)	11(36.7)	0.15
四肢麻痺	0	1(3.3)	1
単麻痺	0	1(3.3)	1
対麻痺	0	1(3.3)	1
脳血管攣縮の経頭蓋的超音波検査の影響	9/30(30)	19(63.3)	0.01
血管攣縮の放射線学的影響	6/30(20)	16/30(53.3)	0.007
くも膜下出血の Grade と脳血管攣縮の危険			
II	2/11(18.2)	7/15(46.7)	0.22
III	4/14(28.6)	9/11(81.8)	0.008
IV	3/5(60.0)	3/4(75.0)	1
周術期合併症			
髄膜炎	5/30(16.7)	2(6.7)	0.42
肺炎	4/30(13.3)	4(13.3)	1
尿路感染症	0	1(3.3)	1
敗血症	1/30(3.3)	2/30(6.7)	1
電解質異常	2/30(6.7)	2/30(6.7)	1
低酸素症	0	0	—
手術が必要な硬膜外，硬膜下血腫／水腫の発現	2/30(6.7)	0	0.5
水頭症の発現	3/30(10)	2/30(6.7)	1
致命率	2/30(6.7)	2/30(6.7)	1

SAH-Subarachnoid hemorrhage；LP-Lumbar puncture；UTI-Urinary tract infection；TCD-Transcranial Doppler

（文献5より改変）

後の GOS を改善した．前向無作為登録研究によってくも膜下出血による脳血管攣縮の予防に腰椎ドレナージは有効であることが示唆された．

3 コイル塞栓術ではドレナージが有効か？

● 腰椎ドレナージ留置は脳血管攣縮を減ずる

参考論文

The Utility and Benefits of External

Lumbar CSF Drainage after Endovascular Coiling on Aneurysmal Subarachnoid Hemorrhage.[6]

（Kwon OY, et al.：J Korean Neurosurg Soc. 2008：43：281-287）

　破裂脳動脈瘤塞栓術後の腰椎ドレナージは，臨床的脳血管攣縮に対して有用な役割を有し，予後良好に大きく貢献している．血管攣縮の頻度は腰椎ドレナージ群で 23.4 ％に対し，対照群は 63.3 ％（表3）．さらに死亡の危険は，腰椎ドレナージ群で 2.1 ％に対して，対照群

表3 脳動脈瘤コイル塞栓術を施行した107名のくも膜下出血患者における腰椎ドレナージ施行群と非腰椎ドレナージ群の予後

予後	Group		p値
	腰椎ドレナージ群	非腰椎ドレナージ群	
患者数	47	60	
臨床学的脳血管攣縮（%）	11（23.4）	38（63.3）	＜0.001
死亡（%）	1（2.1）	9（15）	0.04
GOS score（%） 　1 　2 　3 　4 　5	 1（2.1） 1（2.1） 0（0） 11（23.4） 34（72.3）	 9（15） 12（20） 3（5） 14（23.3） 22（36.7）	＜0.001
滞在期間 　ICU 　病院	 18.8 33.6	 18.6 24.3	 0.955 0.105
シャント（%）	8（17）	5（8.3）	0.172

LD：lumbar drain，GOS：Glasgow outcome scale，ICU：intensive care units

（文献6より改変）

は15%であった．しかしながら，入院期間とその後のシャント増設術の頻度に有意差は認められなかった．くも膜下出血の重症度別のサブ解析では，中等症例では有意に腰椎ドレナージ群で脳血管攣縮の発生頻度が少なかった．重症例においても有意差はないものの腰椎ドレナージの有効性が示唆されている（表4）．

本論文はRetrospective studyではあるが，破裂脳動脈瘤に対する血管内治療における腰椎ドレナージの有用性を論じた数少ない報告である．

4　抗血小板薬，抗凝固薬投与におけるドレナージ術施行の是非と効果，危険性について

● ステント留置術併用塞栓術を考えている場合には，脳室ドレナージは避けたほうがよい．

● 脳室ドレナージをする場合は塞栓術前に施行したほうがリスクが少ない．

● 抗血小板薬内服患者のほうが5.8倍，脳室内出血関連の頻度が高い．

参考論文1

Ventriculostomy-related hemorrhage in patients on antiplatelet therapy for endovascular treatment of acutely ruptured intracranial aneurysms. A meta-analysis.[7]
（Neurosurg Rev. 2018 Jul 2. doi：10.1007/s10143-018-0999-0.［Epub ahead of print］）

破裂脳動脈瘤に対する脳血管内治療における，抗血小板薬併用中の脳室ドレナージ関連の出血性合併症に関するMeta analysis 1990年から2018年で5例以上の報告例をまとめた解析．

表4 脳動脈瘤コイル塞栓術を施行した107名のくも膜下出血患者におけるサブ解析

| 予後 | Group | | p値 | Odds比（95％CI） | |
	腰椎ドレナージ	非腰椎ドレナージ		Crude	Adjusted
MFG II & III					
患者数	25	33	<0.001	11.282 (2.79-45.468)	8.309 (1.078-64.075)
臨床学的血管攣縮（%）	3(12)	20(60.6)			
MFG II + & III +					
患者数	18	18	0.095	3.143 (0.804-12.285)	2.812 (0.269-29.437)
臨床学的血管攣縮（%）	7(38.9)	12(66.7)			
MFG IV					
患者数	4	9	0.164	6.000 (0.422-85.248)	NS*
臨床学的血管攣縮（%）	1(25)	6(66.7)			

MFG：modified Fisher grade, LD：lumbar drain. NS：not significant due to small cases.
＊ The adjusted ORs were controlled for age, Hunt and Hess grade, and aneurysm location

（文献6より改変）

① Outcomes

Primary outcome

（1）破裂脳動脈瘤において，抗血小板薬内服中の脳血管内治療の脳室穿刺関連の出血性合併症の頻度を検証.

（2）破裂脳動脈瘤において，抗血小板薬非投与での脳血管内治療の脳室穿刺関連の出血性合併症の頻度を検証.

Secondary Outcome

（3）無症候性（Asymptomatic/ minor）もしくは症候性（Symptomatic / major）の出血性合併症の頻度.

（4）脳室穿刺のタイミング，患者年齢，および抗血小板薬の種類による合併症の頻度.

● 92％は脳血管内手術の前に脳室ドレナージを施行.

● 13論文で516例の抗血小板薬投与例と647例の非投与例の脳室ドレナージ症例

● EVD関連脳出血は投与例で20.9％，非投与例で9％（有意差あり $p < 0.0001$）

● 大きな出血性合併症は両者で低い（投与例4.4％，非投与例0.9％）

● 手技前の脳室ドレナージおよび抗血小板薬投与は有意に出血性合併症が低い（手技前群9.6％に対して手技後穿刺群25.1％）

● 抗血小板薬内服患者のほうが5.8倍　脳室内出血関連の頻度が高い

参考論文2

　Bruderらは脳室穿刺関連の出血は，抗血小板薬や抗凝固薬投与後で43％，投与前では23％であったため，やはり手技前に脳室穿刺を施行したほうがいいと論じている.

Ventriculostomy-related hemorrhage after treatment of acutely ruptured aneurysms：the influence of anticoagulation and antiplatelet treatment.[8]

（Bruder M, et al.：World Neurosurg 2015；84：1653-1659）

5　まとめ

　破裂脳動脈瘤によるくも膜下出血に対するコイル塞栓術の際は，脳血管攣縮を軽減する目的としての髄液ドレナージは有効であると考えられる．効果とリスクという面からは，脳室ドレナージより腰椎ドレナージのほうが利点が多いと判断される．頭蓋内圧亢進の程度，くも膜下出血の分布などの状況に合わせて腰椎ドレナージを第一選択とするほうがよいという報告が多い．またステントを併用した治療が多くなってきているが，抗血小板薬の投与によって明らかに脳室ドレナージによる合併症が多くなっている．脳室ドレナージを施行する場合には，塞栓術の前に施行したほうが合併症を回避しやすいと考えられる．これらさまざまな状況を考慮したうえで，慎重な脳血管内手術手技の治療選択をする必要があると考える．

【文献】
1）Weir B, et al.：Macdonald RL, Stoodley M. Etiology of cerebral vasospasm. *Acta Neurochir Suppl* 1999；**72**：27-46. Review. PubMed PMID：10337411.
2）Kodama N, et al.：Cisternal irrigation therapy with urokinase and ascorbic acid for prevention of vasospasm after aneurysmal subarachnoid hemorrhage. Outcome in 217 patients. *Surg Neurol* 2000；**53**：110-117；discussion 117-118. PMID：10713187.
3）Dumont AS, et al.：Endovascular treatment or neurosurgical clipping of ruptured intracranial aneurysms：effect on angiographic vasospasm, delayed ischemic neurological deficit, cerebral infarction, and clini-cal outcome. *Stroke* 2010；**41**：2519-2524.
4）Maeda Y, et al.：Comparison of lumbar drainage and external ventricular drainage for clearance of subarachnoid clots after Guglielmi detachable coil embolization for aneurysmal subarachnoid hemorrhage. *Clinical Neurology and Neurosurgery* 2013 Jul；**115**：965-970.
5）Borkar S, et al.：Spinal cerebrospinal fluid drainage for prevention of vasospasm in aneurysmal subarachnoid hemorrhage：A prospective, randomized controlled study. *Asian J Neurosurg* 2018；**13**：238-246.
6）Kwon OY, et al.：The Utility and Benefits of External Lumbar CSF Drainage after Endovascular Coiling on Aneurysmal Subarachnoid Hemorrhage. *J Korean Neurosurg Soc* 2008；**43**：281-287.
7）Cagnazzo F, et al.：Ventriculostomy-related hemorrhage in patients on antiplatelet therapy for endovascular treatment of acutely ruptured intracranial aneurysms. A meta-analysis. *Neurosurgical review* 2018；**70**：1415-10.［Epub ahead of print］
8）Bruder M, et al.：Ventriculostomy-related hemorrhage after treatment of acutely ruptured aneurysms：the influence of anticoagulation and antiplatelet treatment. *World Neurosurg* 2015；**84**：1653-1659.

開頭術と塞栓術が及ぼす脳血管攣縮への影響

ロナルドレーガン UCLA メディカルセンター神経血管内治療部・UCLA 脳卒中センター　**立嶋　智**

Essential Point

- くも膜下腔出血後の血腫や血性髄液の排出には，脳脊髄液循環動態が大きく関与する．
- 破裂動脈瘤塞栓術が開頭術に比べ血管攣縮の頻度が低い理由の一つに，脳脊髄液循環動態の温存が関与している可能性がある．
- 注意深く血管撮影を観察すると，塞栓術と開頭術では脳血管攣縮の進行が異なる．

1 はじめに

　破裂動脈瘤に対して塞栓術が行われるようになった黎明期，脳血管攣縮の原因となるくも膜下腔の出血を取り除けないことが，その弱点の一つとして指摘されていた．ところが，最新の知見においては，塞栓術と開頭術の症例を直接比較検討しても，脳血管攣縮の頻度は塞栓術のほうが少ないことがわかっている．開頭術により動脈瘤周囲の血腫除去を行える利点が，機械的な血管への刺激という欠点により相殺されるとの説が散見される．当院における単一施設観察研究から，開頭術を行った患者と塞栓術を行った患者で脳血管攣縮の進行に差があることがわかってきた．その進行の差から導き出されるもう一つの説として，脳血管を含むくも膜下腔解剖の温存そのものが，塞栓術患者の予後良好に関与していることが示唆される．本稿ではその観察事実とともに，われわれの学説と治療方針について触れる．

2 脳血管攣縮の進行と評価方法

　急性くも膜下出血の患者に対し早急な頭蓋内圧管理を行うため，急患室にて積極的に脳室ドレナージを留置するのが米国の標準医療である．結果的に開頭術と塞栓術の両者で，術後髄液管理に大きな差が生じない．そのような比較的均一な条件下でも，開頭術と塞栓術で脳血管攣縮の進行に明確な差が認められる．開頭術後の脳血管攣縮は破裂動脈瘤周囲で遷延化する傾向があり，塞栓術後は攣縮が破裂周囲から漸次遠位血管へ及ぶことが多い．

　当院においては，血管撮影上の攣縮の重症度は 5 段階評価を用いている（None 0, Mild 1, Mild-Moderate 2, Moderate 3, Moderate-Severe 4, Severe 5）．また，脳血管攣縮の進行を客観的基準で評価するため，破裂動脈瘤が存在する血管区分を 0，隣接する血管区分を 1，さらにその隣を 2 とし，順次番号を割り振っていく．例えば，右内頸動脈—後交通動脈分岐部（Rt ICA-Pcomm）動脈瘤の場合，Rt ICA Pcomm Segment が 0，Rt Pcomm 自体と Rt

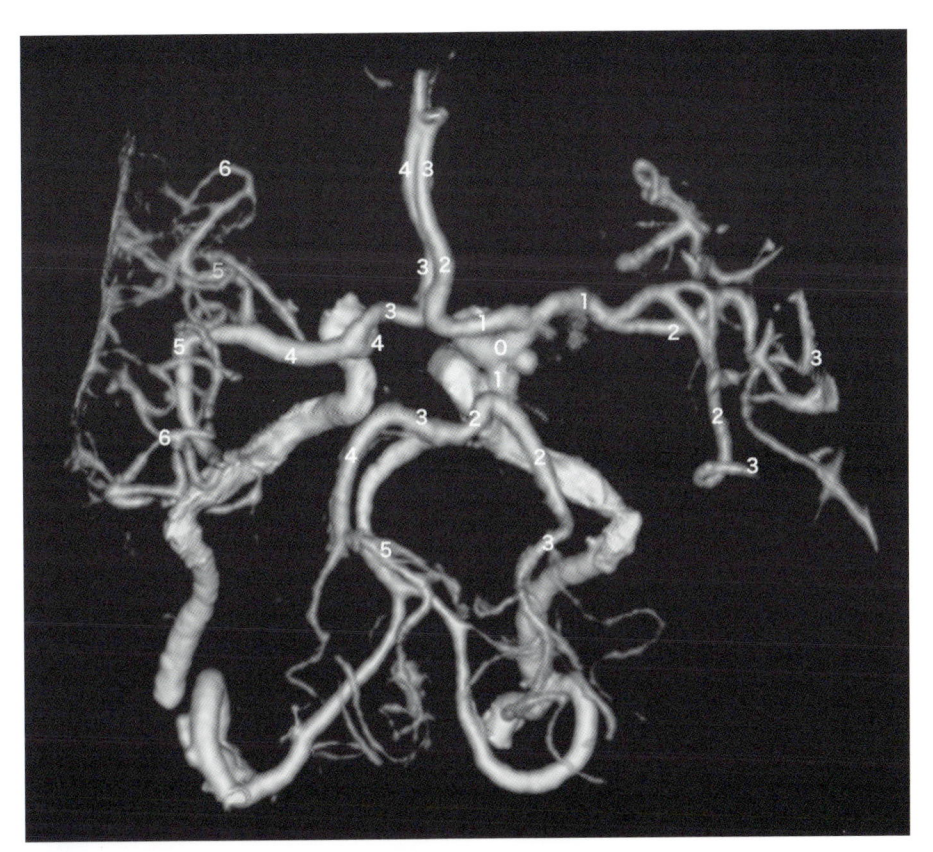

図1　右内頚動脈 後交通動脈分岐部動脈瘤の CT 血管撮影
破裂動脈瘤の存在する部位をゼロ，そこから離れるにつれ順次 1，2，3 と番号を割り振った．

MCA M1 Segment および Rt ACA A1 Segment が 1，Rt P1 および P2 Segment と Rt ACA A2 Segment が 2 という具合に番号が割り当てられる（図 1）．同様の割り振りを，開頭術と塞栓術各 18 例にて行った．全症例にて症候性脳血管攣縮に対して最低 3 回以上の血管撮影および血管内治療が行われている[1]．

3　治療法が及ぼす脳血管攣縮への影響：観察事実

　開頭術症例においては，破裂瘤直近（血管区分 1-2）と近傍（血管区分 2-3）において血管攣縮を認め，経時的な変化には差を認めない（図 2a）．また，血管攣縮が遠位（血管区分 4-7）に波及するが，それほど重症化しない傾向がある．それに比較し，塞栓術症例においては破裂瘤直近の血管攣縮が次第に著明となり，引き続いて破裂近傍結果へと攣縮が波及，さらに遠位領域へと段階的に進行していく傾向を認める（図 2b）．破裂部位にかかわらず，前方循環の破裂動脈瘤に塞栓術を行った場合，最終的に後大脳動脈末梢領域に無症候性血管攣縮が認められる頻度が高い（$p < 0.001$）．また，破裂動脈瘤の反対側へ攣縮が進行する頻度も，開頭術より塞栓術群で高い傾向がある（$p < 0.05$）．結果の詳細については，すでに論文化されている．[1]

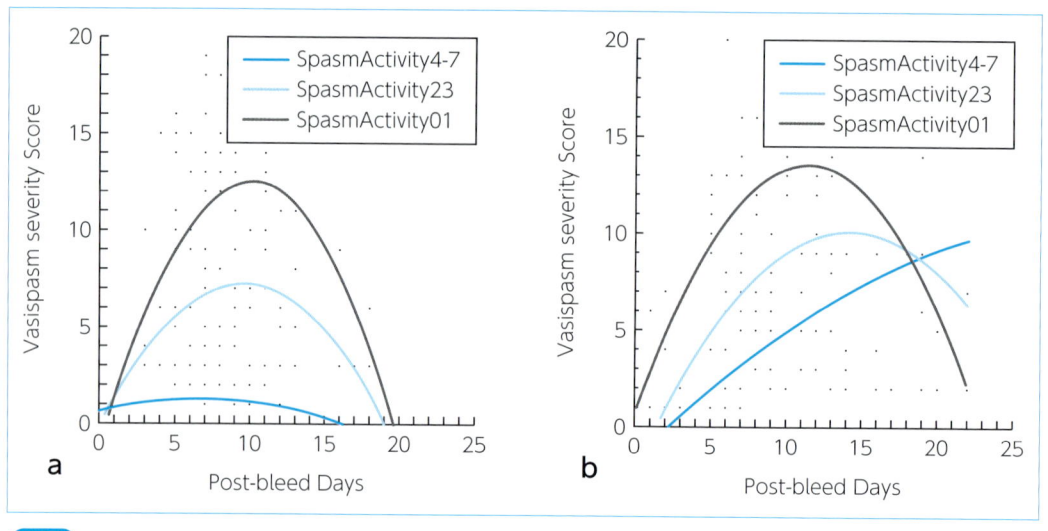

図2 血管区分と血管攣縮重症度の経時変化

a：それぞれの血管区分 0-1（破裂瘤直近），2-3（破裂瘤近隣），4-7（遠位）と，血管攣縮重症度の経時変化．開頭術 18 症例の平均．

b：それぞれの血管区分 0-1（破裂瘤直近），2-3（破裂瘤近隣），4-7（遠位）と，血管攣縮重症度の経時変化．塞栓術 18 症例の平均．

4 脳血管攣縮の進行の差が生じる背景

　塞栓術後に血管攣縮が段階的に進行していく理由として，脳脊髄液循環が大きく関与していると考えられる．特に頭蓋底部から中大脳動脈末梢領域の傍正中部に到達した攣縮が，そこから降下して後大脳動脈の無症候性攣縮へと進行する様式は，攣縮の原因となるオキシヘモグロビンなどの化学物質が，脳脊髄液循環と重力の影響を受けて移動していることを強く示唆している．開頭術ではくも膜下腔が大きく開放され，周術期には硬膜下腔へとつながっており，正常の脳脊髄液循環は完全に失われている．その結果，オキシヘモグロビンは破裂直近と近傍血管に止まり，攣縮は遠位へと波及しない．そのこと自体が開頭術の欠点とはいえないが，くも膜下腔解剖温存がもたらす脳脊髄液循環環境の保持が，塞栓術後のオキシヘモグロビンの自然洗浄効果に大きな影響を及ぼし，血管内治療の弱点を補

っている可能性がある．

5 脳血管攣縮に対する血管内治療と脳脊髄液循環

　脳血管内攣縮に対して行われる血管内治療として，マイクロカテーテルから選択的薬剤動注を行う chemical angioplasty，マイクロバルーンなどを用いて機械的に攣縮血管を拡張する balloon angioplasty，両者を組み合わせた機械的拡張と薬剤投与を同時に行う temporary stent angioplasty with chemical injection などがあげられる．これらの治療法の妥当性については，科学的に証明されていない[2]．手技 1 回あたりの侵襲性は chemical angioplasty よりも balloon angioplasty のほうが高いが，前者の効果は長時間持続するという利点がある．この治療効果の持続性と安全性を考慮し攣縮治療戦略を立てることは，塞栓術症例において極めて重要となる．

　例えば塞栓術後の患者に対して MCA M1

segment の血管攣縮に balloon angioplasty を行った場合，数日を経て突然 M2 segment の重度血管攣縮を生じ，麻痺などの症状が出現する可能性がある．血管径が正常化した M1 から血管径が狭小化した M2 へ突然移行し，M1 穿通枝領域への過灌流や出血が起こることも懸念される．それゆえ，当院では塞栓術後の患者に balloon angioplasty を施行した場合，特に厳格な観察を行うようにしている．さまざまな理由で厳格な観察が困難な塞栓術後症例では，chemical angioplasty などの短期持続治療を積極的に選択し，その頻度を増やすなどの工夫を行っている．

6 最後に

本単一施設観察研究の意図は，塞栓術後の血管攣縮の相対頻度がなぜ少ないのか，その理由を探ることであり，日本で一般的に行われている脳槽ドレナージ留置やリリキスト膜の開放などの手術戦略を否定するものではない．治療法が血管攣縮の進行に及ぼす影響を認識することは，症例ごとに最適化された術後管理を行うことに資すると考える．

【文献】

1）Jones J, et al.: Cerebral vasospasm patterns following aneurysmal subarachnoid hemorrhage: an angiographic study comparing coils with clips. *Journal of NeuroInterventional Surgery* 2015；7：803-807.

2）Adami D, et al.: Complication rate of intraarterial treatment of severe cerebral vasospasm after subarachnoid hemorrhage with nimodipine and percutaneous transluminal balloon angioplasty: Worth the risk? *J Neuroradiol* 2019；46：15-24.

血管内治療の方法，その利点と欠点

久留米大学医学部脳神経外科　**廣畑　優**

*E*ssential Point

- くも膜下出血後の症候性脳血管攣縮（SVS）に対しては脳血管内治療が最も有用な治療法である．
- 脳血管内治療としては塩酸パパベリンや塩酸ファスジルなどを用いた超選択的薬物動注（IA），経皮的血管拡張術（PTA）が存在する．
- IA は技術的には容易であるがその効果は一過性であるため，症例によっては複数回の手技が必要となることがある．
- PTA は拡張中の血管破綻という重篤な合併症をきたす可能性もあるが，その効果は永続的で一度拡張した血管の再攣縮は非常にまれである．
- SVS に対する PTA は，過去の報告ではほとんどが neck remodeling balloon catheter が使用されているし，自験例の経験でもほとんどの場合は容易かつ確実な血管拡張が得られる．

1　はじめに

　脳動脈瘤破裂によるくも膜下出血では約70％程度の症例で脳血管攣縮（cerebral vaso-spasm: VS）を認め，20〜40％の症例で症候性となるとされており，患者の転帰を左右する最も重篤な合併症である．VS を早期に発見するための検査，VS を予防するための治療が過去に多く報告されている．わが国でも1980 年代はネッククリッピング術後に積極的にくも膜下腔の clot を洗浄し，術後に 3 H（Hypertension, Hypervolemia, Hemodilution）therapy[1] などが積極的に行われてきた．これは一定の効果をあげたが実際は管理が困難な治療であった．1997 年に GDC が導入されたことにより破裂脳動脈瘤に対して動脈瘤塞栓術（CE）が行われるようになった．わが国

で行われた前向き登録研究（PRESAT）でも，動脈瘤塞栓術を行った症例では開頭クリッピング術を選択した症例より症候性脳血管攣縮（SVS）の発生頻度が低いこと（13 ％ vs 22.6 ％）が明らかになった[2]．しかし CE を選択した症例でも 10 ％ 以上の患者は SVS を合併しており，現在でも転帰の最も影響を与える合併症である．

2　脳血管攣縮に対する脳血管内治療

　SVS に対する脳血管内治療として過去に多くの報告がなされている．
　1984 年に Zubkov らは，33 症例（105 血管）に対して頚部の直接穿刺下に Percutaneous Transluminal Angioplasty（PTA）を行い，拡張

表1 Clinical material (n= 75)

M : F 38 : 37 Age: 17 – 70 (mean: 52.1) y.o	
Onset(SAH) to treatment	2 - 16(mean 4.8) days
Target Artery 　　ICA 　　MCA (M1-M2) 　　ACA (A1-A2) 　　VA BA PCA 　　Total	 57 64 23 8 152
Procedure: 　　PTA + IA 　　PTA	 44 31

不良を1例に認めたのみと報告[3]している. Rosenwasser らは，93例に PTA を行い発症から2時間以内に治療を行えば臨床症状の改善が見込める[4]と報告している.

しかし PTA は2 mm程度の径をもつ血管（ICA, M1, M2, VA, BA, P1）しか適応にならないこと，過拡張による血管穿孔の可能性があるなどの問題が存在する. 1990年代以降，各種の血管拡張作用のある薬剤をマイクロカテーテルより攣縮血管に注入することにより攣縮を改善させる試みが多く報告されている. わが国からも Kaku らが，10例（37血管）に0.2％の塩酸パパベリンを注入して34血管で攣縮の改善を認め，8例で臨床症状の改善を認めたと報告[5]している. その後血管拡張物質として Milrinone, Verapamil, Nicardipine, Fasudil Hydrochloride などが使用され，その有用性が報告されている. 特に Fasudil Hydrochloride はわが国で開発された血管拡張物質で Myosin light-chain Kinase, Rho Kinase を阻害することで血管拡張作用を有する. Tanaka らは23例に対して15 mg～45 mg（mean 22.9 mg）を注入し全例で血管拡張が得られ（11.8％は完全に拡張），44.1％の症例で臨床症状の改善を認めたと報告[6]している

3　脳血管攣縮に対する neck remodeling balloon catheter を用いた PTA

2010年以後にneck remodeling balloon（NRB）を用いた PTA の治療成績が複数報告されている. Jun P らは，SVS 合併189例に対してNRB である Sentry 10 / Hyperglide を使用し346回の血管内治療を行い（PTA 151 vessel, Verapamil ia 720 vessel），全例で手技は成功し合併症は6例のみであったと報告[7]している. Choi B J らは，11例（54 vessel）に対して Hyperglide / Hyperform を用いた PTA を行い100％で十分な血管拡張が得られ合併症も認めなかったと報告[8]している. また Heit JJ らは，5例（16血管）に対して SCEPTER XC を用いた PTA を行い，成功率は100％で合併症も認めなかったと報告[9]している.

4　自験例の治療成績（表1, 表2）

2003～2016年に75例（152血管）に対して PTA を行った.

うち31例は M1, A1 までは PTA を行い，より末梢の攣縮に対しては塩酸パパベリンま

表2 Clinical result (n= 75)

Balloon Catheter:	82
Neck remodeling balloon	78
PTA balloon	7
Hyperglide	40
Shouryu	17
Equinox	8
Scepter C	7
Sentry	4
Transform	3
Gateway	4
Unryu	3
Fail:	4/152 (2.6 %)
ACA	4 /23: 17.4 % (2003-2007)
MCA, ICA, BA, VA	0 /121
Complication:	1 / 75 (1.3 %)
A1 rupture	1 (Sentry:2005) dead
Insufficient dilatation	1/143
Restenosis after PTA	0/143

たは塩酸ファスジルの Intra Artenal Infusion（IA）を追加した．ほとんどの手技は NRB を使用して PTA を行い，PTA balloon（Gateway or Unryu）は 7 例のみ使用した．PTA の手技的成功率は ACA 以外では 100 %,ACA では 82 % であった．しかし 0.014 wire 対応の NRB が導入されて以後は，ACA でも 100 % 治療可（NRB で十分な拡張が得られなかった症例は 1 例のみで，PTA を行った血管の再攣縮は 1 例も認めていない．

■**症例提示：61 歳女性**（図 1〜3）

前交通動脈瘤破裂症例で day 0 に瘤内塞栓術を行った．Day 8 に左中大脳動脈，前大脳動脈，椎骨脳底動脈にび漫性で高度の攣縮を認めた．中大脳動脈および椎骨脳底動脈は HYPERGLIDE（EV3）4 × 10 で PTA を行った．前大脳動脈は 0.010 wire で HYPERL-GIDE を誘導不可能であったために 0.014 wire を使用して PTA balloon（GATEWAY 1.5

× 9: Boston）を用いて PTA を行った．いずれの血管も良好な拡張が得られた．

5 脳血管攣縮に対する neck remodeling balloon catheter を用いた PTA の利点・欠点

利点

①確実の血管拡張が得られる．

②治療時間が短い（IA は infusion time がある）．

③（自験例では）拡張後に再狭窄がない．

欠点

① Ia と比較すると手技的に難しい（JSNET 専門医相当の経験が必要）．

②重篤な合併症（vessel rupture）の可能性が 0 ではない．

③スパズム期に来院した患者（もともとの血管径が不明）な症例では適応しにくい．

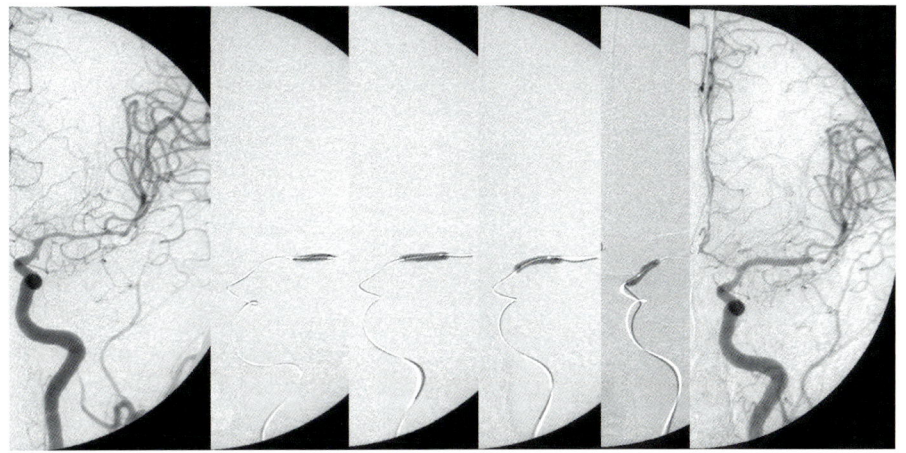

local anesthesia, 6F Launcher
HYPERGLIDE 4 x 10 PTA x 5(M1-ICA)

図1 61 歳女性．破裂前交通動脈瘤(Day8)後の症候性中大脳動脈のスパズムに対する PTA

Check Point

安全に PTA を行うためには

① NRB を選択する．理由としては動脈硬化病変でないので拡張するのに高圧は必要ない．PTA balloon より容易に留置可能であり留置中に血管内内皮のさらなる損傷が少ないことである．

② Balloon の視認性には十分配慮する．
Balloon 内に入れる造影剤は希釈しない．
留置に手間取った場合は balloon 内の造影剤が血液で希釈されている．可能性があるため留置後再度プライミングすることも考慮する．

③ 拡張中にシリンジを見ない（透視または DSA で balloon を注視する），万が一造影剤が希釈され balloon の視認性が悪くても，balloon の両端のマーカーの位置をみると拡張しているかどうか確認できる．

Check Point

Proximal ACA（A1 or A2）の脳血管攣縮に対する PTA

ACA 以外は問題ないが，ACA の severe spasm で ICA から A1 の角度が急峻な場合は balloon catheter の留置が困難である症例もある．このような場合粘って PTA を行うのか IA で急場をしのぐのかは選択する必要がある．

ACA 領域の梗塞は致命的となることはない．しかし特に左前頭葉の梗塞が患者の職場復帰の大きな妨げとなることが多い．そのため左 A1 の severe Spasm（右 A1 よりの collateral も乏しい場合）に対しては積極的に PTA を行っている．0.014 wire が使用できる NRB の導入以後は全例で治療可能ではある．A1 の分岐角度が急峻で強い攣縮を認める症例で ACA に balloon catheter を挿入する時は，M1 起始部を別の balloon catheter で閉塞し M1 にカテーテルが迷入するのを防ぐ，Micro catheter を挿入して血管拡張薬剤を注入し，ある程度拡張させてから PTA balloon を挿入するなどの方法がある（図 4）．

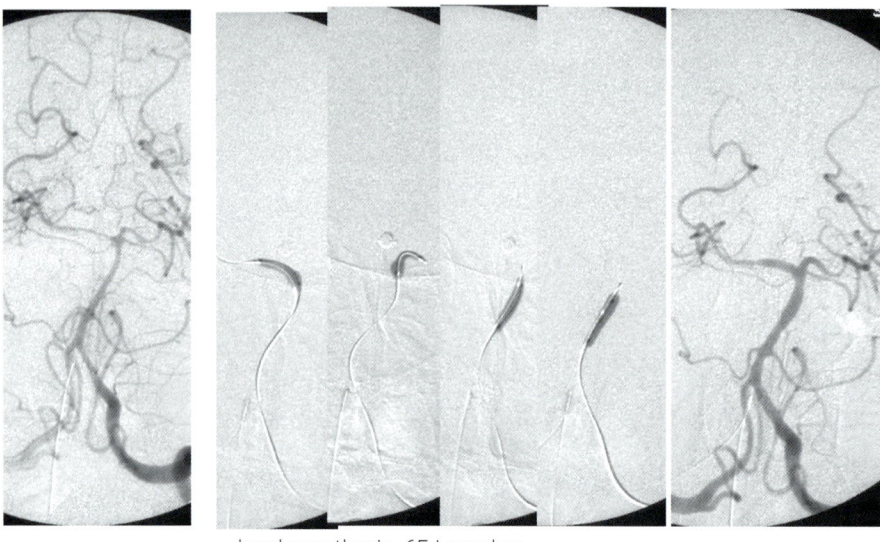

local anesthesia, 6F Launcher
HYPERGLIDE 4 x 10 PTA x 5（bil PCA-BA）

図2 61 歳女性．破裂前交通動脈瘤（Day8）後の無症候性後大脳動脈脳底動脈のスパズムに対する PTA

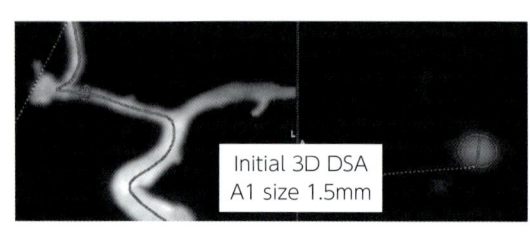

SL-10 with Transend floppy
Synchro 300 cm wire
GATEWAY (OTW) 1.5 x 9

Initial 3D DSA
A1 size 1.5mm

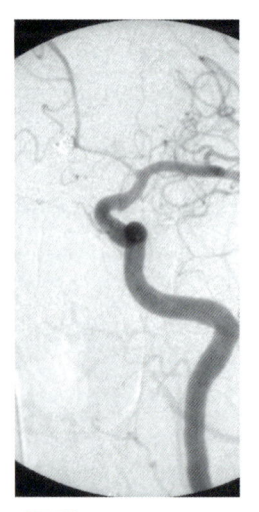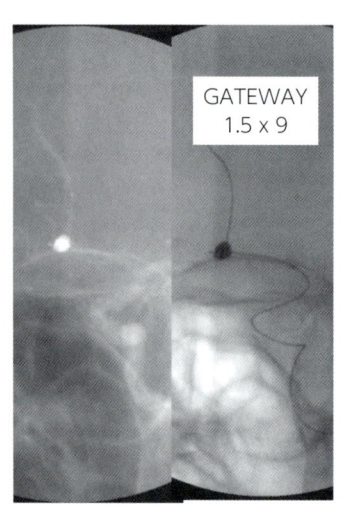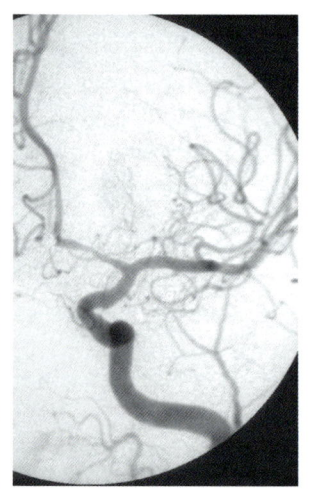

GATEWAY
1.5 x 9

図3 41 歳女性．破裂前交通動脈瘤（Day5）後の症候性前大脳動脈のスパズムに対する PTA

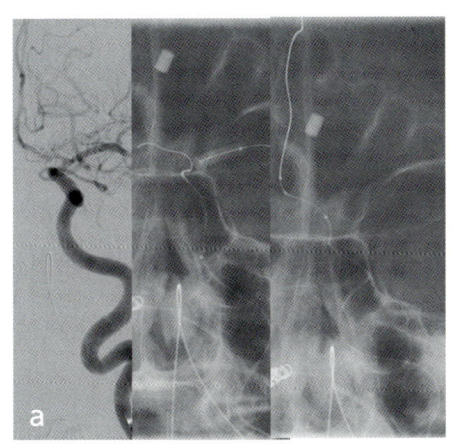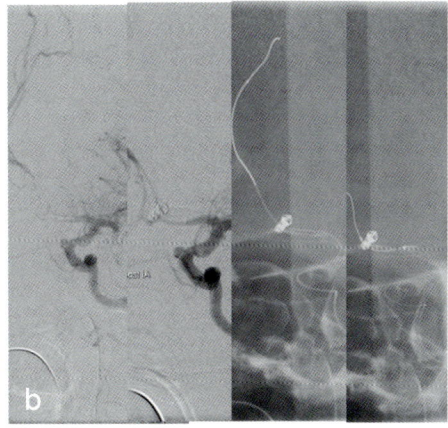

図4　高度の攣縮をきたしている前大脳動脈への balloon catheter の誘導法

a：もう一本の balloon で M1 を閉塞して Balloon catheter が MCA に migrate するのを予防
b：A1 に micro catheter を留置して ia を行い少し ACA を拡張させてから micro を distalACA まで進めて 300 cm wire exchange で Balloon catheter を A1 に留置する

【文献】

1）Awad IA, *et al.*: Clinical vasospasm after subarachnoid hemorrhage: response to hypervolemic hemodilution and arterial hypertension. *Stroke* 1987；**18**：365-372.

2）Taki W *et al.*: Determination of poor outcome following aneurysmal subarachnoid hemorrhage when both clipping and coiling are available. Prospective Registry of Subarachnoid Aneurysms Treatment（PRESAT）in Japan. *World Neurosurg* 2011；**76**：437-445.

3）Zubkov YN *et al.*: Balloon catheter technique for dilatation of constricted cerebral arteries after aneurysmal SAH. *Acta Neurochir (Wein)* 1984；**70**：65-79.

4）Rosenwaeer RH *et al.*: Therapeutic modalities for the management of cerebral vasospasm: timing of endovascular options. *Neurosurgery* 1999；**44**：975-979.

5）Kaku Y *et al.*: Superselective intra-arterial infusion of papaverine for the treatment of cerebral vasospasm after subarachnoid hemorrhage. *J of Neurosurgery* 1992；**77**：842-847.

6）Tanaka K, *et al.*: Treatment of cerebral vasospasm with intra-arterial fasudil hydrochloride. *Neurosurgery* 2005；**56**：214-223.

7）Jun P *et al.*: Eadovascular treatment of medically refractory cerebral vasospasm following aneurysmal subarachnoid hemorrhage. *AJNR Am J Neuroradiol* 2010；**31**：1911-1916.

8）Safety and efficacy of transluminal balloon angioplasty using a compliant balloon for severe cerebral vasospasm after aneurysmal subarachnoid hemorrhage. *J Korean Neurosurg Soc* 2011；**49**：157-162.

9）Heit JJ *et al.*: Cerebral angioplasty using the Scepter XC dual lumen balloon for the treatment of vasoapsam following intracranial aneurysm rupture: *J Neurointervent surg* 2015；**7**：56-61.

3 血管内治療の標準化はできないのか？ JR-NET3から

神戸市立医療センター中央市民病院脳神経外科 **今村博敏，坂井信幸**

*E*ssential Point

- 脳血管攣縮に対する血管内治療には，薬物動注療法と PTA があるが，いずれもその有効性は証明されていない．
- 薬物動注療法と比較して，PTA は若年，コイル塞栓術後，近位血管の症例に対して，指導医が全身麻酔下に行っている傾向があり，機械的出血の合併が多く認められた．
- 神経学的症状の改善因子として，薬物動注療法においては初回治療であることと，発症から6時間以内の治療であること，PTA においては初回治療であることがあげられた．

1 はじめに

　脳血管攣縮に対する血管内治療は，内科的治療抵抗性の脳血管攣縮に対して行うことが一般的である．『脳卒中治療ガイドライン2015[1]』において内科的治療とは，予防として手術の際の脳槽ドレナージ（グレード B），ファスジルやオザグレルナトリウムの静脈内投与（グレード A），シロスタゾールの経口投与（グレード C1），治療として triple H 療法（グレード C1），hypderdynamic 療法（グレード C1）のことである．ちなみに AHA/ASA ガイドライン[2]では，予防として nimodipine の経口投与（クラス I），euvolemia，normal ciculating blood volume（クラス I）が，治療として hypertension（クラス I）が推奨されている．そして，それぞれのガイドラインにおいて，血管内治療はグレード C，クラス IIa であり，その有効性はまだ証明されていない．血管内治療には大きく分けてふた・つの治療方法があ

り，薬物動注療法と PTA に分類される．本稿では Japanese Registry of Neuroendovascular Therapy（JR-NET3）のデータを解析し，両者の特徴について検討する．

*C*heck Point

　脳血管攣縮に対する脳血管内治療として，薬物動注療法と PTA とふたつの治療方法があるが，いずれも内科的治療抵抗性の脳血管攣縮が適応となる．ともに有効性は証明されていない治療方法である．

2 動注療法と PTA の比較

　JR-NET3 は 2010 年から 2014 年に施行された JSNET 専門医が関与した血管内治療の登録研究である．これまでにも JR-NET（2005～2006 年），JR-NET2（2007～2009 年）と同様の研究が行われ，すでに報告されている[3,4]．今回は JR-NET3 に登録された全

表1 治療内容別比較

		動注療法 (n=948)	PTA (n=259)	JR-NET3 (n=1211)	P 値
年齢		61.5 ± 14.0	51.8 ± 13.3	59.5 ± 14.4	<0.001*
性別	女性	638 (67.3 %)	162 (62.5 %)	803 (66.3%)	0.152
	男性	310 (32.7 %)	97 (37.5 %)	408 (33.7 %)	
動脈瘤治療	開頭手術	586 (62.5 %)	117 (45.5 %)	703 (58.1 %)	<0.001*
	血管内手術	337 (36.0 %)	128 (49.8 %)	469 (38.7 %)	
治療血管	前方循環	851 (90.4 %)	225 (87.6 %)	1079 (89.1 %)	0.170
	後方循環	69 (7.3 %)	21 (8.2 %)	91 (7.5 %)	
	前方＋後方循環	21 (2.2 %)	11 (4.3 %)	32 (2.6 %)	
攣縮血管	近位血管	584 (62.1 %)	167 (65.0 %)	754 (62.3 %)	<0.001*
	遠位血管	282 (30.0 %)	46 (17.9 %)	329 (27.2 %)	
	近位＋遠位血管	75 (8.0 %)	44 (17.1 %)	119 (9.8 %)	
責任医師	指導医	269 (28.4 %)	99 (38.2 %)	368 (30.4 %)	<0.001*
	専門医	517 (54.5 %)	146 (56.4 %)	666 (55.0 %)	
	非専門医	162 (17.1 %)	14 (5.4 %)	177 (14.6 %)	
麻酔	全身麻酔	76 (8.0 %)	40 (15.4 %)	118 (9.8 %)	<0.001*
	局所麻酔	871 (92.0 %)	219 (84.6 %)	1092 (90.2 %)	
治療回数	初回治療	676 (71.4 %)	200 (77.2 %)	879 (72.6 %)	0.060
	2 回目	178 (18.8 %)	45 (17.4 %)	224 (18.5 %)	
	3 回目以降	93 (9.8 %)	14 (5.4 %)	107 (8.8 %)	
治療時期	3 時間以内	281 (37.6 %)	97 (43.1 %)	378 (31.2 %)	0.333
	3～6 時間	274 (36.7 %)	75 (33.3 %)	349 (28.8 %)	
	6 時間以上	192 (25.7 %)	53 (23.6 %)	245 (20.2 %)	
画像所見の改善		919 (97.0 %)	252 (97.7 %)	1171 (96.7 %)	0.587
神経症状の改善		529 (56.8 %)	141 (55.5 %)	670 (55.3 %)	0.722
合併症		23 (2.4 %)	12 (4.6 %)	36 (3.0 %)	0.091
	機械的出血	0 (0.0 %)	4 (1.5 %)	4 (0.3 %)	0.002*
	非機械的出血	7 (0.7 %)	4 (1.5 %)	11 (0.9 %)	0.264
	虚血	15 (1.6 %)	3 (1.2 %)	19 (1.6 %)	0.777
	解離	1 (0.1 %)	1 (0.4 %)	2 (0.2 %)	0.384

40,169 例の治療の中で，脳血管攣縮に対する血管内治療として登録された 1,354 例（3.37 %），そのうち詳細なデータが入力されている 1,211 例を対象とした．

治療方法は選択的局所動注療法と PTA に分類されており，背景因子，治療内容，治療結果を治療内容別に比較したものが表1である．

治療選択別に統計学的な有意差があったものは，背景因子として年齢，先行治療，攣縮血管の範囲，責任医師，麻酔，そして合併症として機械的出血であった．若年者に PTA

表2　血管別にみた治療選択

		動注療法 (*n*=948)	PTA (*n*=259)
治療血管	前方循環	872 (78.5%)	236 (21.2%)
	後方循環	90 (73.2%)	32 (26.0%)
攣縮血管	近位血管	659 (75.5%)	211 (24.2%)
	遠位血管	357 (79.7%)	90 (20.1%)

表3　選択的動注療法の画像改善因子

		単変量解析	多変量解析	
		P値	オッズ比(95%信頼区間)	P値
治療回数	(初回治療)	0.091	2.55 (1.10-5.82)	0.030*
治療時期	(6時間以内)	0.010*	3.19 (1.39-7.28)	0.007*

が多いことは，アクセスの難易度が反映している結果なのかもしれない．また先行治療として血管内治療を行っている症例のほうが，PTAを多く行っている傾向にあった．外科的手術であるためにPTAを控えたのか，それとも先行治療として血管内治療が選択されている時点で，やはりアクセスが良好なのかもしれない．血管攣縮の領域別にみると，やはり近位血管の症例に対してPTAが選択されている．AHA/ASAガイドラインにも「interventions generally consists of balloon angioplasty for accessible lesions and vasodilator infusion for more distal vessels」と記されているように，動注療法かPTAかを選択する際にアクセスは最も重要な要素である（表2）．また指導医はPTA，非専門医は動注療法を選択する傾向にあり，PTAに対する認識の違いが伺え，PTAにおいて全身麻酔が多く選択されていることは，手技として難易度が高いと判断している結果なのかもしれない．最後にもう一点差がみられた因子は機械的出血である．症例数が少ないという点はあるが，やはりPTAのほうがややリスクの高い治療であることは注意しなければならない．

Check Point

薬物動注療法と比べてPTAは若年，コイル塞栓術後，近位血管症例に多く施行され，指導医が多く行う傾向にあった．また全身麻酔下に行われていることが多く，機械的出血の合併の頻度が高かった．

3 各治療における画像上の改善，神経学的症状の改善に関する因子

選択的動注療法における画像上の改善因子の検討を表3に示す．単変量解析では治療開始までの時間のみが関連因子であり，多変量解析を行うと，初回治療であること，発症から6時間以内の治療であることが独立した因子であった．
また選択的動注療法による神経学的症状の

表4 選択的動注療法の神経学的症状改善因子

	単変量解析	多変量解析	
	P 値	オッズ比(95 % 信頼区間)	P 値
治療血管 　　　（後方循環）	0.046*	0.61 (0.36-1.03)	0.066
治療回数 　　　（初回治療）	0.021*	1.50 (1.06-2.13)	0.022*
治療時期 　　　（6 時間以内）	<0.001*	2.49 (1.76-3.53)	<0.001*

表5 PTA の画像改善因子

	単変量解析	多変量解析	
	P 値	オッズ比(95 % 信頼区間)	P 値
年齢	0.086	0.93 (0.87-0.99)	0.025*
性別 　　　（女性）	0.199	5.60 (0.99-44.63)	0.052
治療回数 　　　（初回治療）	0.135	5.05 (0.85-31.42)	0.074

表6 PTA の神経学的症状改善因子

	単変量解析	多変量解析	
	P 値	オッズ比(95 % 信頼区間)	P 値
治療血管 　　　（後方循環）	0.145	1.71 (0.73-4.27)	0.220
麻酔 　　　（全身麻酔）	0.007*	0.47 (0.19-1.10)	0.083
治療回数 　　　（初回治療）	0.088	2.04 (1.08-3.90)	0.028*
治療時期 　　　（6 時間以内）	0.063	1.89 (0.99-3.62)	0.055

改善に関して，単変量，多変量解析を行った結果が表4である．結果は，画像上の改善に関する因子と同様であり，初回治療，早期治療が関連因子であった．

Check Point

選択的動注療法の画像上の改善因子，神経学的症状の改善因子は，ともに初回治療であることと，発症から6 時間以内の治療であることであった．

同様の解析を PTA 施行症例に関しても行

った．表5 が画像上の改善，表6 が神経学的症状の改善についての解析の結果である．画像上の改善については若年であることのみが関連因子であり，神経学的症状に関しては初回治療が独立した改善因子であった．

Check Point

PTA の画像上の改善因子は若年であること，神経学的症状の改善因子は初回治療であった．

結果をまとめると，選択的動注療法に関しては初回治療，早期治療が画像上，神経症状の改善につながり，PTA の画像改善因子は若年であること，神経学的予後改善因子は初回治療であった．一方で，対象血管の部位やサイズは，良好な結果とは相関していなかった．

4 まとめ

JR-NET3 の結果からみると，選択的動注療法と比較して PTA のほうが技術的に難易度が高いという判断がされ，アクセスなど慎重に適応が検討されている印象がある．しかし解析の結果からは，脳血管攣縮の治療および神経学症状の改善にかかわる因子は初回治療と早期の治療であり，治療の選択は結果に影響を与えていなかった．ただし 2 回目以降の治療の予後が悪くなることからも，再治療を繰り返すことは望ましくなく，PTA のほうが持続的な効果があるとの報告もあり[5]，本研究で証明することはできないが繰り返す

脳血管攣縮に対しては PTA のほうが向いているのかもしれない．一方で，PTA には機械的出血のリスクがあることを忘れてはならない．

【文献】

1) 小川彰, 他編：脳卒中治療ガイドライン 2015［追補 2017］. 協和企画，2017：70-72.
2) Connolly ES Jr, *et al.*：American Heart Association Stroke Counsil; Council on Cardiovascular Radiology and Intervention; Council on Cardiovascular Nursing; Council on Cardiovascular Surgery and Anesthesia; Council on Clinical Cardiology. Guidelines for the management of aneurysmal subarachnoid hemorrhage: a guideline for healthcare professionals from the American Heart Association/American Stroke Association. *Stroke* 2012：**43**：1711-1737.
3) Sakai N, *et al.*：Japanese Registry of Neuroendovascular Therapy Investigators. Recent trends in neuroendovascular therapy in Japan: analysis of a nationwide survey—Japanese Registry of Neuroendovascular Therapy（JR-NET）1 and 2. *Neurol Med Chir (Tokyo)* 2014：**54 Suppl 2**：1-8.
4) Hayashi K, *et al.*：JR-NET2 study group. Current Status of Endovascular Treatment for Vasospasm following Subarachnoid hemorrhage: Analysis of JR-NET2. *Neurol Med Chir (Tokyo)* 2014：**54 Suppl 2**：107-112.
5) Elliott JP, *et al.*：Comparison of balloon angioplasty and papaverine infusion for the treatment of vasospasm following aneurysmal subarachnoid hemorrhage. *J Neurosurg* 1998：**88**：277-284.

A. 患者選択は time base から image base へ，その理論を学ぶ

1 再開通療法の症例選択 ―エビデンスを見直す―

国立病院機構大阪医療センター脳卒中内科　**山上　宏**

Essential Point

- 急性期脳梗塞に対する血栓回収療法のランダム化比較試験では，画像診断にもとづいた患者選択が行われた．
- 画像診断においては，閉塞血管部位とともに虚血コアおよび虚血ペナンブラ領域の診断が重要である．
- 虚血コアの診断には，単純 CT，CT perfusion（CTP），MRI 拡散強調画像（DWI）が用いられるが，DWI が最も感度が高い．
- 虚血ペナンブラ領域の診断には，CTP または MRI 灌流画像が用いられるが，わが国では十分に普及しておらず，臨床的な必要性について今後の検討が必要である．

1 はじめに

　急性期脳梗塞に対する機械的血栓回収療法（mechanical thrombectomy: MT）と内科単独療法の比較試験の結果が続々と発表され，いまや MT は標準治療となっただけでなく，その対象を拡大させるための試みが進んでいる．有効性が証明されたランダム化比較試験（randomized control trial: RCT）では患者選択が成功の鍵を握っていることはいうまでもないが，実臨床においてもこれらの選択基準を参考とすることで，真に有効な患者に対する治療が行える．さらに今後明らかにすべき問題点も見えてくるであろう．

　再灌流療法の目的は虚血ペナンブラ領域を救済することであり，すでに不可逆的虚血域（虚血コア）が広汎な場合には再灌流が得られても神経症状の改善が見込めないだけでなく，出血性梗塞や再灌流障害によりかえって症状

を悪化させてしまう可能性がある．このため，再灌流療法の対象となる患者を選択するうえで，虚血コアおよび虚血ペナンブラ領域を同定する画像診断が重要となる．これまでのRCT における画像診断基準を表 1 に示す．

2 虚血コア領域の診断（図 1）

　単純 CT（non-contrast CT: NCCT）における早期虚血性変化（early ischemic change）は，灰白質の軽微な濃度低下と軽微な腫脹によって認められるが，主に血管性浮腫によって組織の水分量が増加して信号が低下した領域は虚血コアと考えられる．ただし，皮質濃度低下を伴わず脳浮腫のみを呈する isolated cortical swelling（ICS）は，ペナンブラ領域を表している可能性がある[1]．CT 灌流画像（CT perfusion: CTP）では，脳血流量（cerebral blood flow: CBF）あるいは脳血液量（cerebral blood

表1　代表的な RCT における画像診断基準

	発症/LKW から治療開始	検査法	Imaging criteria
MR CLEAN	6 時間以内	CT または MRI (DWI)	出血の否定のみ（ASPECTS の制限なし）
REVASCAT	8 時間以内	CT または MRI (DWI)	ASPECTS ≧ 7 または DWI-ASPECTS ≧ 6（>80 歳では ASPECTS または DWI-ASPECTS ≧ 9）
ESCAPE	12 時間以内	CT, mCTA	ASPECTS ≧ 6 mCTA での moderate to good collateral
EXTEND-IA	6 時間以内	CTP または MRI (DWI+PWI)	Ischemic core volume <70 mL RAPID での target mismatch の存在
SWIFT PRIME	6 時間以内	CTP または MRI (DWI+PWI) → CT または MRI (DWI)	Ischemic core volume <50 mL RAPID での target mismatch の存在 → 試験途中で変更：ASPECTS/DWI-ASPECTS ≧ 6
DAWN	6～24 時間	CTP または DWI	CIM (Clinical Imaging Mismatch)の存在 A. ≧ 80 歳：NIHSS ≧ 10 + core volume <21 mL B. <80 歳：NIHSS ≧ 10 + core volume <31 mL or NIHSS ≧ 20 + core volume <51 mL
DEFUSE3	6～16 時間	CTP または DWI/PWI	Ischemic core volume < 70 mL RAPID での target mismatch の存在

DWI：拡散強調画像，ASPECTS：Alberta Stroke Program Early CT Score, mCTA: multiphase CTA, NIHSS：National

volume）が低下した領域を虚血コアと診断し，NCCT よりも感度が高い[2]．

　MRI 拡散強調画像（diffusion-weighted image: DWI）では，細胞性浮腫により細胞内の水分子の拡散が制限された状態を apparent diffusion coefficient（ADC）値の低下として捉え，信号強度に変換して表示している．DWI で高信号を示す領域を虚血コアと診断するには，ADC 値低下の閾値が問題となる．急性期に DWI で淡い高信号を示す領域（ADC 値

低下が軽度である領域）が再灌流によって壊死を免れる可能性については，まだ結論が得られていない[3,4]．

　虚血コアを診断するためには，それぞれの画像において非可逆的変化を示す閾値を設定しなければならない．現在の RAPID（iSchemaView）は，虚血コアと自動診断する閾値を，CTP では CBF が正常脳の 30％未満，DWI では ADC 値 $620 \times 10^{-6} mm^2$/秒未満と設定している．しかしながら，これらの閾値は確

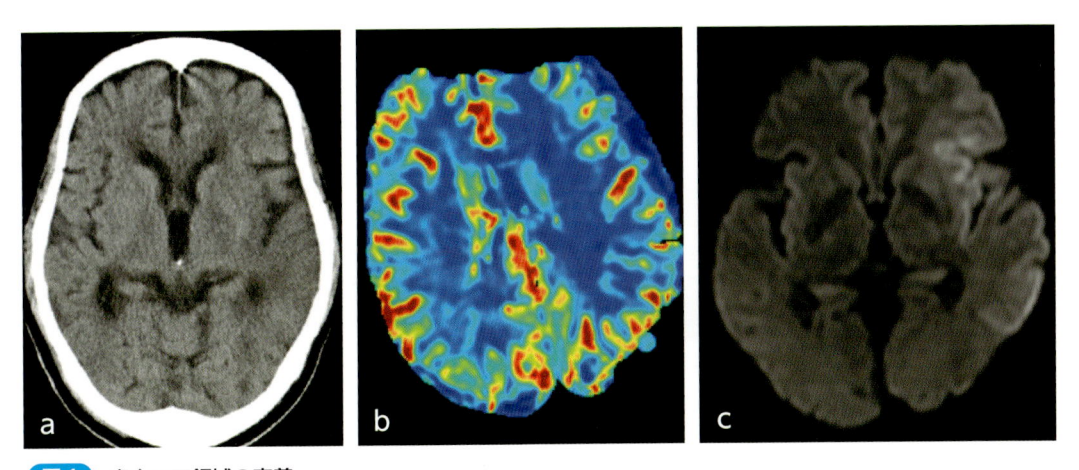

図1 虚血コア領域の定義
a：NCCT，早期虚血性変化．レンズ核構造の消失，島皮質の消失，皮髄境界不鮮明化，(脳溝の消失)．b：CTP，CBF<30%．c：DWI，ADC<620．

立したものではないことに注意が必要である．虚血コアの進展には虚血深度とともに時間が強く影響するため，超早期の主幹動脈閉塞例ではより低い閾値を設定する必要があることも指摘されている[5]．

一方，「広範」な虚血コアの基準としては，rt-PA 静注療法に際し転帰不良や症候性頭蓋内出血の発現頻度が高まる「MCA 領域の1/3 以上」[6,7]や，「梗塞巣体積 100 mL 以上」[8]，「CTP での虚血コア体積 54 mL 以上」[9]，「DWI での梗塞巣体積 70 mL 以上」[10]などの基準が知られている．これらを元にして MR-CLEAN と THRACE を除く RCT では，画像による選択基準として虚血コア体積の上限が設定された．ESCAPE では NCCT で Alberta Stroke Program Early CT Score （ASPECTS）≧6，EXTEND-IA と DEFUSE3 では CTP で70 mL 未満，SWIFT PRIME では CTP または DWI で 50 mL 未満(後に NCCT または DWI で ASPECTS ≧6)，REVASCAT では ASPECTS ≧7 または DWI-ASPECTS ≧6，THERAPY と PISTE では MCA 領域の 1/3 未満が，選択条件とされている．さらに，DAWN では年齢と NIHSS スコアによって上限を細かく設定した．しかし，前述したようにこれらの上限値は rt-PA 静注療法におけるデータを元にしており，MT におけるリスク/ベネフィットの境界については異なる可能性がある．

3 虚血ペナンブラ領域の診断

虚血ペナンブラ領域の画像診断として，MRI を用いた DWI における虚血コア領域と perfusion MRI （PWI）における低灌流領域とのミスマッチが長らく用いられてきたが[11]，現在は特に欧米では CTP が広く用いられる．ミスマッチの診断基準には，低灌流領域と虚血コア領域の体積比である mismatch ratio，低灌流領域と虚血コア領域の体積差である mismatch volume の下限，および虚血コア領域体積の上限が組み合わされており，RCT によって定義が少しずつ異なっている(表2)．

現在，再灌流がなければ梗塞に至ると考えられる lesion at risk の診断基準には，灌流画像における time to maximum （Tmax）> 6秒が一般的に用いられる[12,13]．しかしながら，この基準値も絶対的なものではなく，より

表2　代表的な RCT における target mismatch の定義

Trial	Mismatch ratio	Mismatch volume	Ischemic core volume
EXTEND-IA	>1.2	>10 mL	<70 mL
SWIFT PRIME	>1.8	>15 mL	<50 mL
DEFUSE 3	>1.8	>15 mL	<70 mL

MT の治療効果が高いことが示されている。ただし、ランダム化（＝画像診断）から再灌流までの時間は遅くなるほど転帰良好例は減少するため、適応があると判断した場合にはより迅速な再灌流が重要である。

4　実臨床における画像診断

繰り返しとなるが、急性主幹動脈閉塞では発症から再灌流までの時間が転帰と関係し、その関連性は発症早期で側副血行が不良な場合ほど強くなる。したがって、実臨床では画像診断による患者選択のメリットと、画像診断に要する時間のデメリットを考慮しなければならない。

発症から 6 時間以内で神経症状が重篤な場合には、出血の否定と虚血コアの範囲および主幹動脈閉塞の有無さえ確認すれば、ただちに MT を開始する必要がある。一方で、発症から 6 時間以上経過している場合や発症時間が不明な場合、あるいは神経症状が軽微な場合には、虚血ペナンブラの存在を十分に評価し、MT による有効性が高い症例を選択することが重要である。

急性期脳梗塞の再灌流療法における患者選択は、time base から image base へ大きく舵を切ったが、治療の有効性を確立するためには、画像診断法を確立するには、まだ多くの課題が残されている。

Tmax が延長していても梗塞に至らない部位もあり、側副血行の時間的な変動の影響も考えられている。

一方、灌流画像を用いず、より簡便に虚血ペナンブラの存在を予測する方法として、閉塞血管部位と虚血コア領域の occlusion-core mismatch[14] や、神経症状と虚血コア領域の clinical-core mismatch[15] などが提唱され、

DAWN では clinical imaging mismatch として 80 歳以上では NIHSS ≧ 10 かつ虚血コア < 21 mL、80 歳未満では NIHSS ≧ 10 かつ虚血コア < 31 mL または NIHSS ≧ 20 かつ虚血コア < 51 mL の選択基準が用いられた。これらの基準は、あくまでも ICA/M1 閉塞例に適用されるものであり、M2 閉塞など閉塞血管が異なる場合には、個々の灌流領域や機能局在を考慮する必要がある。

虚血ペナンブラ領域の残存には、時間と側副血行が強く関連する。側副血行が不十分であれば短時間で虚血コアが拡大するためにより迅速な再灌流が必要であり、逆に側副血行が豊富であれば、血管閉塞から時間が経過していても広汎な虚血ペナンブラ領域が残存しており、再灌流によるメリットが大きくなる[16]。最終健常確認から 6 時間以上経過した症例を対象とした RCT の統合解析である AURORA 研究（Nogueira R, et al, ESOC 2018）では、画像診断によって患者選択した場合、転帰良好と最終健常から再灌流までの時間には有意な関係を認めず、時間が経過するほど

【文献】

1) Butcher KS, *et al.* : DDifferential prognosis of isolated cortical swelling and hypoattenuation on ct in acute stroke. *Stroke.* 2007；**38**：941-947.

2) Pepper EM, *et al.* : DCt perfusion source images improve identification of early ischaemic change in hyperacute stroke. *J Clin Neurosci.* 2006；**13**：199-205.

3) Campbell BC, *et al.* : DThe infarct core is well represented by the acute diffusion lesion: Sustained reversal is infrequent. *J Cereb Blood Flow Metab.* 2012；**32**：50-56.

4) Labeyrie MA, *et al.* : DDiffusion lesion reversal after thrombolysis: A mr correlate of early neurological improvement. *Stroke.* 2012；43：2986-2991.

5) d'Esterre CD, *et al.* : DTime-dependent computed tomographic perfusion thresholds for patients with acute ischemic stroke. *Stroke.* 2015；**46**：3390-3397.

6) Hacke W,*et al.* : DIntravenous thrombolysis with recombinant tissue plasminogen activator for acute hemispheric stroke. The european cooperative acute stroke study（ecass）. *Jama.* 1995；**274**：1017-1025.

7) Wardlaw JM, *et al.* : D Early signs of brain infarction at ct: Observer reliability and outcome after thrombolytic treatment--systematic review. *Radiology.* 2005；**235**：444-453.

8) Albers GW, *et al.* : DMagnetic resonance imaging profiles predict clinical response to early reperfusion: The diffusion and perfusion imaging evaluation for understanding stroke evolution（defuse）study. *Ann Neurol.* 2006；**60**：508-517.

9) Inoue M, *et al.* : DPatients with the malignant profile within 3 hours of symptom onset have very poor outcomes after intravenous tissue-type plasminogen activator therapy. *Stroke.* 2012；**43**：2494-2496.

10) Sanak D, *et al.* : D Impact of diffusion-weighted mri-measured initial cerebral infarction volume on clinical outcome in acute stroke patients with middle cerebral artery occlusion treated by thrombolysis. *Neuroradiology.* 2006；**48**：632-639.

11) Warach S, *et al.* : DClinical outcome in ischemic stroke predicted by early diffusion-weighted and perfusion magnetic resonance imaging: A preliminary analysis. *J Cereb Blood Flow Metab.* 1996；**16**：53-59.

12) Olivot JM, *et al.* : DOptimal tmax threshold for predicting penumbral tissue in acute stroke. *Stroke.* 2009；**40**：469-475.

13) Campbell BC, *et al.* : DComparison of computed tomography perfusion and magnetic resonance imaging perfusion-diffusion mismatch in ischemic stroke. *Stroke.* 2012；**43**：2648-2653.

14) Lansberg MG, *et al.* : DThe mra-dwi mismatch identifies patients with stroke who are likely to benefit from reperfusion. *Stroke.* 2008；**39**：2491-2496.

15) Davalos A, *et al.* : DThe clinical-dwi mismatch: A new diagnostic approach to the brain tissue at risk of infarction. *Neurology.* 2004；**62**：2187-2192.

16) Ribo M, *et al.* : DAssociation between time to reperfusion and outcome is primarily driven by the time from imaging to reperfusion. *Stroke.* 2016；**47**：999-1004.

Ⅲ 新時代を迎えた急性再開通療法

A. 患者選択は time base から image base へ，その理論を学ぶ

② 灌流ミスマッチ診断ソフトの意義

国立循環器病研究センター脳血管内科　**井上 学**

Essential Point

- 2018 年は AHA 脳卒中ガイドライン上，特定の条件下で急性期脳梗塞の血栓回収療法の治療時間枠は 24 時間まで拡大された．
- 造影灌流画像を解析する次世代ソフトウエアとして RAPID がある．
- RAPID で計測された DWI と PWI のミスマッチ比が 1.8 より大きければ，発症時間（最大 16～24 時間まで）に関係なく機械的血栓回収療法に良好に反応する可能性が高い．
- RAPID は日本国内ではまだ薬機承認が得られていないため，各病院での導入努力が必要な段階にある．

---

1 はじめに

　Late presenting case に対するエビデンスを確立した研究により，灌流画像・虚血性コア容積測定ソフトが全世界で俄然注目を集めている．Stanford 大学で開発された RAPID の使用は DEFUSE2 に始まり，early onset の EXTEND-IA，SWIFT-PRIME から Late presenting の DAWN，DEFUSE 3 にまで使用され，その幅広い汎用性をみせつけた．RAPID は MRI の DWI・perfusion 画像や CT perfusion 画像の計算・解析を行う C++ 言語でプログラミングされた医療用画像ソフトウエアであり，全自動で撮像 / 撮影ののちに転送され，解析が終了する．

　欧米では 2018 年 AHA 脳卒中ガイドラインに掲載されたこともあり，RAPID の導入フィーバーが起こっており，他にはブラジル・韓国・オーストラリアでも導入が進められて

いる．日本は残念ながらいまだ薬機承認を得ることができておらず，実際に導入するには臨床研究という名目での導入となるため，各施設内での理解や予算からしてハードルが高くなってしまう場合が多い．筆者は 2011 年から RAPID にかかわってきた経験をもとに，論文以外ではなかなか目にすることがない実際の RAPID の出力画像や実用性に関して概説する．

2 ペナンブラと虚血性コア

　脳梗塞の治療戦略として早期の治療の前に，早期の診察 / 画像所見の検出があげられる．時間の経過していない脳梗塞は MRI（magnetic resonance imaging：磁気共鳴画像）の DWI（Diffusion weighted image：拡散強調画像）でも病変が出現しないこともあるため，各種モダリティで閉塞血管の評価が必須であ

る．実際には DWI で示されるような虚血性コアの周辺に，灌流異常が起こっていることが知られている．この灌流異常領域と虚血性コアの差分をペナンブラと称し，この「ペナンブラが存在する」＝「ミスマッチがある」症例を治療対象とすることで予後良好な患者群を抽出できる．近年の報告では，このミスマッチを見ることで従来の治療時間枠を超えた症例に安全に再開通療法を行うことができることが報告された．ペナンブラは局所的な脳血流低下による灌流異常で，脳の機能障害をきたした脳血流の閾値と不可逆な脳の細胞性浮腫をきたした梗塞巣の閾値の差と定義される[1]．かつてはポジトロン断層画像法（positron emission tomography：PET）を使用した研究が盛んに行われており，PET は血管内造影などに比べ CBF（cerebral blood flow：脳血流量），CBV（cerebral blood volume：脳血液量），OEF（Oxygen Extraction Fraction：酸素摂取率），$CMRO_2$（cerebral metabolic rate of oxygen：脳酸素消費量）などのパラメータが測定できる利点があるため，脳灌流の評価に多用されていた歴史がある．PET を使用した研究で，発症から数時間後の CBF が 12 mL / 100 g / 分未満または $CMRO_2$ が 65 mmol / 100 g / 分未満の脳組織は，その後の CT（Computed Tomography）画像で脳梗塞になることがわかった[2]．これはまさにペナンブラの灌流状態を示しており，CBF が低下・代償的に OEF が上昇・$CMRO_2$ が正常値を保っている状態がすなわちペナンブラであると規定される．その後報告されたペナンブラ領域と最も相関するパラメータは Tmax とされ，なかでも Tmax ＞ 5.5 秒が PET で示されたペナンブラと高い相関があることが知られている[3,4]．Tmax は MRI の励起のタイミングから整数表記をとるため，現在の臨床試験の多くで Tmax ＞ 6 秒をペナ

ンブラとしている．

ペナンブラ周辺の虚血性コアの同定には DWI が単純 CT よりもすぐれており，CT で得られる Early CT sign よりも鋭敏に早期から病巣の描出が高感度・高特異度で可能である[5,6]．しかしながら DWI や Early CT Sign で示された虚血性コアは，すでに虚血に陥ってしまった領域を検出しているだけであり，その周囲に潜んでいるペナンブラ領域の検出・評価はできない．虚血性コアの周囲にペナンブラが存在し，最終梗塞巣はペナンブラと虚血性コアの間に存在すると考えられているため，再灌流療法が効果的であれば，最終梗塞は虚血性コアとほぼ同等あるいはそれ以下で済む可能性がある．そこで PWI（Perfusion weight imaging：造影灌流画像）により得られた Tmax ＞ 6 秒と虚血性コアの比率を検討することで，起こっている脳梗塞が完成しているのか，あるいはこれからも梗塞巣が拡散していくのか判定することができる．虚血性コアとペナンブラに mismatch がある状態を MRI であれば DWI-perfusion mismatch，CT perfusion であれば CBF-perfusion mismatch と称している．

この perfusion の mismatch 解析には様々なソフトウエアが開発されており，国産の PMA や世界的に標準ソフトになりつつある RAPID[7]が代表的である．RAPID は Stanford 大学で開発され，iSchemaView 社が販売している解析ソフトで，DEFUSE 2/3，EXTEND-IA，SWIFT-PRIME，DAWN 試験で採用されている．国立循環器病研究センターには日本で初めて 2017 年 8 月から研究仕様で導入している．

3　RAPID

RAPID（RApid processing of PerfusIon and

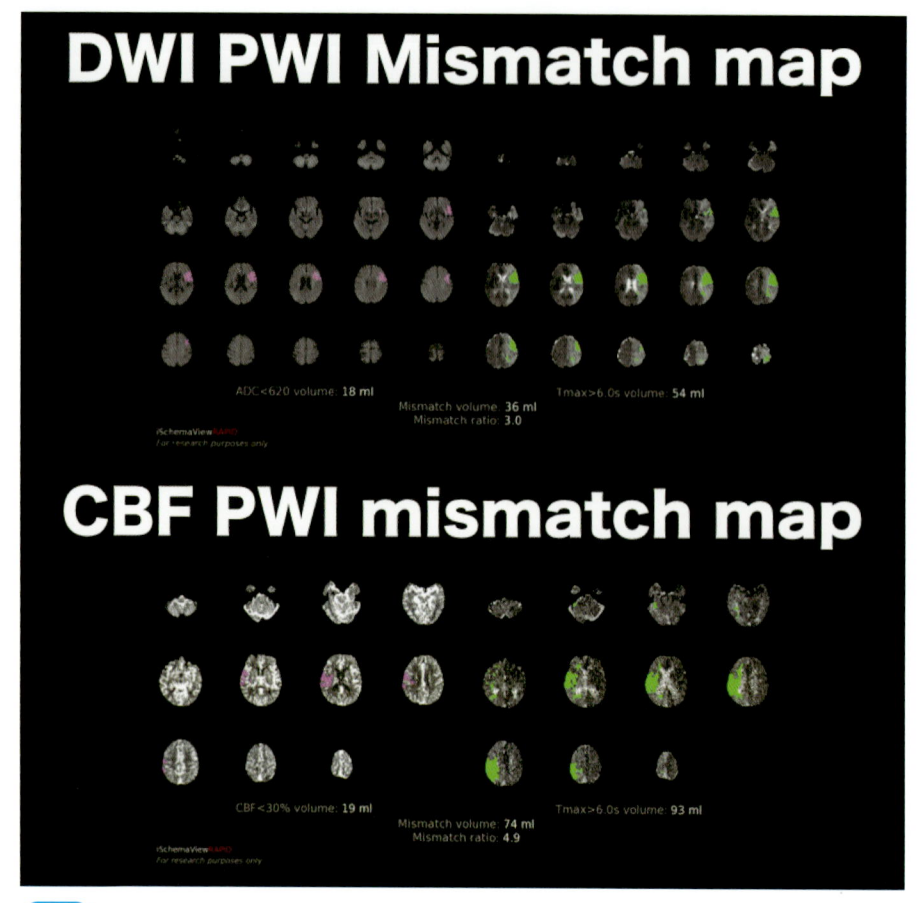

図1 RAPIDのmismatchマップ

Tmax >6秒/虚血性コアの比からmismatchを算出する.
（上段）急性期脳梗塞のDWI-PWI mismatch症例. 発症60分で右片麻痺を呈した64歳女性. 虚血性コア（DWI）はADC<620 x10^{-3} mm^2/秒として判定し（ピンク）, Tmax >6秒の領域をペナンブラ（緑）と判定する. 本症例はDWI 18 mLでTmax >6秒は54 mLであり, ミスマッチ比は3.0. Target mismatchと判定され, 再灌流療法に良好に反応する症例である.
（下段）急性期脳梗塞のCBF-PWI mismatch症例. CBFの<30%の領域を虚血性コア（ピンク）と判定し, Tmax >6秒の領域をペナンブラ（緑）と判定する. 発症74分で左片麻痺を呈した84歳男性. 本症例はCBF 19 mLでTmax >6秒は93 mLであり, ミスマッチ比は4.9. Target mismatchと判定され, 再灌流療法に良好に反応する症例である.

Diffusion）は, CT perfusionのCBFもしくはDWIの虚血性コアと, PWIのCBF, CBV, MTT, そしてTmax >4秒・Tmax >6秒・Tmax >8秒・Tmax >10秒の各々の灌流異常領域の容積を約5分程度で解析し7つのイメージマップを出力することが可能である. 撮影/撮像されたデータはCT/MRIスキャナーからRAPIDに転送され, デコンボルーション法からCBF・CBV・MTT・Tmaxの各マップを作成し, MRIであればADC <620 x10^{-3} mm^2/秒, CT perfusionであれば対側CBFの<30%の領域を虚血性コア（ピンク）と判定し, Tmax >6秒の領域をペナンブラ（緑）と判定することで, Tmax >6秒/虚血性コアの比からミスマッチを計算し, マップ表示する（図1）. 再灌流療法の予後良好と

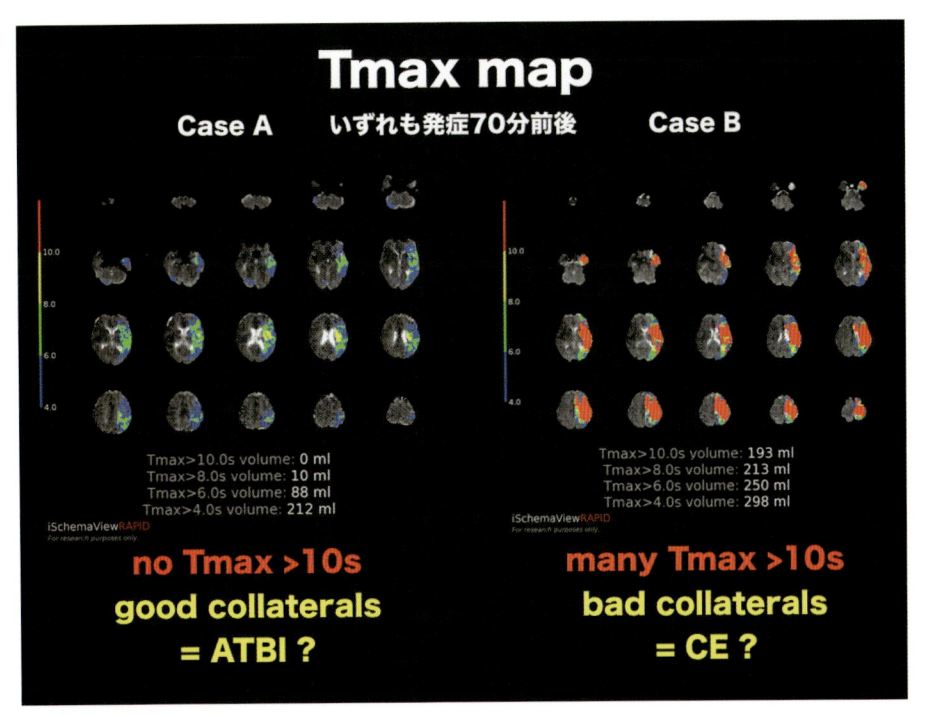

図2　RAPID の Tmax マップ

Tmax >6 秒の領域をペナンブラ，Tmax >10 秒は側副血行路に乏しいとされている．Case A/B ともに発症から 70 分前後の症例であるが，A は Tmax >10 秒の領域がほとんどなく，対して B は Tmax >10 秒の領域が 100 mL を超えている．A の症例はペナンブラ領域が多く，対して B の症例はペナンブラの残存領域は少なく，再灌流療法への反応は乏しいとされる．またその側副血行路の領域から A はアテローム血栓性脳梗塞(Atherothrombotic brain infarction：ATBI)，B は心原性脳塞栓症(cardio-embolism：CE)とも予想できる．

される target mismatch profile のミスマッチ比は 1.8 より大きいものとされている．また Tmax ＞ 4 秒・Tmax ＞ 6 秒・Tmax ＞ 8 秒・Tmax ＞ 10 秒の各々の灌流異常領域をそれぞれ青・緑・黄・赤で識別した Tmax マップも出力される．このマップからは Tmax ＞ 10 秒(赤)が少なければ側副血行路が発達しておりアテローム血栓性脳梗塞，Tmax ＞ 10 秒(赤)が広範囲であればすでに虚血性コアもペナンブラも完成しており，心原性脳塞栓症である予測をすることもできる(図 2)．この Tmax >10 秒の領域が 100 mL を超えるような症例や DWI が 70 mL・CBF が 50 mL を超えるような症例は malignant profile[8,9]とよばれ，再灌流療法の予後が不良とされている．

他に全体の検査(例えば CT perfusion では単純 CT，CBV，CBF，MTT，Tmax)を一覧させるマップも表示してくれる(図 3)．その使い勝手のよさと安定した挙動から現存する mismatch ソフトの中では RAPID が世界基準になりつつあり，ガイドラインに掲載されたことも後押しとなり，アメリカを始め世界中で多数の施設が導入に踏み切っており，すでに 700 以上の施設が導入を完了している．国立循環器病研究センターでは，日本で初めて 2017 年 8 月から研究目的で RAPID を導入したが，価格と「医薬品，医療機器等の品質，有効性及び安全性の確保等に関する法律(薬機法)」の承認がおりていないため国内ではまだ導入が容易でない現状がある．

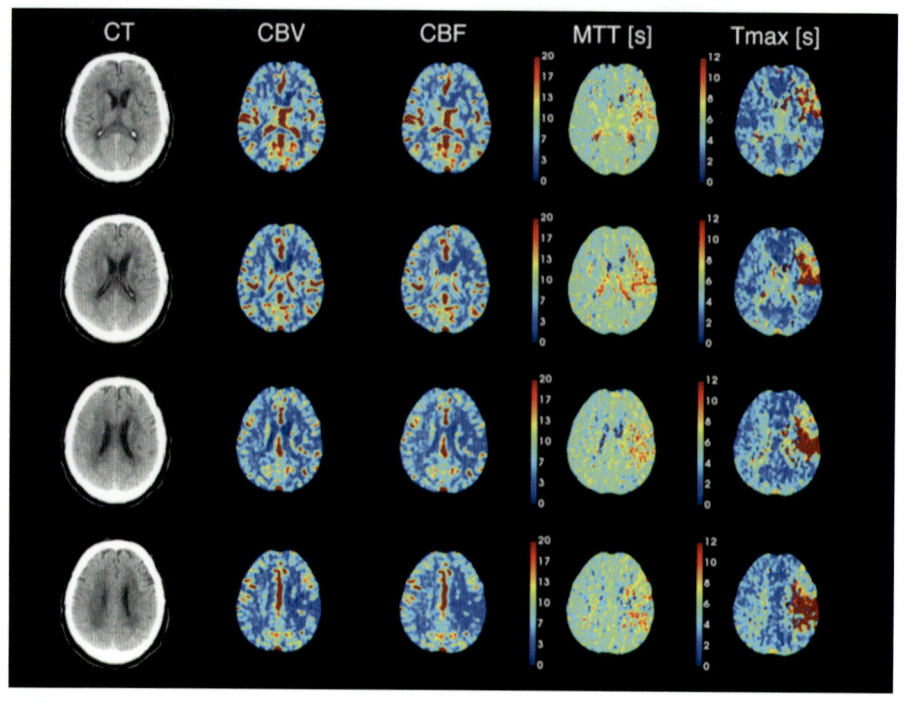

図3 RAPID で得られる各パラメータ

左から単純 CT，CBV（cerebral blood volume：脳血液量），CBF（cerebral blood flow：脳血流量），MTT（Mean Transit Time：平均通過時間），Tmax（time to maximum：造影剤の最大到達濃度）と出力される．すべてのマップを確認することでより総合的な評価が可能となる．（RAPID のホームページ http://www.i-rapid.com/index より転載）

Check Point

RAPID は MR perfusion でも CT perfusion でも解析可能，5〜7 分程度ですべて完了する．解析も全自動．

4 虚血性コア DWI と CBF core に関して

RAPID でも MR と CT それぞれで虚血性コアをある基準を元に算出している．DWI であればみかけの拡散係数（apparent diffusion coefficient; ADC）< 620 x10^{-3} mm²/ 秒より小さい値を虚血性コア，CT perfusion であれば CBF を対側と比較し 30％よりも低下してい

る領域を虚血性コアとしている．この ADC の閾値は初期の RAPID では ADC < 600 × 10^{-3} mm²/ 秒より小さい値をコアとしていたが，のちの報告[10]から現在は ADC < 620 × 10^{-3} mm²/ 秒へと変更している．RAPID はあらゆるパラメータの閾値をカスタマイズできるため，図のように例えば ADC < 600 × 10^{-3} mm²/ 秒から ADC < 630 × 10^{-3} mm²/ 秒まで変数を変えることが可能である（図 4）．

また CBF の虚血性コアに関しても CBF もしくは CBV で評価するか議論がある．CTP から 1 時間以内に撮像された DWI と CTP の各パラメータを比較したところ CBF（AUC, 0.79; 95 % CI, 0.77– 81）が CBV（AUC, 0.74; 95 % CI, 0.73– 0.76）よりも DWI と高相関だった報告があり[11]，現在は RAPID は

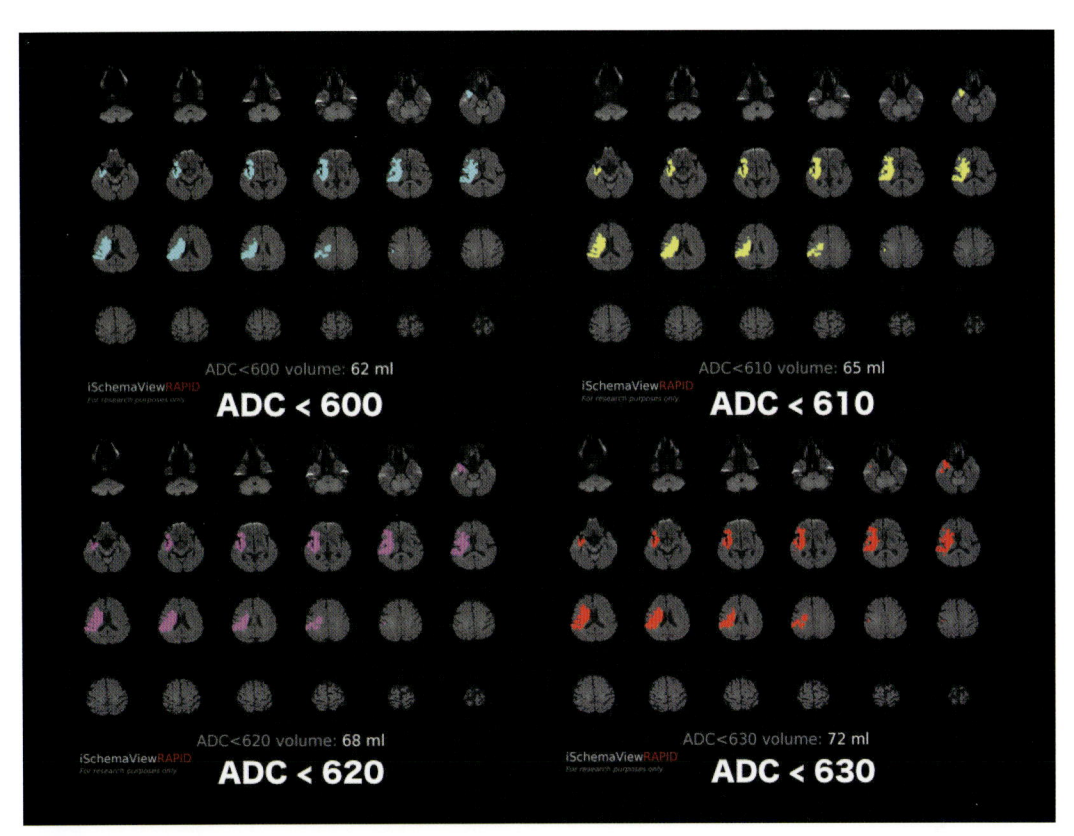

図4　ADC の閾値を変えた場合の虚血性コアの例
実験的に RAPID の ADC マップを ADC<600 x10⁻³ mm²/ 秒から ADC<630 x10⁻³ mm²/ 秒まで変動させてみたもの（通常では ADC<620 x10⁻³ mm²/ 秒で 68 mL の虚血性コアとされる症例）．図にもあるように最大で 10 mL 程度の差がみられるが，肉眼的にはほぼ変わりがない．

CBF を採用している．また CBF の閾値に関しても諸説あり，SWIFT-PRIME のサブ解析では CBF を対側の 38％より小さい値を虚血性コアとすると時折過大評価がみられた．これを 30％にまで下げると過大評価はなくなり，逆に 10〜15 mL 程度の過小評価がみられた．例えば他の ASPECTS と虚血性コアの研究をみるとおおよそ ASPECTS ≧ 7 はDWI ≦ 70 mL であるのに対して CTP ≦ 50 mL と報告しているものが多く[12-14]，この 20 mL の差からしても 10〜15 mL の CBF の過小評価は DWI の虚血性コアの測定に対して妥当といえる．しかし CBF はあくまでもその瞬間の脳血流をみているものであり，例

えば超急性期（発症 60 分以内）などの症例は従来の CBF ＜ 30％ではなく，15％もしくは 20％が妥当ではないかという報告も上がっている[15]．

5　CTP 検査のピットフォール

通常 CTP で CBF ＜ 30％の領域を虚血性コアとして評価していると，成功した再灌流療法後には当然 CBF で示された虚血性コアは消失するが，部分再灌流であれば CBF が消失したようにみえることがある．これは前述のように閾値を ＜ 30％に設定しているからであり，側副血行路からの補充で CBF が

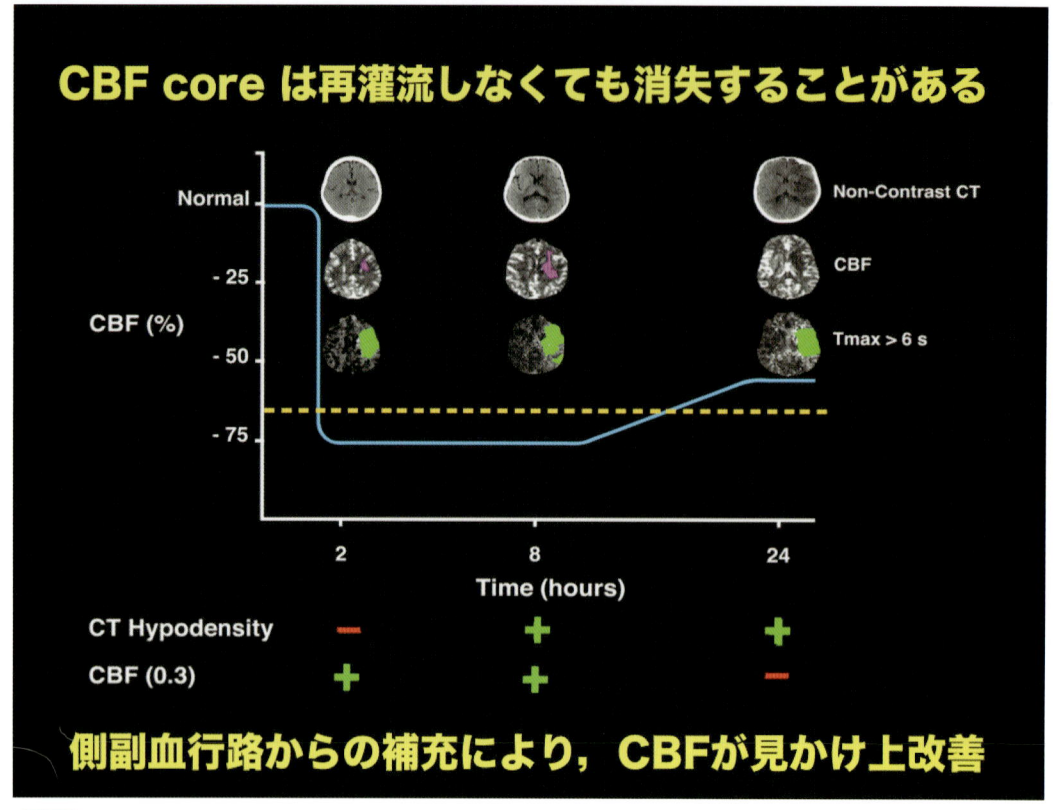

図5 CT perfusion で検出された発症 85 分右麻痺の 80 歳女性例
　機械的血栓回収後，部分的な再灌流は得られたものの，完全再開通には至らなかったが，みかけ上 CBF による虚血性コアは消失している．これは再開通後，脳血流が閾値である 30％ をわずかに上回ったからであり，本質的に脳血流自体はペナンブラ領域が消失するほどには改善していない．単純 CT では広範な低吸収域がみられる．

みかけ上改善し，わずかながらにでも 30％を上回ってしまった場合に虚血性コアは消失したようにみえる（図5）．こういった場合はCBF 画像のみに頼らず他の単純 CT などと比較して検討する必要がある．

> ***P**itfall*
>
> 　CT perfusion で虚血性コアを CBF で評価した場合，部分再灌流ではみかけ上虚血性コアが消失して寛解したようにみえてしまうため，必ず他の画像と合わせて評価すること．

6　最後に

　今後，一次脳卒中センター（primary stroke center：PSC）と総合脳卒中センター（包括的脳卒中センター，comprehensive stroke center：CSC）に加え，血栓回収脳卒中センター（thrombectomy-capable stroke center：TSC）が制度化される．現在 TSC に該当する施設はそれぞれ治療症例数を開示しているが，今後は再開通率や予後改善率などの開示が求められる可能性が高いため，ただやみくもに治療しているだけでは評価されない時代がそこまで来ている．RAPID は再灌流療法が最大限に有効である症例を選択することが可能であ

り，むやみに治療してはいけない症例も選択
できる．また DAWN 試験の結果から 24 時
間まで治療時間が延長されたと解釈している
施設も多いが，これはあくまでも NIHSS の
点数と RAPID による虚血性コアを定量評価
したうえでのことであることを忘れてはなら
ない．

　脳梗塞は特定の条件下であらゆる時間枠で
の治療が可能になりつつある．今後，日本国
内で RAPID やそれに相当する灌流画像解析
ソフトが普及するのか，あるいは他の手段を
みつけ治療時間枠を拡大するのか，世界的な
潮流に乗り遅れずに常に最新情報を入手し自
身を update していく必要がある．

［文献］

1）Astrup J, et al.: Thresholds in cerebral ischemia - the ischemic penumbra. Stroke 1981；12：723-725.
2）Frackowiak RS, et al.: Quantitative measurement of regional cerebral blood flow and oxygen metabolism in man using 15O and positron emission tomography: theory, procedure, and normal values. J Comput Assist Tomogr 1980；4：727-736.
3）Zaro-Weber O, et al.: Maps of time to maximum and time to peak for mismatch definition in clinical stroke studies validated with positron emission tomography. Stroke 2010；41：2817-2821.
4）Zaro-Weber O, et al.: MRI perfusion maps in acute stroke validated with 150-water positron emission tomography. Stroke 2010；41：443-449.
5）Lutsep HL, et al.: Clinical utility of diffusion-weighted magnetic resonance imaging in the assessment of ischemic stroke. Ann Neurol 1997；41：574-580.
6）Baird AE, et al.: Magnetic resonance imaging of acute stroke. J Cereb Blood Flow Metab Off J Int Soc Cereb Blood Flow Metab 1998；18：583-609.
7）Straka M, et al.: Real-time diffusion-perfusion mismatch analysis in acute stroke. J Magn Reson Imaging JMRI 2010；32：1024-1037.
8）Mlynash M, et al.: Refining the definition of the malignant profile: insights from the DEFUSE-EPITHET pooled data set. Stroke J Cereb Circ 2011；42：1270-1275.
9）Inoue M, et al.: Patients with the malignant profile within 3 hours of symptom onset have very poor outcomes after intravenous tissue-type plasminogen activator therapy. Stroke J Cereb Circ 2012；43：2494-2496.
10）Purushotham A, et al.: Apparent diffusion coefficient threshold for delineation of ischemic core. Int J Stroke Off J Int Stroke Soc 2015；10：348-353.
11）Campbell BCV, et al.: Cerebral blood flow is the optimal CT perfusion parameter for assessing infarct core. Stroke J Cereb Circ 2011；42：3435-3440.
12）de Margerie-Mellon C, et al.: Can DWI-ASPECTS substitute for lesion volume in acute stroke? Stroke 2013；44：3565-3567.
13）Haussen DC, et al.: Automated CT Perfusion Ischemic Core Volume and Noncontrast CT ASPECTS（Alberta Stroke Program Early CT Score）: Correlation and Clinical Outcome Prediction in Large Vessel Stroke. Stroke 2016；47：2318-2322.
14）Demeestere J, et al.: Evaluation of hyperacute infarct volume using ASPECTS and brain CT perfusion core volume. Neurology 2017；88：2248-2253.
15）Najm M, et al.: Defining CT Perfusion Thresholds for Infarction in the Golden Hour and With Ultra-Early Reperfusion. Can J Neurol Sci J Can Sci Neurol 2018；45：339-342.

3 PMA の最新情報

北海道大学病院放射線診断科　**工藤 與亮**

> **E**ssential Point
>
> - PMA は国内で開発された CT/MR 灌流画像解析ソフトである.
> - PMA では画像の DICOM 受信から各種マップの作成，虚血ペナンブラ・梗塞コアの体積計測，結果画像の DICOM 転送まで全自動で行う機能がある.
> - 現在，PMA は商用化や薬事承認に向けた準備を行っている.

1 PMA の有効性

DAWN 試験や DEFUSE3 試験では，虚血ペナンブラと梗塞コアのミスマッチによる患者選択を行い，発症 6 時間以降の血栓回収療法の有効性が示された[1,2]. そのため，CT/MR 灌流画像による虚血ペナンブラと梗塞コアの自動体積測定への期待が高まっている.

PMA（perfusion mismatch analyzer）は日本国内で開発された CT/MR 灌流画像解析ソフトであり，研究用ソフトとしてフリーウェアで無償配布されている. 灌流画像の自動解析が可能であり，虚血ペナンブラは灌流異常域として Tmax の閾値を用いて自動抽出される. また，MRI では拡散強調画像，CT では CBF 値によって虚血コアの領域が自動抽出され，両者のミスマッチ領域の体積，ミスマッチ比も自動計算される（図 1）.

2 PMA の今後

Stanford 大学で開発された RAPID システムでは，CT/MRI の撮像後に画像データを DICOM 転送するだけで全自動解析が行われ，解析結果は院内 PACS に自動転送される. PMA でも同様の機能を実装し，国内で試験運用中である. しかし，DICOM 転送には CT/MRI 装置側の設定も必要であり，フリーウェアとしてのインストールは難しく，メンテナンスなどでのマンパワーも必要となる. そのため，薬事承認も視野に入れた商用化の準備を行っている.

PMA では灌流異常域の自動抽出や拡散異常域の自動抽出の精度が不十分であったが，体動補正や脳マスクの改良により解析精度が向上した. 今後，PMA と RAPID の精度比較，解析時間比較なども行っていく予定である.

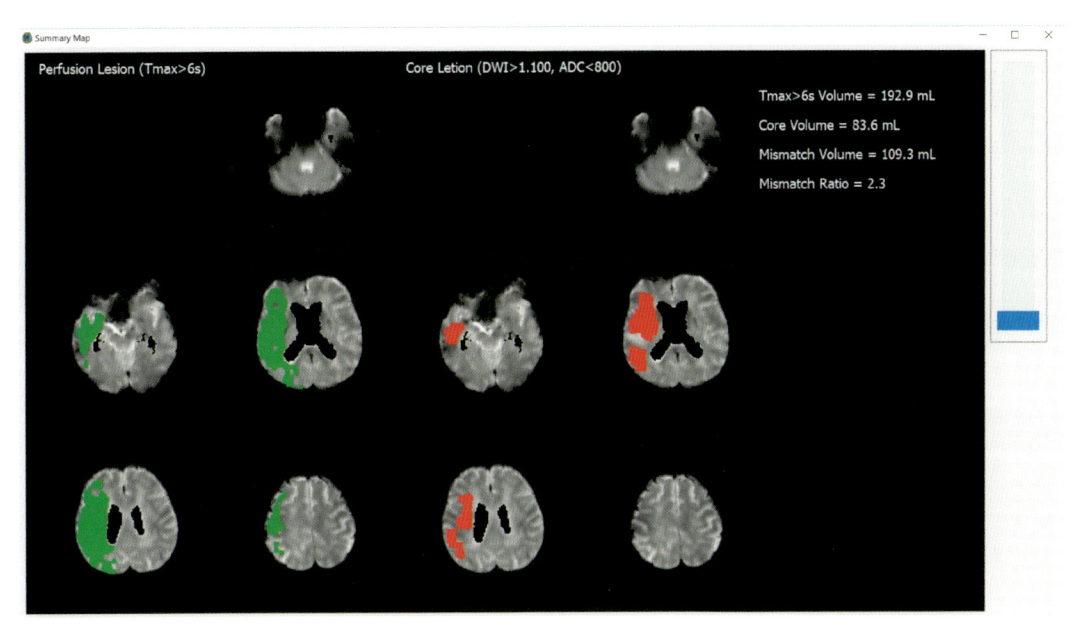

図1 PMA による解析マップ

虚血ペナンブラ（左）と梗塞コア（右）の自動体積測定が行われ，ミスマッチ比が自動計算される．

［文献］

1）Nogueira RG, *et al.* ：Thrombectomy 6 to 24 Hours after Stroke with a Mismatch between Deficit and Infarct. *N Engl J Med* 2018：**378**：11–21.

2）Albers GW, *et al.* ：Thrombectomy for Stroke at 6 to 16 Hours with Selection by Perfusion Imaging. *N Engl J Med* 2018：**378**：708–718.

DP mismatch を CP mismatch でどう代用するか？

杏林大学医学部脳卒中医学　**平野照之**

> ## Essential Point
> ● 急性再開通療法は組織評価で適応を決める tissue-based の時代に入った．
> ● 虚血コアの大きさとその局在が治療後の患者転帰の規定因子となる．
> ● 欧米では灌流画像の自動解析ソフトによる定量評価が主流である．
> ● 日本では Clinical-ASPECTS mismatch を用いた手法が実用的である．

1 急性再開通療法の理論背景

　虚血脳組織の救済可能性は時間経過とともに低下する．これまでは，まず治療可能な時間枠を設定し，その中で有効性・安全性が論じられてきた．すなわち time based selection という手法である．例えば NINDS は 3 時間，ECASS 3 は 3～4.5 時間でのアルテプラーゼ静注，そして HERMES では主に 6 時間という時間枠の中で血栓回収が適する症例を選び出していた．Early time window においては，ほぼすべての症例が治療対象にできるような時間枠が設定されていたわけである．

　DAWN，DEFUSE 3 で採用された late time window での治療コンセプトは根本的に異なる[1,2]．症例個々で虚血脳組織の状態を吟味し，虚血コアが小さく，救済可能性の残る組織（tissue at risk）が十分存在していれば，治療効果が担保される．患者選択に画像所見が極めて重要な枠割を果たし（image-based selection），組織評価に基づく治療戦略（tissue-based strategy）が確立した．もはや発症からの経過時間は不問であり，個人個人で therapeutic time window は異なることになる．

2 画像診断による虚血組織評価

1 ▶ Tissue at risk 領域

　急性期に虚血性ペナンブラを可視化するには灌流画像が必要である．CT 灌流画像（CT-perfusion, CT-P）ではヨード造影剤を，MR 灌流画像ではガドリニウム造影剤をトレーサーとしてダイナミック注入し，Tmax（time-to-maximum：最大濃度到達時間）を求める．Tmax ≧ 6 秒の領域と（次に述べる）虚血コアとの容積差を虚血性ペナンブラと捉える．Astrup らのオリジナル概念[3]とは合致しないが，救急現場でペナンブラを論じるための現実的かつ唯一の方法である．

2 ▶ 虚血コア

　虚血コアの判定にはさまざまな方法がある．ゴールドスタンダードは MRI 拡散強調画像

表1　DWI-ASPECTS と虚血コア体積

	DWI-AS-PECTS	DWI volume (mL)	Sensitivity (%)	Specificity (%)
Terasawa（2010）	≧ 7	≦ 25	96	100
Lin（2011）	≧ 8	<25	90.2	69.0
	≧ 6	<50	73.5	91.1
	≦ 4	≧ 75	71.1	98.2
	≦ 3	≧ 100	77.3	97.7
de Margerie-Mellon（2013）	≧ 7	≦ 70	-	-
	≦ 3	≧ 100	-	-
Schröder（2014）	≦ 6	≧ 100	93.5	87.7
Demeestere J（2017）	<7	≧ 70	74	86

虚血コア体積を ASPECTS で読み替えた研究報告のまとめ．文献 6～10 より引用・作成．

（diffusion weighted image：DWI）の高信号領域である．拡散係数（apparent diffusion coefficient：ADC）値 < 620 × 10^{-6}mm²/ 秒の領域が虚血コアに相当する．とくに late time window では，正確な虚血コアサイズの判定が必須であり，欧米では RAPID（iSchemaView Inc., Redwood, CA）が普及している．

　日本で RAPID は薬事承認を得ておらず，ほとんど導入されていない．現場では Alberta Stroke Program Early CT Score（ASPECTS）[4] を DWI に流用した DWI-ASPECTS でスコア化し半定量評価とすることが多い[5]．虚血コア体積を ASPECTS で読み替えた研究は多数あり（表 1）[6-10]．おおよそ 70 mL が DWI-AS-PECTS 5 点，50 mL が 6 点に相当する．なお，DWI 異常信号の正確な読影に ASIST-Japan の標準化手法を用いる[11]．

　急性期 CT でも虚血コアは early ischemic change（EIC）として描出可能である．ただし脳実質 CT 値のわずかな違いを救急の現場で見極めることはエキスパートであっても難しい．よって CT での急性再開通療法の適応判断には，造影剤を用いた multimodality CT が用いられる．EIC は CTA 元画像（CTA source image：CTA-SI）で，より正確に判断できる．CT-P が撮影できれば脳血流（cerebral blood flow：CBF）閾値（CBF 対側比 < 30 %）から虚血コアを定める．RAPID など画像解析ソフトを利用すれば定量評価も可能である．

3 ▶ ミスマッチ評価のさまざま

　上記の方法論で求めた tissue at risk 体積と虚血コア体積のミスマッチが，治療適応の判断基準となる．ただし統一されたミスマッチ判断基準はなく，各々の研究者が，虚血コアの定義や設定容積，tissue at risk の決め方を

独自に定めている．例えば SWIFT-PRIME は perfusion-imaging mismatch（PIM）を有する症例が対象となったが，その定義は，① 虚血コアが 50 mL 以下，② Tmax > 10 秒の重度灌流異常領域が 100 mL を超えず，③ Tmax > 6 秒の灌流異常域と虚血コアの容積差が 15 mL 以上，かつ，その比が 1.8 倍ある，というものである．同じ PIM を用いた MR RESCUE，EXTEND-IA，DEFUSE 3 とは設定要件が異なる．

一方，DAWN は tissue at risk を画像所見に求めず，NIHSS に反映される脳卒中重症度と虚血コアサイズで定義した clinical-imaging mismatch（CIM）を症例選択の根拠とした．同研究者らは虚血コアサイズを ASPECTS の定性評価に置き換える clinical-ASPECTS mismatch（CAM）という手法も提唱している[12]．

MRI の diffusion-perfusion mismatch から始まったコンセプトであるが，時代を経るにつれ種々の方法論が応用され，同じ "ミスマッチ" でも内容がまったく異なる状況にある．何と何のミスマッチをどういう目的で表現しているか整理しておくべきであろう．

3　虚血コア評価の重要性

本稿のテーマは「DP mismatch を CP mismatch でどう代用するか？」である．論点を明確にするために，まずそれぞれのアルファベットが何を示すかを示しておく．DP mismatch の D は diffusion，すなわち虚血コアを示す．P は perfusion であるが，ここでは灌流異常領域（tissue at risk）を画像診断から求めるという意図である．一方，CP mismatch の C は clinical であり，tissue at risk を臨床情報で評価したことを示す．P は perfusion であるが，ここでは CBF 低下領域で求めた虚血コアを意図している．

さて，急性再開通療法の治療後の転帰には，虚血コアと tissue at risk のどちらが重要であろうか？ 大血管閉塞（large vessel occlusion：LVO）に対する血栓回収療法の進歩は目覚ましく，現在，短時間に有効再開通が得られるようになっている．Tissue at risk は早期に虚血状態から解放することができるわけである．そうなると，最終的に LVO 患者の機能予後決定因子は，虚血コアに帰結する．実際，HERMES のサブ解析から虚血コアサイズと転帰とは負の相関関係にあることが示されており，おおよそ虚血コア 70 mL であれば 3 か月 modified Rankin Scale（mRS）0-2 は 4 割程度で達成できることが予測される[13]．

忘れてはならないのは，虚血コアの局在である．同じコアサイズであっても silent area にあれば神経症候は完全回復が期待できるであろうし，例えば運動野にあれば麻痺の回復は望むべくもない．RAPID に代表される自動解析プログラムで，虚血組織の eloquence は考慮されていない．まったく同じ target mismatch profile で迅速に再開通が得られたとしても，コアの局在によって患者の転帰は大きく異なってくる（図 1）．急性再開通療法で重要なことは Clinical symptom- Core location mismatch であることを強調したい．

4　灌流画像を用いずとも的確な患者選択は可能か？

2018 年の米国心臓協会 / 米国脳卒中協会のガイドラインには，late time window での急性再開通療法には DAWN および DEFUSE 3 の患者選択基準を遵守するよう明記されている[14]．両試験とも虚血コア判定に RAPID を用いており，そのままわが国の現場に持ち込むことは難しい．参考とすべきは DAWN が用いた CIM という方法であろう．

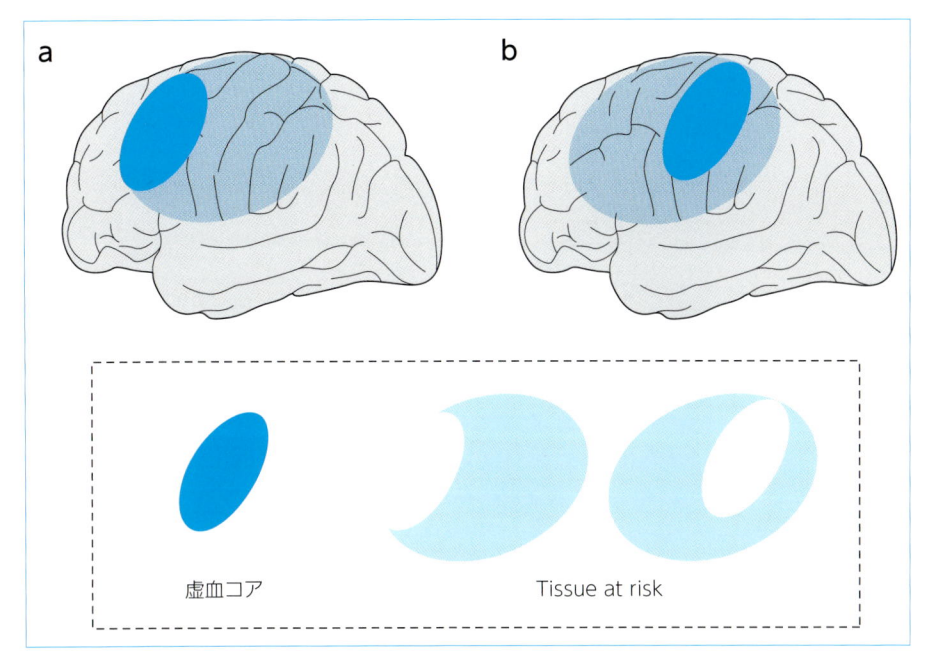

図1　Clinical symptom-Core location Mismatch
同じ target mismatch profile と判定される 2 パターンの概念図．a では虚血コアが運動野を回避しており，b では運動野が含まれる．急性再開通療法が成功したとしても b では麻痺の回復は望めない．

　DAWN の CIM は，年齢別に重症度と虚血コアサイズの設定を変えている．すなわち 80 歳以上では 21 mL 未満（NIHSS ≧ 10），80 歳未満では 31 あるいは 51 mL（それぞれ NIHSS ≧ 10 あるいは≧ 20）というものである[1]．虚血コアサイズを DWI-ASPECTS で置き換えれば，DWI を頻用する日本の実情にあった選択基準，すなわち CAM が考案できよう．このような背景から，日本脳卒中学会・日本脳神経外科学会・日本脳神経血管内治療学会から発表された『経皮経管的脳血栓回収用機器適正使用指針第 3 版』は，治療の推奨グレードを経過時間と DWI-ASPECTS および NIHSS で決定している（図 2）[15]．実際，CAM で選択した患者集団に対する急性再開通療法の転帰は，DAWN 基準の CIM で選択した場合と遜色なかったと報告されている[12]．

5　おわりに

　結論として DP mismatch は CP mismatch で代用可能である．DWI-ASPECTS で虚血コアサイズを数値化し，血管閉塞部位と DWI 異常信号域の局在と神経症候から救済可能性を判断する手法は，脳の機能局在を考慮しない RAPID と比べ，患者予後の改善にはむしろ実効性が高いともいえよう．この手法の妥当であるか，国際標準となりつつある RAPID による定量評価と遜色ないか，について今後検証していく必要がある．

【文献】

1) Nogueira RG, *et al.*: Thrombectomy 6 to 24 hours after stroke with a mismatch between deficit and infarct. *N Engl J Med* 2018：**378**：11-21.
2) Albers GW, Marks MP, Kemp S, et al: Thrombectomy for stroke at 6 to 16 hours with selection by perfusion imaging. N Engl J Med. 2018：378：708-718.
3) Astrup J,*et al.*: Thresholds in cerebra ischemia – the ischemic penumbra. *Stroke* 1981：**12**：723-725.

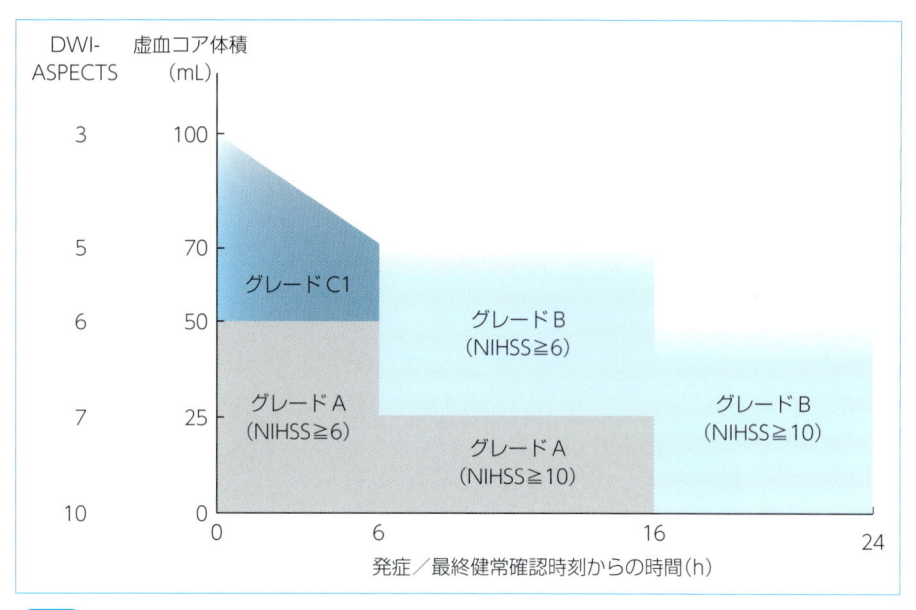

図2 経皮経管的脳血栓回収機器適正使用指針第3版
発症／最終健常確認時間からの経過時間と虚血コア体積に応じて，治療の推奨グレードを層別化している．虚血コア体積は日本の実情を踏まえ DWI-ASPECTS で読み替えることも念頭においた指針となっている．

（文献 15 より引用）

4）Barber PA, *et al.*: Validity and reliability of a quantitative computed tomography score in predicting outcome of hyperacute stroke before thrombolytic therapy. ASPECTS Study Group. Alberta Stroke Programme Early CT Score. *Lancet* 2000；**355**：1670-1674.

5）Nezu T, *et al.*: Pretreatment ASPECTS on DWI predicts 3-months outcome following rt-PA: SAMURAI rt-PA Registry. *Neurology* 2010；**75**：555-561.

6）Terasawa Y, *et al.*: Could clinical diffusion-mismatch determined using DWI ASPECTS predict neurological improvement after thrombolysis before 3 h after acute stroke? *J Neruol Neurosurg Psychiatry* 2010；**81**：864-868.

7）Lin K,*et al.*: What ASPECTS value best predicts the 100-mL threshold on diffusion weighted imaging? Study of 150 patients with middle cerebral artery stroke. *J Neuroimaging* 2011；**21**：229-231.

8）de Margerie-Mellon C, *et al.*: Can DWI-ASPECTS substitute for lesion volume in acute stroke? *Stroke* 2013；**44**：3565-3567.

9）Schröder J,*et al.*: Validity of acute stroke lesion volume estimation by Diffusion-Weighted Imaging-Alberta Stroke Program Early Computed Tomographic Score depends on lesion location in 496 patients with middle cerebral artery stroke. *Stroke* 2014；**45**：3583-3588.

10）Demeestere J, *et al.*: Evaluation of hyperacute infarct volume using ASPECTS and brain CT perfusion core volume. *Neurology* 2017；**88**：2248-2253

11）Hirai T, *et al.*: Diffusion-weighted imaging in ischemic stroke: Effect of display method on observers' diagnostic performance. *Acad Radiol* 2009；**16**：305-312.

12）Bouslama M, *et al.*: Selection paradigms for large vessel occlusion acute ischemic stroke endovascular therapy. *Cerebrovasc Dis* 2017；**44**：277-284.

13）Goyal M, *et al.*: Endovascular thrombectomy after large-vessel ischaemic stroke: a meta-analysis of individual patient data from five randomised trials.*Lancet* 2016；**387**：1723-1731.

14）Powers WJ, *et al.*: 2018 guidelines for the early management of patients with acute ischemic stroke. A guideline for healthcare professionals from the American Heart Association/American Stroke Association. *Stroke* 2018；**49**：e46-e99.

15）日本脳卒中学会，日本脳神経外科学会，日本脳神経血管内治療学会：経皮経管的脳血栓回収用機器 適正使用指針 第3版.脳卒中 2018；**40**：285-309.

III　新時代を迎えた急性再開通療法

B．1 pass TICI3 への道

① Trevo Provue

京都第一赤十字病院脳神経・脳卒中科　**今井啓輔，濱中正嗣**

***E**ssential Point*

- 急性期脳梗塞の機械的血栓除去術の最終目標は短時間での安全な「1 pass TICI3」である．
- Stent-retriever の Trevo による血栓除去術で上記目標を達成するには，ステントのサイズ選択と展開位置・方法，回収方法が重要となる．
- Combined technique も含めた手技中で最適なものを症例ごとに選択する．

***T**echnique*

　Combined technique には Trevo と中間カテーテルを一緒に回収する手技(unite technique)と，別々に回収する手技(separate technique)の2通りがあり，前者は血栓を中間カテーテルで迎えに行く方法と，ステントにて同カテーテル内に引き入れる方法の2つに分かれる．

① はじめに

　急性期脳梗塞の血栓除去術にて患者の予後を改善するには，機器と手技，戦術に各術者が習熟し，迅速・完全・安全な再開通，すなわち "1 pass TICI3" を達成することが求められる．一方，Trevo® XP PROVUE RETRIEVER (Stryker．以下 Trevo)を用いた血栓除去術は最終未発症確認時刻から6〜24時間の脳梗塞例でも，各種条件を満たせば有用との臨床研究の結果[1]を受け，今後，血栓除去術の対象として側副血行のより発達した動脈硬化性病変が多く含まれる可能性がある．本稿では，"1 pass TICI3" に向けた Trevo での血栓除去術について筆者らの経験をもとに概説する．

② Trevo のサイズ選択と展開位置・方法，回収方法

　Trevo は 1 pass にて TICI3 38％，TICI2 b-3 60％の再開通率が実臨床で確認されており[2]，その struts の視認性から動脈硬化性病変の潜在時にも有用となる．Trevo 使用時のポイントを下記に要約するが詳細は前書[3]に譲る．サイズとして XP6(6.0 mm 径，25 mm 長)，XP4(4.0 mm 径，20 or 30 mm 長)，XP3(3.0 mm 径，20 mm 長)の4種類があり，前方循環の ICA〜M1 閉塞には XP6，M2 本幹閉塞には XP4，M2 末梢〜M3 閉塞には XP3を選択する．血栓位置が各ステントのアクティブゾーンの中心にくるように展開する．ただし，M2-M3 や ACA，PCA の閉塞に XP3展開時は，同ゾーンのやや遠位側になったと

してもステントが血管蛇行部に2ターン以上かからないように留意し，適宜 half-deployment も使用する[4]．M2遠位部閉塞では struts 外側での血栓捕捉にも期待し1 pass 目は直線状の血管に展開することもある[5]．ステントの展開方法には "push&fluff technique" と "push&pull technique" の2通りがあり，XP6とXP4では前者，XP3では後者を用いる．回収方法には full-open のままとマイクロカテーテルによる half-resheath 後の2種類があり[3]，蛇行血管では後者を用いる．

3 Trevo と中間カテーテルによる "combined technique"

Combined technique には Trevo と中間カテーテルを一緒に回収する手技（unite technique）と，別々に回収する手技（separate technique）の2通りがある．前者には血栓を中間カテーテルで迎えに行く方法（Trevo の struts の形状変化や aspiration tube 内の逆血停止を参考．いわゆる CAPTIVE 法[6]）と，血栓をステントにて同カテーテル内に引き入れる方法（術者が抵抗を感じた時点から unit として回収開始）の2種類がある（神戸市立中央市民病院脳神経外科の今村博敏先生のご意見）．

中間カテーテルとして，ICA や M1 に XP6/XP4 展開時には Penumbra Reperfusion Catheter System（Penumbra 社；以下 PS）の ACE68（PS-ACE68）や PS-ACE60 を，M2,ACA,PCA に XP3/XP4 展開時には PS-4 MAX を，M3 などより遠位部に XP3 展開時には PS-3 MAX を用いる．PS-ACE68/ACE60/4 MAX では ICA サイフォンを安全に越えさせるために，先端をあらかじめ steam shape する．J字に変形した付属マンドリルを PS 先端に差し込み，表裏計40秒蒸気をあてる．筆者らは PS 先端からやや手前に約45度に

曲げる方式であるが，先端をより急峻に曲げる方式（広島市立広島市民病院脳神経外科の廣常信之先生のご推奨）もある．

PS はマイクロカテーテル（XP6 では Excelsior XT27 Microcatheter．Stryker）とマイクロガイドワイヤーを軸として進めていくが，ICA サイフォン部を越えにくい際には無理をせずに Trevo 展開後に進めるようにする（stent-anchoring technique）．いずれの combined technique でも，PS を血栓近位部まで進めた段階でマイクロカテーテルを抜去し，PS のハブに Y コネと aspiration tube を接続しポンプ吸引を開始する．ステント回収中はバルーンガイドカテの同軸バルーン拡張下での同カテ経由のシリンジ吸引を併用する．

4 Trevo による combined technique の具体例

M1-2 に跨がる長い血栓（図1）による閉塞例で血栓を一塊として回収するには，遠位側の XP6 と近位側の ACE68 で挟み込む "unite technique" が適している．PS-ACE68/60 留置時にはバルーンガイドカテーテル経由の造影が不十分となり，一時的血流再開（IFR）が得られても血栓とステントの位置関係がわかりにくいことがあるが，Trevo では透視像の struts の "くびれ"（図1e，f ＊印）から IFR と無関係に血栓位置を推定でき，PS-ACE68 先端の位置決めがしやすい．

一方，動脈硬化性病変が否定できない例での（図2）1 pass 目には，ステントを PS のサポート下で展開し PS 内に回収する "separate technique" が適している．これにより動脈硬化性病変にステントを展開した際に危惧されるステントの回収困難や血管損傷のリスク低減につなげる．Trevo では透視像の struts の "くびれ"（図2h，i の＊印）から血栓・狭

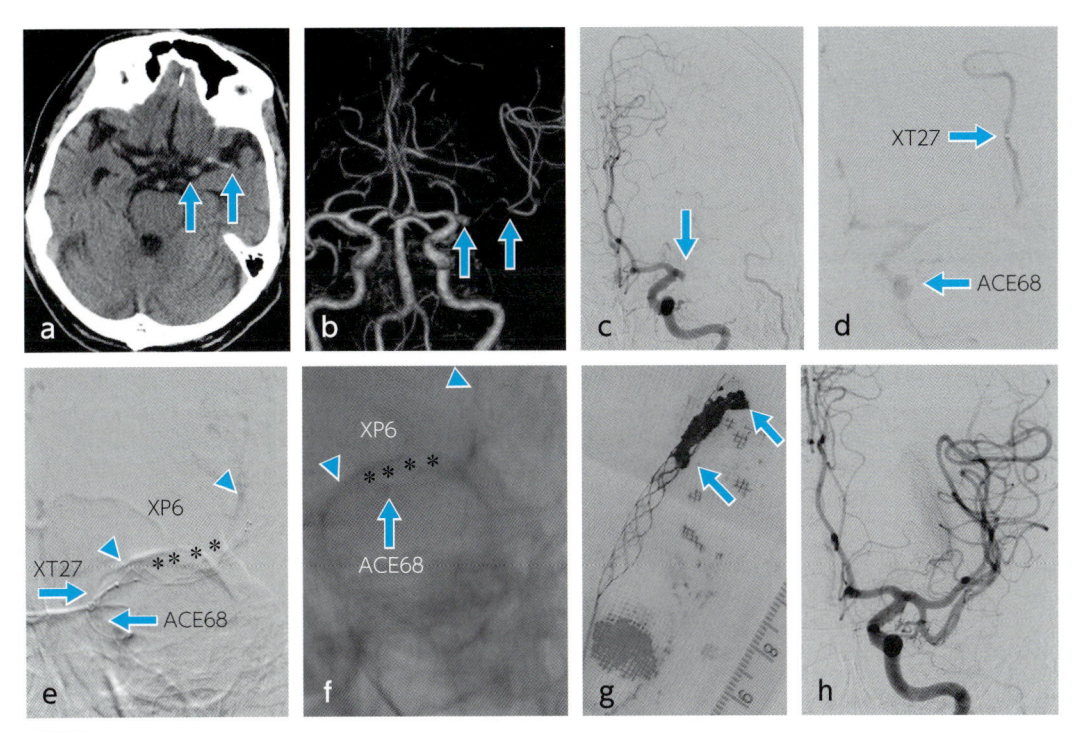

図1　左 M1 近位部閉塞に対する Trevo XP6+PS-ACE68 の combined（unite）technique

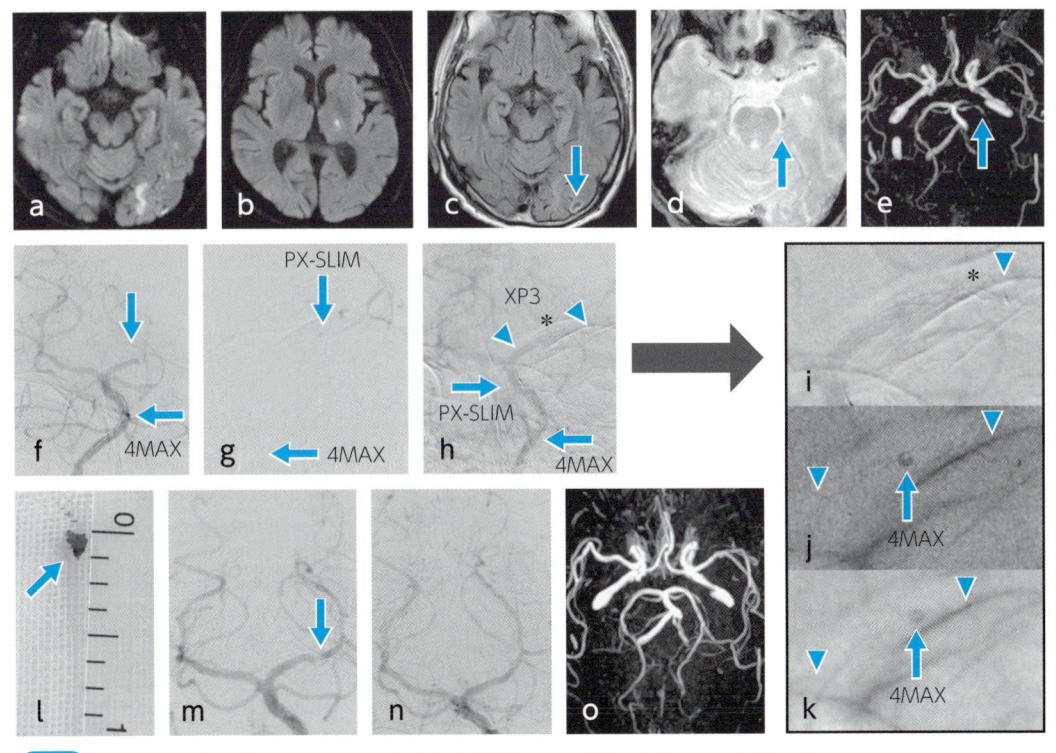

図2　左 PCA 閉塞に対する Trevo XP3+PS-4 MAX の combined（separate）technique

窄部位を推定でき，half-resheath も併用しやすくなる．遠位血管（M2 や ACA，PCA）では血栓量が比較的少ないため，ステントは PS 内に回収するが，抵抗を感じた際には速やかに unite technique に移行する．

■**症例 1：78 歳男性**（図 1）

　発作性心房細動と高血圧症あり．傾眠，全失語，右不全片麻痺で NIHSS 18 点．AS-PECTS 8 点，O2D 21 分，D2P 39 分．単純 CT にて左被殻と左島皮質の淡い低吸収域（提示なし），左 MCA 水平部（M1）全長の hyper-dense MCA sign（a 矢印），CTA にて左 M1 完全閉塞（b 矢印）と左 ACA 側副血行経由の逆行性の左 MCA 島部（M2）の描出．DSA にて左 M1 近位部閉塞（c 矢印）と診断．PS-ACE68 とともに XT27 を進め，前者を ICA 海綿静脈洞部（d 矢印），後者を左 M2（d 矢印）に留置し両者で sandwich 造影（d）．XP6（e 矢頭）を push&fluff 法にて展開すると，XT27 は ICA 内に押し戻され（e 矢印），その後の造影にて IFR が確認（e）．PS-ACE68 先端を血栓近位端まで進めてから（f 矢印）XT27 を抜去し，Y コネを PS-ACE68 ハブに接続し aspiration tube を繋ぎポンプ吸引を開始．90 秒後に XP6 と PS-ACE68 を unite technique（CAPTIVE 法）で回収．その際，XP6 の struts のくびれ（e，f の＊印）から血栓位置を推定．血栓が回収され（g 矢印），直後の造影（h）で左 MCA は完全再開通（1 pass TICI3；P2R 28 分）．術後 CT で頭蓋内出血なし．

■**症例 2：75 歳男性**（図 2）

　発作性心房細動なし，高血圧症あり．右同名半盲，右不全片麻痺，右半身感覚低下で NIHSS 7 点．Pc-ASPECTS（MRI）8 点，O2D 1320 分（22 時間），D2P 40 分．MRI-DWI で左後頭葉と左視床の高信号域（a,b），FLAIR で左 PCA 領域の陳旧性梗塞巣（c 矢印），T2＊で左 P1-2 の SVS（d 矢印），MRA で左 P1-2 閉塞（e 矢印）．DSA にて左 P1-2 閉塞（f 矢印）と診断．PS-4 MAX とマイクロカテーテル（PX-SLIM，メディコスヒラタ）を進め，前者を BA 内（g 矢印），後者を左 PCA 内（g 矢印）に留置し後者より造影．PX-SLIM を BA 内に引き戻しながら（h 矢印）push&pull 法で XP3（h〜k 矢頭）を展開すると IFR が確認（h，i；i は h の拡大写真）．PS-4 MAX 先端を stent-anchoring technique にて左 PCA 内まで進め，PX-SLIM の抜去後，Y コネを PS-4 MAX のハブに接続し aspiration tube を繋ぎポンプ吸引開始．XP3 を separate technique で回収（j，k；透視画像）．その際，XP3 の struts のくびれ（h，i の＊印）から血栓／狭窄位置を推定．血栓が回収され（l 矢印），左 PCA は完全再開通（1 pass TICI3；P2R 30 分）するも血栓／狭窄が残存（m 矢印）．30 分間待機で変化なく，Xper CT で頭蓋内出血のないことを確認後にアスピリンを投与し手技終了．術後 2 日目に発作性心房細動がみつかり抗凝固療法を開始し，1 週間後の DSA（n）と MRA（o）で左 PCA 残存狭窄がないことを確認後にアスピリンを休止．

5　おわりに

　Trevo での血栓除去術について筆者らの経験を中心に概説した．血栓除去術において複数回の pass を繰り返した際には，狩猟時の"手負い猪"の如く"手負い血栓"や"手負い血管"となり，再開通に難渋することになる．閉塞病変を"一発で仕留める"，すなわち"1 pass TICI3"を達成するために，術者には Trevo の特性の十分な理解と combined technique を含めた手技への習熟が求められる．

［文献］
1) Nogueira RG, *et al.*：Thrombectomy 6 to 24 hours after stroke with a mismatch between deficit and infarct. *N Engl J*

Med 2018；**378**：11-21.

2）Binning MJ, *et al.*：Trevo 2000：Results of a large real-world registry for stent retriever for acute ischemic stroke. *J Am Heart Assoc* 2018；**7**：e010867.

3）今井啓輔，他：Trevo XP. 坂井信幸，他編. 脳血管内治療の進歩ブラッシュアップセミナー2017. p.211-215. 診断と治療社.

4）今井啓輔，濱中正嗣. M2閉塞の新たな治療戦術を実現できる Trevo® XP3 ProVue Retriever.　http://www.stryker. co.jp/nvppost/treta-vol-9/, 2017.

5）Ioku T, *et al.*：A case of mechanical thrombectomy with stent-retriever avoiding vessel linearization for occluded tortuous distal branch of middle cerebral artery（M2）. *Journal of Neuroendovascular Therapy* 2016；**10**：218-224.

6）McTaggart RA, *et al.*：Continuous aspiration prior to intracranial vascular embolectomy（CAPTIVE）：a technique which improves outcomes. *J NeuroIntervent Surg* 2016；**8**：1-6.

2 Revive SE

西湘病院脳神経外科　**竹内昌孝**

> ***E*ssential Point**
>
> ● Revive SE は，クローズドエンドデザイン，セクション別で異なるセルサイズ・ストラット構造，同心状のバスケットワイヤーが最大の特徴である.
> ● 出血性合併症や遠位塞栓を可能な限り軽減したデザインとなっている.
> ● 対象血管径は 1.5 mm から 5.0 mm であり，最大展開回数は 5 回である.
> ● 血栓位置を評価し，的確な位置にデバイスを展開することが重要である.

1　はじめに

　ステント型デバイスの最大の利点は，誘導性に優れ閉塞部位で迅速に展開が可能なことである．しかし，血栓量が多い場合には血栓を飛散させる可能性があり，また，遠位部位での展開は血管牽引による出血性合併症などの考慮が必要である．デバイスの特性を熟知し回収を試みることが肝要である．

　1 Pass にて TICI3 を得るため必要な条件として，血栓に対し的確なステント展開をすることが重要である．ステント展開と血栓評価に関し，筆者らの経験から概説する.

2　Revive SE の構造と特徴

　遠位側はクローズドエンドデザインとなっており，血栓の遠位塞栓リスク低減を意図したセルサイズとなっている（図 1a）．中央側のストラットは，幅が小さく，厚みが大きいデザインとなっており，血栓の捕捉性，保持性に寄与している（図 1b）．また，近位側はストラットの幅が大きく血液の通過性にすぐれている（図 1c）.

　バスケットとワイヤーが一体化され，両端がテーパー状の構造となっている．同心状であるため，展開時には均一な拡張力，回収時には均一な牽引力となり，血管へ掛かる抵抗を軽減している.

3　Revive SE の基本手技

■症例：75 歳男性

　右 M2 閉塞，NIHSS12．局所麻酔下，右大腿動脈穿刺にて 9 Fr ロングシース留置した．OPTIMO 9 Fr（90 cm 東海メディカルプロダクツ）を coaxial カテーテル先行にて右内頚動脈へ誘導した．閉塞部位確認後，Revive SE を展開した．展開後に flow restoration が得られたが，血栓に対し的確な位置に Revive SE の中央側が展開されていないことが確認された（図 2a）．順行性の血流を遮断後，吸

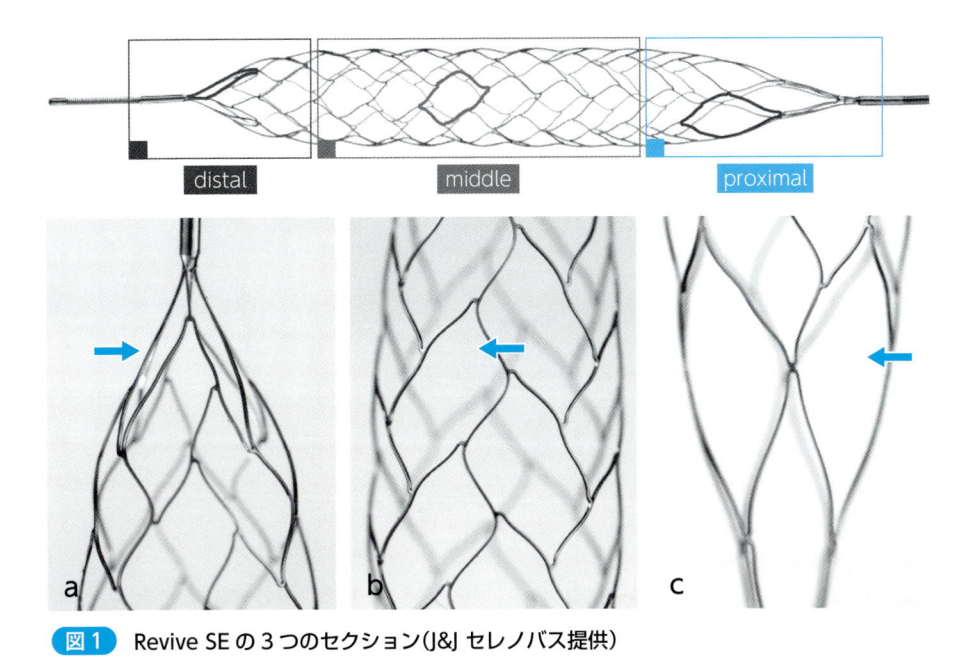

distal middle proximal

図1 Revive SE の 3 つのセクション（J&J セレノバス提供）

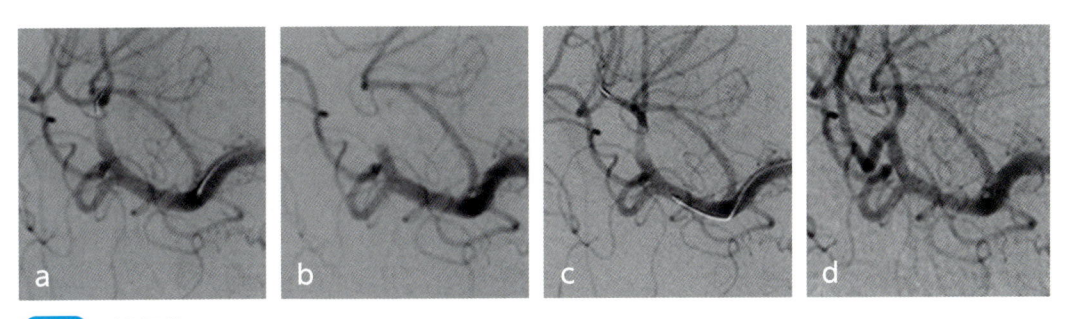

図2 症例画像
a 1 pass 時，血栓はステント遠位側に位置（矢印：血栓）．
b 再開通は得られなかった．
c 2 pass 時，より遠位から展開し，血栓はステント中央側に位置（矢印：血栓）．
d 再開通が得られた．

引をかけながら Revive SE を回収したが，再開通が得られなかった（図 2b）．2 pass 時には，1 pass 時の flow restoration 画像を参考に，より遠位から Revive SE の中央側が血栓に一致するように展開した．Flow restoration 画像においても Revive SE 中央部に血栓があることを再確認した（図 2c）．同様手技にて Revive SE を回収すると TICI 3 が得られた（図 2d）．

***P**itfall*

Revive SE は 3 つのセクションに分割されている．血栓を確実に捕捉するためには，血栓に対しステント中央側を的確に一致させなければならない．

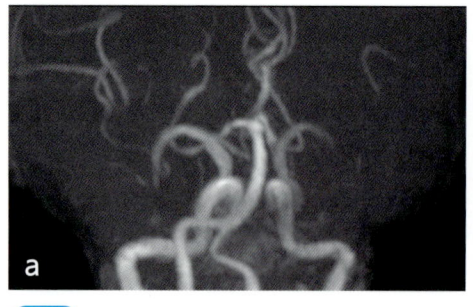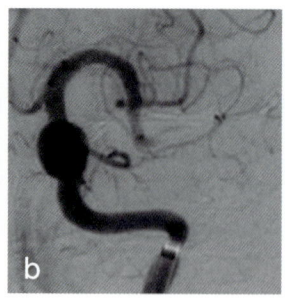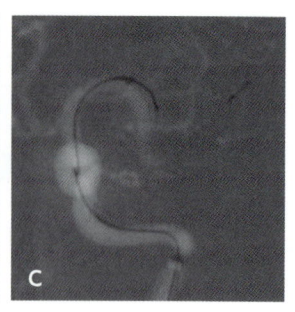

図3 蛇行血管での使用

a：MRA にて両側中大脳動脈の蛇行を認めた.
b：左中大脳動脈の蛇行が強かった.
c：Revive SE は同心状であり，展開後，血管偏位が軽度であった.

4 Revive SE はここで使う

　ステント型デバイス回収時における出血性合併症に，中大脳動脈の血管蛇行が関与する報告がある[1]．左中大脳動脈閉塞を示す（図3）．健側である右中大脳動脈の血管走行から，病側である左中大脳動脈においても同様の血管蛇行が予想された．また，この部位の閉塞では M2 遠位からの展開が必要であり，出血性合併症が懸念される．Revive SE は同心状のバスケットワイヤーによる均一な牽引力であるため，中間カテーテルを併用し，ゆっくり回収することで出血性合併症を低率にすることが可能であると考えられる.

5 1pass TICI3 へのテクニカルチップス

1 ▶ ステント展開位置

　ステント型デバイスにて flow restoration 時に得られた血栓位置を筆者らが解析した結果，閉塞部位が蟹爪状に描出された場合は，その近傍に血栓が位置しており（図 4a），先細りに描出された場合は，やや遠位に血栓が位置していることが多い（図 4b）．1 pass 時のス

テント展開位置の参考としている.

　M1 遠位閉塞では，ステント型デバイスをM2 から展開する必要がある．1 pass にて再開通が得られない場合は，血栓とステント型デバイスの位置関係が不良であることが考えられる．2 pass 時は，同じ手技を繰り返すのではなく，もう一方の分枝血管から展開を試みる（図 5）.

2 ▶ SVS によるデバイス選択

　SVS（susceptibility vessel sign）は，MRI 画像において血管内に一致した塞栓子や血栓が描出される sign である[2]．筆者らは，術前 SVSが確認された M1 閉塞において，SVS 全長とステント型デバイス単独による再開通率を検証した（図 6）．SVS の全長は血栓量と比例関係にあり，SVS が 16 mm 以上ではステント型デバイス単独における再開通の限界と判断し，1 pass 時から吸引型デバイスを併用して

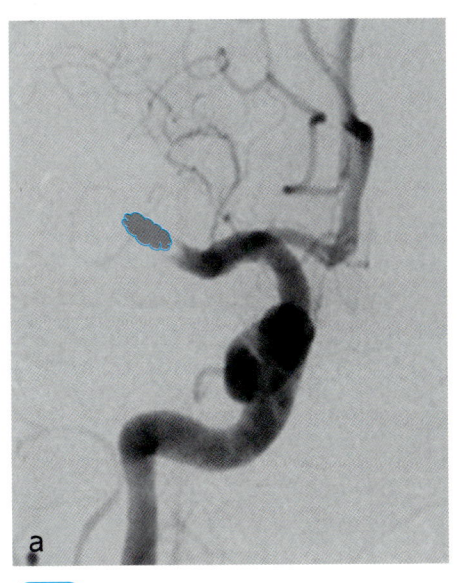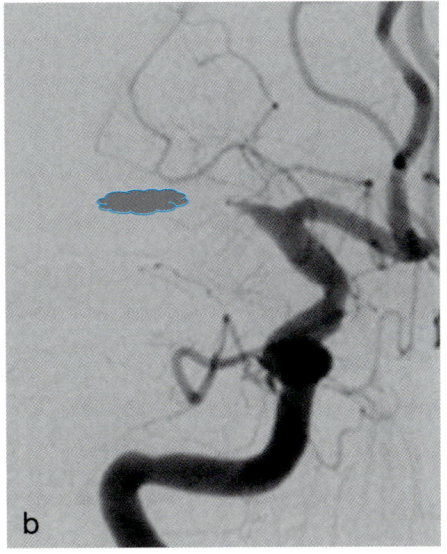

図4 閉塞部位画像と血栓位置

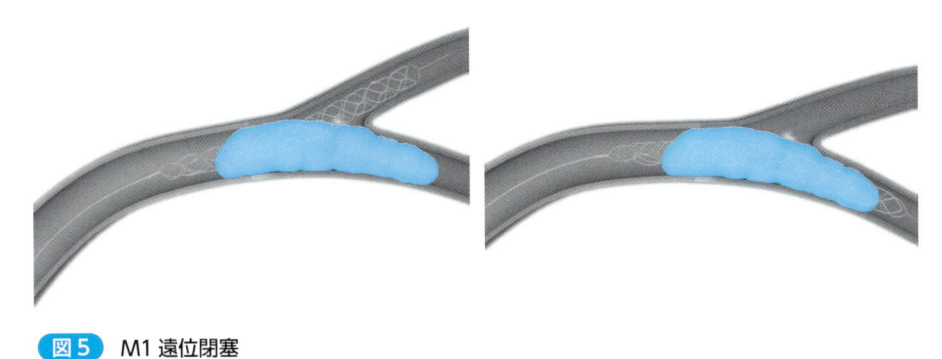

図5 M1 遠位閉塞
血栓とステント型デバイスの位置関係.

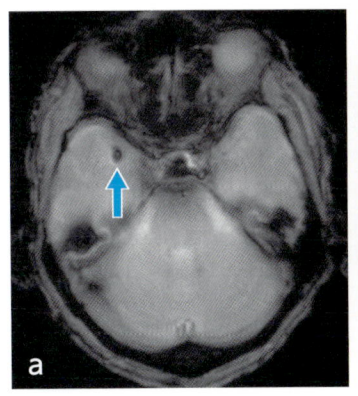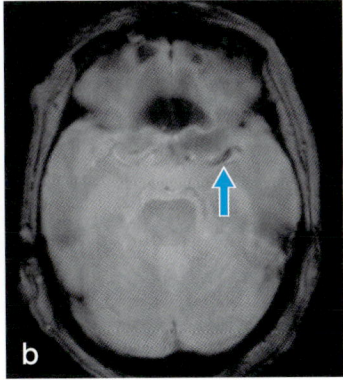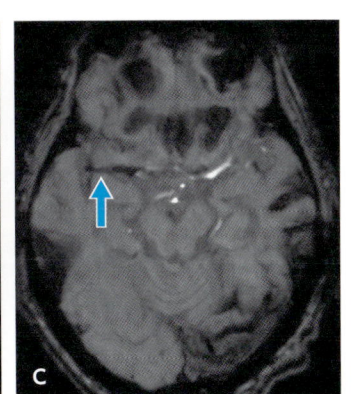

図6 SVS(矢印)全長とステント型デバイス単独での再開通率
M1 閉塞 157 例の検討(筆者施設).
a:SVS10 mm 以内の再開通率(94/97)97.0 %.
b:SVS11〜15 mm の再開通率(27/47)57.4 %.
c:SVS16 mm 以上の再開通率(1/13)7.7 %.

いる.

> **Check Point**
>
> SVS は病型診断にも汎用される．MRI が術前に撮像可能な施設であれば，血栓の大きさと位置を評価する検査として有用である．しかし，欠点として内頚動脈の塞栓子や血栓は，空気のアーチファクトによりSVS として描出不可能である．

6 おわりに

　ステント型デバイスは，単純に閉塞部位の近傍で展開するのではなく，血栓の大きさと位置を評価し，常に血栓に対し狙いを定めステント展開を心がけることが 1 pass TICI 3 への近道である．

［文献］

1) Shirakawa M, *et al.*：Relationship between hemorrhagic complication and target vessels in acute thrombectomy. *J Stroke Cerebravasc* 2017；26：1732-1738.
2) 竹内昌孝，他：脳血管内治療学．宮地茂（編），放射線診断学：撮影法－治療上有用な特殊撮影法－第 1 版，メディカ出版，2018；148-149.

3 Penumbra system

兵庫医科大学脳神経外科学講座　**吉村紳一**

> **Essential Point**
>
> ● Penumbra system を用いて 1pass TICl3 を達成するためには以下の点に注意する.
> ① 誘導時に血栓を壊さず，遠位に移動させないようにする.
> ② できるだけ太い吸引カテーテルを使用する.
> ③ 血栓にやや食い込ませてポンプの最大圧で 90 ～ 120 秒吸引する.
> ④ やや食い込ませてから回収する.
> ⑤ バルーンを拡張してガイディングカテーテルからも吸引する.

1 はじめに

　複数の臨床研究において動脈穿刺からできるだけ早いタイミングで再灌流を得ることが，よい転帰につながることが示され，ガイドラインでも時間の短縮の重要性が強調されている[1]. 一度の血栓回収手技（1 pass）で完全再開通，つまり Thrombolysis in Cerebral Ischemia（TICI）3 が得られれば，時間が短縮され，しかも栓子の移動による病状悪化も回避できる. ここでは Penumbra system（ペナンブラ社）を用いて 1 pass で TICI3 を得るための工夫について紹介する.

2 Penumbra system における開通率

　最近では Penumbra system による血栓回収は ADAPT technique（a first pass technique）で行われるのが主流となっている[2]. まず，過去の報告における ADAPT technique での開通率を見てみよう. ステントリトリーバーとの比較試験である Aster trial においては[3], modified TICI 3 は ADAPT 群（$n = 192$）で 55 例（28.7 %），Stent retriever 群（$n = 189$）で 67 例（35.5 %）と，両群に有意差はなかった（Odds ratio：0.73，95 % CI：0.54-1.13，$p = 0.16$）. この数値は対象症例や対象血管，血栓の組成によって変わるため，臨床現場では状況によって回収法を変更することが多い. 今回は ADAPT technique をまず試みるという前提で，一度の血栓回収手技（1 pass）後の完全再開通率をどう上げるかという点にフォーカスしてみたい.

3 Guiding catheter の選択と誘導

　わが国では ADAPT technique においてもバルーン付きガイディングカテーテルが用いられることが多い. これは欧米のスタンダー

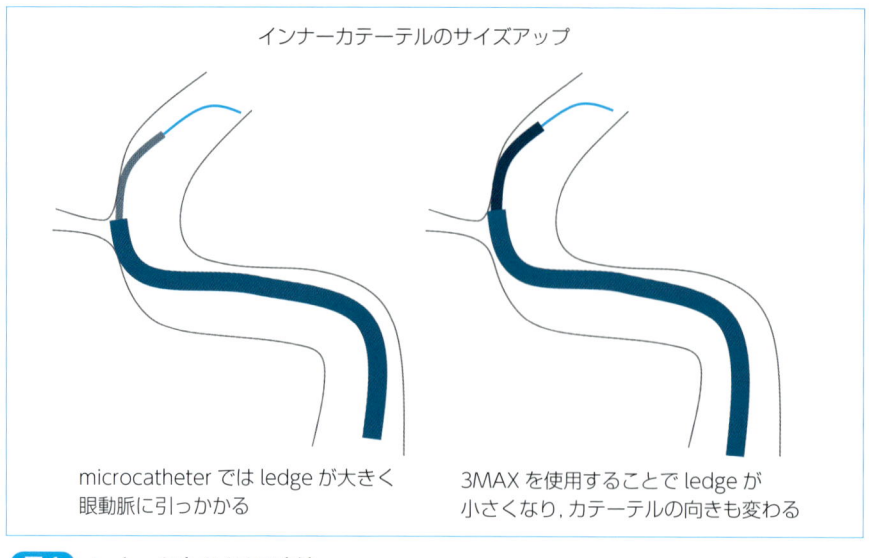

インナーカテーテルのサイズアップ

microcatheter では ledge が大きく
眼動脈に引っかかる

3MAX を使用することで ledge が
小さくなり，カテーテルの向きも変わる

図1 Ledge を小さくする方法

ドテクニックとは異なるが，わが国では大口径の 9 Fr ガイディングカテーテル（9 Fr Optimo, 東海メディカル，など）が使用可能であり，末梢塞栓を減らすことに貢献していると考えられる．われわれの臨床経験において欧米よりも ADAPT の再開通率が高いのはバルーン付きガイディングカテーテルを使用していることによる可能性がある．

一方，type 3 aorta や bovine arch，近位血管の高度屈曲などによりバルーン付きガイディングカテーテルの誘導困難が予想されるケースもあるが，そのような症例の多くではいくつかのテクニックをマスターすることで誘導できるようになることが多い．本シリーズで紹介しているので参考にしていただきたい[4]．いかに迅速にガイディングカテーテルを誘導できるかが治療の成否を分けるため，普段からしっかりと修練を積むことを勧めたい．

4 Penumbra system の誘導

さて，1 pass で血栓を完全に回収するためにはできるだけ太い吸引カテーテル（Penumbra ACE 68 など）を使用することが極めて重要で，この太いカテーテルを血栓の近位まで迅速に誘導する必要がある．通常，ガイディングカテーテルは内頚動脈に設置されるので，ACE 誘導の際に問題となるのは眼動脈などの分枝に ACE68 とインナーカテーテルとの段差（ledge）が引っかかることである．これを解消するために以下のテクニックがある．

1 ▶ ledge を小さくする方法（図 1）

インナーカテーテルのサイズアップ，つまり 3 MAX をインナーに使用することで ACE の ledge を小さくすることができる．何らかの事情で 3 MAX を使用できないときにはできるだけ太いマイクロカテーテル（Tactics など）を使用するとよい．

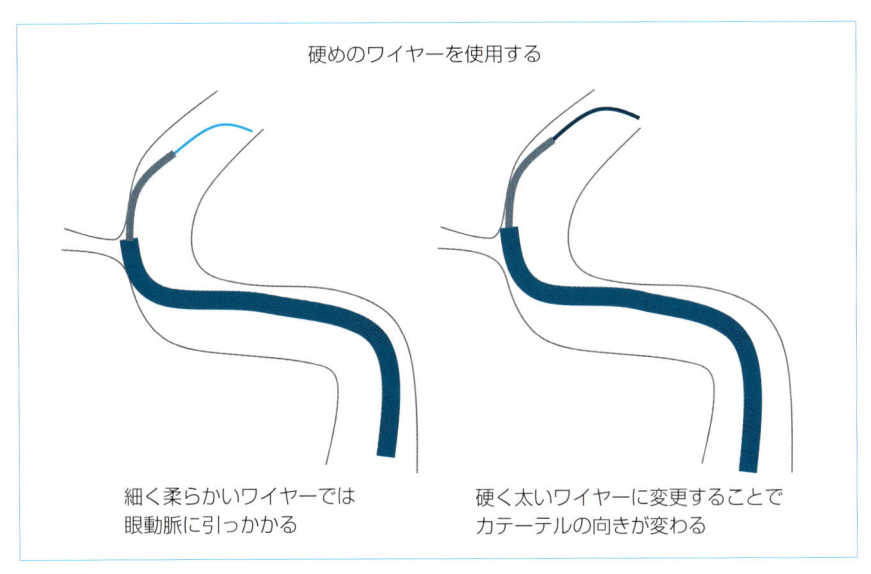

硬めのワイヤーを使用する

細く柔らかいワイヤーでは
眼動脈に引っかかる

硬く太いワイヤーに変更することで
カテーテルの向きが変わる

図2　Ledge を shift させる方法－その1

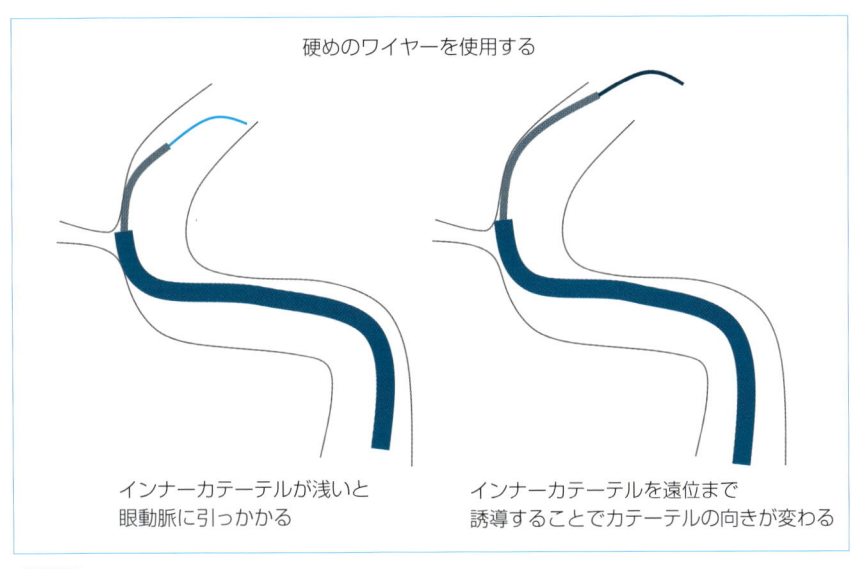

硬めのワイヤーを使用する

インナーカテーテルが浅いと
眼動脈に引っかかる

インナーカテーテルを遠位まで
誘導することでカテーテルの向きが変わる

図3　Ledge を shift させる－その2

2 ▶ ledge をshiftさせる方法—その1（図2）

硬めのワイヤーを使用するとシステムが直線化して ledge の位置が変わり，誘導しやすくなることが多い．

3 ▶ ledge をshiftさせる方法—その2（図3）

インナーカテーテル（3 MAX など）をより遠位に誘導することで ledge の位置が変わり，誘導しやすくなることが多い．

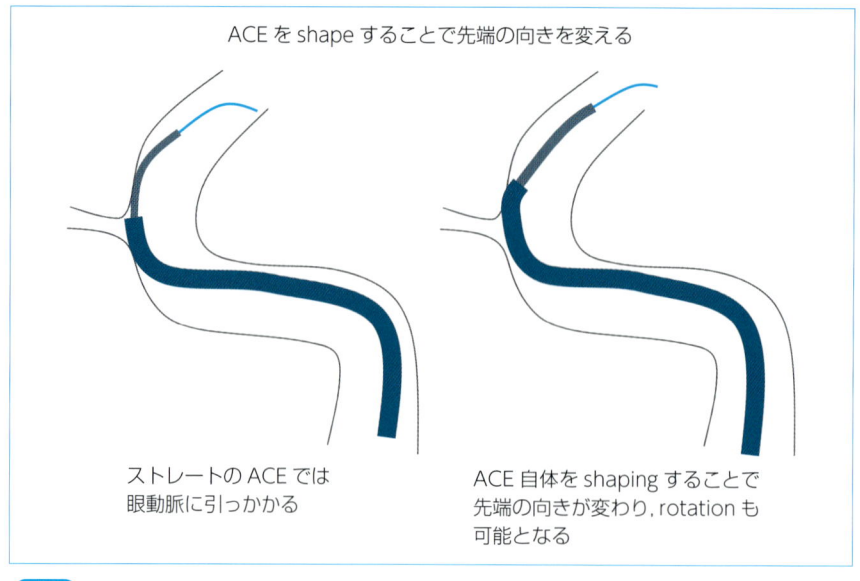

ACE を shape することで先端の向きを変える

ストレートの ACE では
眼動脈に引っかかる

ACE 自体を shaping することで
先端の向きが変わり，rotation も
可能となる

図4 Ledge を shift させる－その3

4 ▶ ACE を shape する [1, 2]（図4）

通常のカテーテルシェイピングと同様，あらかじめ ACE を軽く shape しておくと誘導しやすくなる．

5 ▶ ガイディングのバルーンを inflate して安定化させる（図5）

この方法は簡便で有効であるが，ledge を解消しない状況で行うと ACE の先端で血管解離をきたすことがあるので注意する．

以上の工夫で多くの症例では誘導が可能である．この際，閉塞部位に 3 MAX を通すと栓子を遠位に移動させてしまうことがあるので注意する．また上記の方法で誘導不可能な場合，本項の主旨とは離れるが，ステントリトリーバーを先行させ，それを展開してアンカーにして誘導する方法もある．

> **C**heck Point
> Penumbra system を用いて 1 pass TICI3 を達成するためには，誘導時にワイヤーやインナーカテーテルで血栓を壊したり，遠位に移動しないことが重要である．

5 Penumbra system による吸引

Delgado らにより ADAPT で高い再開通を得る工夫が報告されている[5]．

① できるだけ太い吸引カテーテルを使用する（M1 から内頚動脈では ACE 68 を使用する）．

② On/Off スイッチを外して直接コネクトする（図6）．スイッチ部分の内腔が狭いため，そこで血栓がチューブを閉塞するのを避ける．

③ 血栓にやや食い込ませてポンプの最大圧で 90 ～ 120 秒吸引する．

④ その後，ACE を少し先進させてさらに

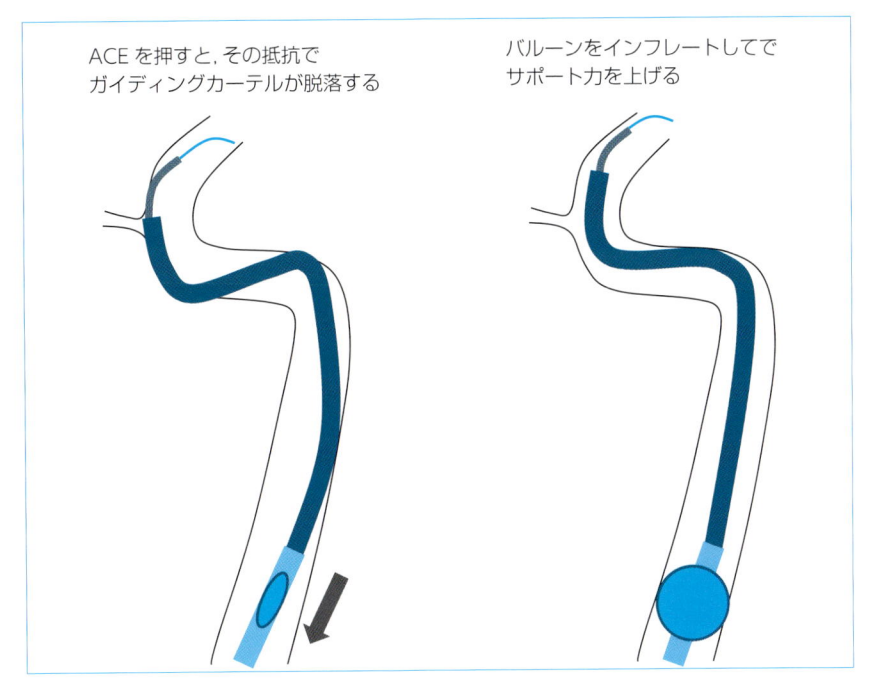

ACE を押すと，その抵抗で
ガイディングカーテルが脱落する

バルーンをインフレートしてで
サポート力を上げる

図5　ガイディングのバルーンを inflate して安定化させる

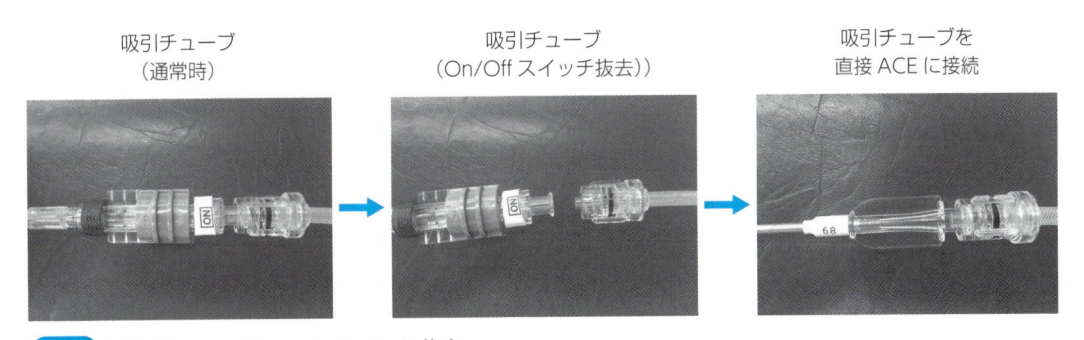

吸引チューブ
（通常時）

吸引チューブ
（On/Off スイッチ抜去）)

吸引チューブを
直接 ACE に接続

図6　吸引チューブの On/Off スイッチ抜去

血栓に食い込ませてから，ゆっくりと引き戻す．

　われわれもこの手順で回収することで 1 pass TICI 3 が得られやすくなったと感じている．当科ではバルーン付きガイディングカテーテルを併用することが多いため，回収時に inflate して栓子の破片を血液ごと吸引するようにしている．その際，血栓がガイディングカテーテルから吸引されることはまれで

はなく，有効性を実感している．

> **Check Point**
>
> ADAPT technique においてもバルーン付きガイディングカテーテルを併用してできるだけ血栓を回収する．

　また，吸引前にオン / オフスイッチをオフにしておき，血栓に吸引カテーテルが食い込

んでからオンにすることで一気に血栓を吸引する "Flip the Switch" Technique も，学会レベルではあるが報告されている（Fiorella ら）．

> **Check Point**
>
> ADAPT technique ではできるだけ太いカテーテルを誘導して，しっかりと血栓に食い込ませるのがポイントである．他の工夫も試してみよう．

6 まとめ

以上の工夫を行うことで M1 ～ ICA における 1 pass TICI3 率は向上するはずである．M2 がストレートで太い場合にも ACE 68 を使用可能であるが，それ以遠の病変や後方循環については径や屈曲度に応じて吸引カテーテルのサイズを下げるようにしている．

[文献]

1) Powers WJ, *et al.* ：2015 American Heart Association/American Stroke Association Focused Update of the 2013 Guidelines for the Early Management of Patients With Acute Ischemic Stroke Regarding Endovascular Treatment：A Guideline for Healthcare Professionals From the American Heart Association/American Stroke Association. *Stroke* 2015；**46**：3020 −3035.

2) Turk AS, *et al.* ：ADAPT FAST study：a direct aspiration first pass technique for acute stroke thrombectomy. *J Neurointerv Surg* 2014；**6**：260−264.

3) Lapergue B BR. ：Effect of Endovascular Contact Aspiration Contact Aspiration vs Stent Retriever on Revascularization in Patients With Acute Ischemic Stroke and Large Vessel Occlusion：The ASTER Randomized Clinical Trial. *JAMA* 2017；**318**：10.

4) 吉村紳一：Type III アーチをどう克服するか：私の克服法．脳血管内治療の進歩ブラッシュアップセミナー2017．診断と治療社．2018：p.97−102.

5) Delgado Almandoz JE, *et al.* ：Larger ACE 68 aspiration catheter increases first-pass efficacy of ADAPT technique. *J Neurointerv Surg* 2018［Epub ahead of print］

III　新時代を迎えた急性再開通療法

B.　1 pass TICl3 への道

4 Solitaire

神戸市立医療センター中央市民病院脳神経外科　**今村博敏，坂井信幸**

*E*ssential Point

- Solitaire Platinum になり，等間隔の X 線不透過マーカーが追加され，血栓回収部位の把握が容易になった．
- 血栓の位置を術前に把握し，適切な位置にステントリトリーバーを展開することが，1 pass で再開通を得るために最も重要なポイントである．
- ステントリトリーバー単独で血栓を回収できない場合には，ACE との併用を試みる．施設の中で切り替えのタイミング，combination technique をあらかじめ決めておくことが，時間短縮に必要である．
- 1 pass TICI 3 は目標として大切だが，最終目標は短時間での再開通であることを忘れてはならない．

1 構造

　当初，Solitaire（図 1）は脳動脈瘤コイル塞栓術における neck bridge stent として開発されたステントである．網状にレーザーカットしたナイチノール製のシートをオーバーラッピングした構造（オープンスリット構造）になっていることが（図 2），他のステントリトリーバーとの大きな違いである．

　従来の Solitaire は，ステントの先端部分に 3 個（4 mm 径）または 4 個（6 mm 径），ステントとプッシュワイヤーの接合部に 1 個の X 線不透過マーカーが付いていたが，新たに登場した Solitaire Platinum には 40 mm サイズで 10 mm 間隔，20 mm サイズで 5 mm 間隔にそれぞれ 3 個の X 線不透過マーカーが追加された（図 3）．これまでどおりストラットそのものは見ることができないが，実際に血栓を捕捉することが可能とされる部位はステント先端の X 線不透過マーカーから，新た

図 1　Solitaire FR(TTER　6 × 40)

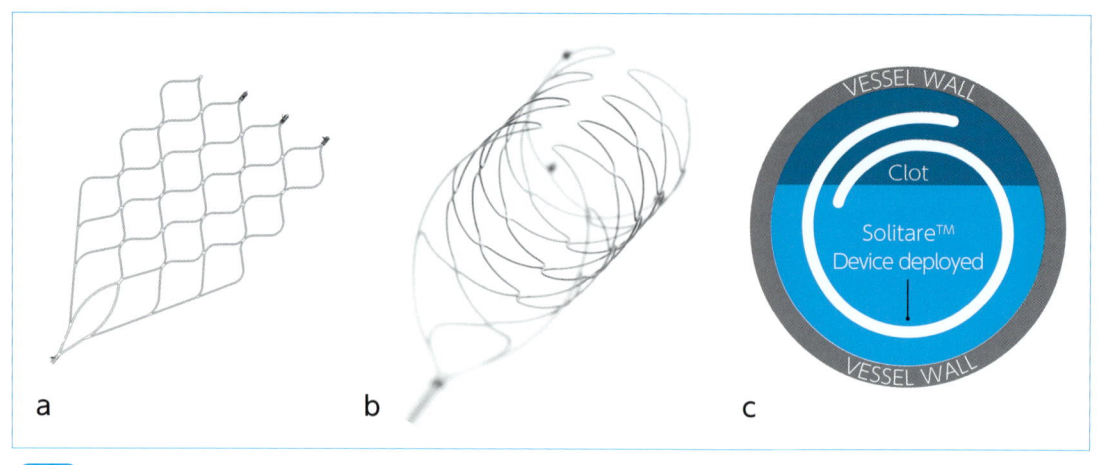

図2 オープンスリット構造

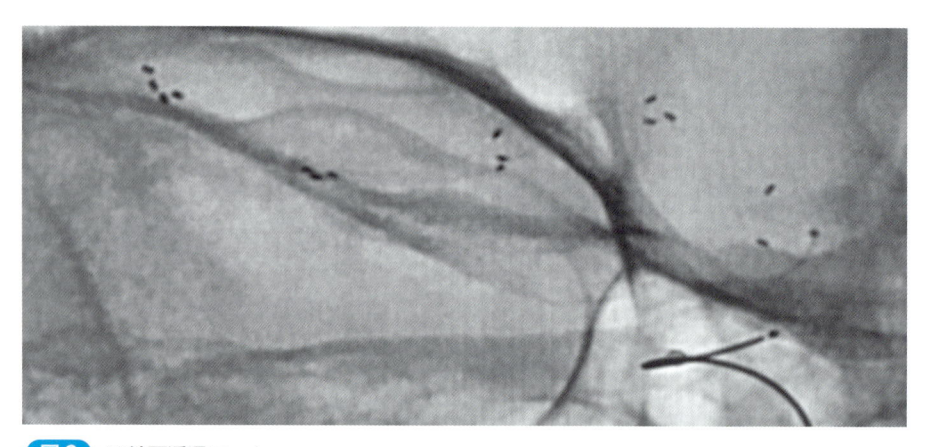

図3 X線不透過マーカー

に追加された X 線不透過マーカーの最近位部までである．どのステントリトリーバーにも共通なことであるが，ステントが完全に広がっていないデリバリーワイヤーとの接合部位（およそ 10 mm 程度）は血栓把持力が弱く，唯一 Solitaire Platinum は血栓に展開させるべき部位を正確に把握できるステントリトリーバーである．

　現在の Solitaire のラインナップは Solitaire Platinum として 4/20 mm と 6/40 mm，旧タイプの Solitaire2 として 4/15 mm がある．4 mm 径のステントは 5 mm，6 mm 径のステ

ントは 7 mm まで拡張することができ，推奨血管径はそれぞれ 2.0〜4.0 mm，3.0〜5.5 mm である．また Solitaire FR を誘導するために必要なマイクロカテーテルには，それぞれ内径が 0.021，0.027 inch 径のものが必要である．われわれは 0.021 inch 径のものとして Rebar，0.027 inch 径のものとして Marksman を使用することが多い．

　なお Solitaire の使用回数は，同一製品 2 回，同一血管 3 回が推奨使用回数である．

2 血栓回収療法のセッティング

①　原則として全例大腿動脈アプローチであり，9 Fr のロングシースを大腿動脈に留置する．

②　ガイディングカテーテルは前方循環では全例で 9 Fr Optimo（東海メディカル）を使用するが，誘導困難な症例では 8 Fr NEURO-EBU（ガデリウス・メディカル）で子カテーテルを誘導してから Amplatz Extra Stiff（Cook）を用いて exchange している．一方，後方循環は 8 Fr FUBUKI 80 cm（朝日インテック）と 6 Fr 100 cm のガイディングカテーテルを coaxial に使用し，左椎骨動脈に誘導が可能であれば 8 Fr の Britetip を，困難であれば 8 Fr を鎖骨下動脈，6 Fr のガイディングカテーテルを椎骨動脈に留置している．

③　マイクロカテーテルには Rebar または Marksman を使用する．やや抵抗はあるが，Rebar を介した 6 mm 径の Solitaire の誘導はほとんどの症例で可能であり，明らかに 6 mm しか使用する可能性がない症例以外（M1-2 分岐部遠位への誘導を行う可能性がある症例）では，Rebar を使用することが多い．なおわれわれは 1 pass 目では，原則として ACE を中間カテーテルとして使用していない．

④　ガイドワイヤーは Traxcess（テルモ），Chikai 14（朝日インテック）のどちらかを使用している．ガイドワイヤーの形状は原則 J シェイプであり，血栓が遠位部に移動することを心配するという考え方もあるが，血栓回収療法における最大の合併症である血管穿孔が起こる可能性が低く，M2 であっても J シェイプで誘導することが最も安全である．

3 1 pass TICI 3 への道

①　ステントリトリーバーの展開位置は，血栓回収において最も重要なポイントである．適切な位置に展開することが回収率を上げることにつながる．すなわち術前検査でいかに血栓の位置を把握するかがポイントである．CTA はこの点で明らかに他の術前検査よりも優れている．

3D-CTA で IC top が閉塞していない ICA 閉塞の症例（図 4a）．マイクロカテーテル造影では M2 以遠の patency しか確認できないが（図 4b），3D-CTA の情報をもとに M1 近位部から Solitaire2 6/30 mm を展開した（図 4c）．1 pass TICI 3（図 4d）．

ICA 閉塞の症例．3D-CTA では M2 superior trunke の描出が確認できる（図 5a）．M2 superior trunke からのマイクロカテーテル造影で patency を確認し（図 5b），ここから Solitaire Platinum Platinum 6/40 mm を展開した（図 5c）．1 pass TICI 3（図 5d）．

3D-CTA（図 6a）で M1-2 bifurcation が intact であることがわかる．マイクロカテーテル造影でも同様の所見であり（図 6b），M1-2 bifurcation から Solitaire2 6/30 mm を展開した（図 6c）．1 pass TICI 3（図 6d）．

この症例はこれまでの症例と違い，側副血行が弱くて血栓の遠位端が CTA で判別できない M1 閉塞の症例（図 7a）．サンドイッチ造影で近位端が比較的明瞭なため（図 7b），Solitaire Platinum 4/20 mm を近位端をメルクマールに展開した（図 7c）．すなわち Solitaire

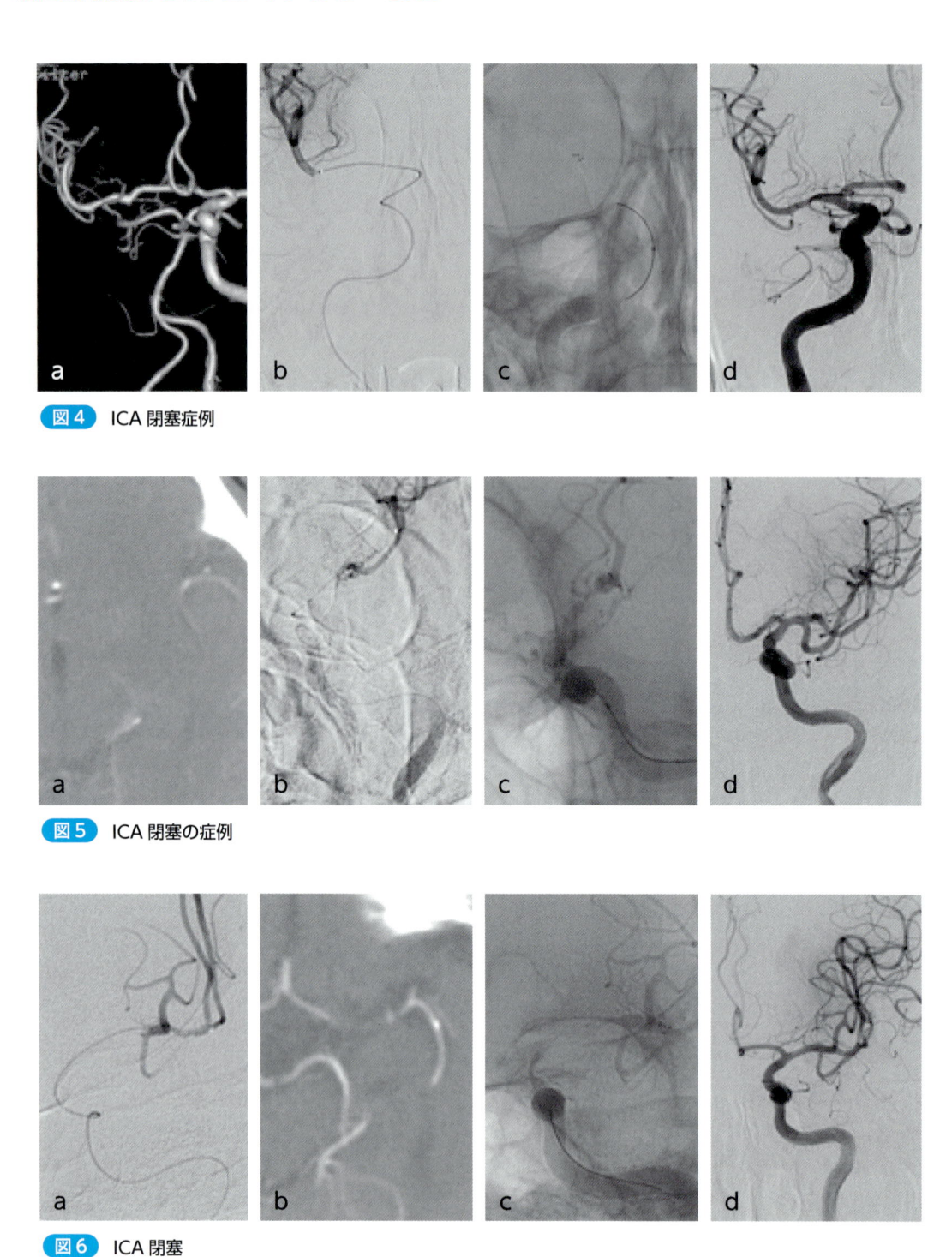

図4 ICA 閉塞症例

図5 ICA 閉塞の症例

図6 ICA 閉塞

Platinum の先端から5つめのマーカーが血栓の近位端にくるように展開している．Solitaire Platinum ならではの特徴が生かされた

症例である．1 pass TICI 3（図7d）．

このようにまず術前診断で閉塞部位の遠位端を確認することが，Solitaire をよい位置に

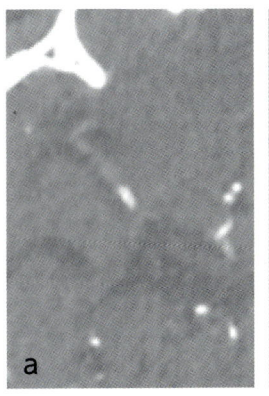 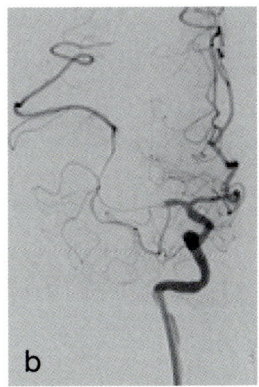 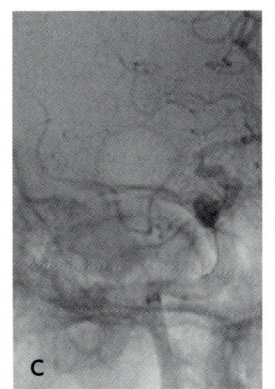 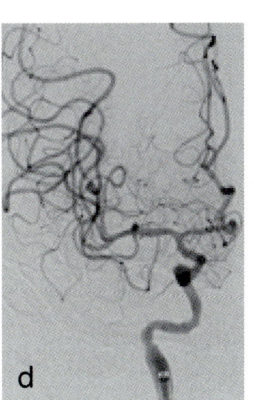

図7 M1 閉塞の症例

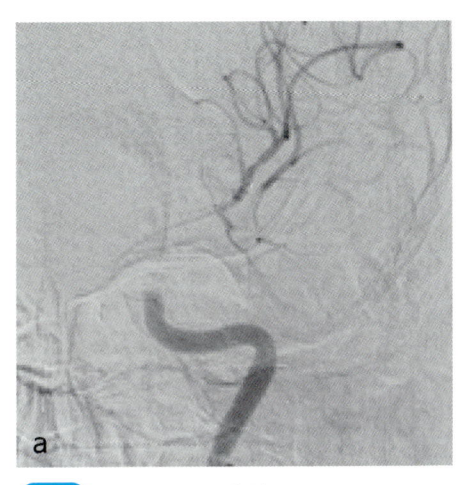 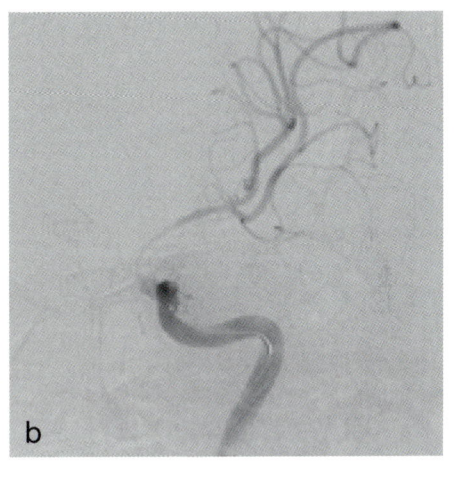

図8 サンドイッチ造影

展開する最大のポイントである．とくに ICA 閉塞では近位端がわからないことがほとんどであり，少なくとも遠位側だけは閉塞部位をしっかりカバーすることが重要である．近位側はステントリトリーバーを回収してくる際に血栓が回収できることもあるが，ステントリトリーバーの遠位側の血栓は通常回収できない．Solitaire はステントの先端まで血栓が捕捉できるため，遠位端にあわせた展開が容易である．

図 8a はサンドイッチ造影，図 8b はステントリトリーバー展開後の flow restoration の撮影である．明らかに血栓がサンドイッチ造影で欠損している部位よりも短いことがわかる．サンドイッチ造影をわれわれも行ってはいるが，あくまでも参考程度であることに注意しなければならない．

ステント展開後，ステントリトリーバーが血栓を把持するまでどのくらい待つべきなのかは明らかではない．われわれは十分な flow restoration が出現した症例では，脳への血流を一時的であるにしろ確保するという目的で 5 分待機している．一方で flow restoration が出現しない症例では，時間短縮という意味もあり 2 〜 3 分でステントリトリーバーを回収しているが，科学的根拠はない．最近はまっ

たく待たない術者も増加してきている.

　ステントリトリーバーを回収する速度は,血栓回収の成功に少なからず影響があるとわれわれは考えている.正確にどのくらいの速度が適切かは議論があるところだが,少なくとも速すぎる回収スピードは血栓のとりこぼしが多い印象がある.

> ### *T*echnique
>
> 　血栓回収療法の最も重要なポイントは,血栓の位置をいかに把握するかである.この点で,CTA は最もすぐれた術前血管評価方法である.ただし,サンドイッチ造影ほどではないが,閉塞血管を過大評価している可能性があるため注意が必要である.

4 代表症例

■70 歳男性

　他院入院中の 16 時 20 分が最終確認,16 時 30 分に意識障害をきたし,17 時 47 分に当院へ救急搬送された.来院時,JCS 100 点,左片麻痺,右共同偏視を認め,NIHSS 32 点であった.来院 11 分(発症 98 分)後の頭部 CT は ASPECTS 9 点,CTA で M1 閉塞および側副血行路による M2 の描出を認めた(図9a).

　ワーファリン内服中で PT-INR が 2.25 であったため,tPA の投与は行わず,また呼吸状態が不良であったため全身麻酔を導入したのち,来院から 41 分後に血栓回収療法を開始している.

　9 Fr Optimo を右内頚動脈に誘導し M1 閉塞を確認し(図9b),ガイドワイヤーの形状は J 状にシェイプして Rebar 18 で病変部を通過し(図9c),サンドイッチ造影を行った(図9d).CTA の情報をたよりに,M2 起始部から Solitaire Platinum 4/20 mm を展開し

(図9e),flow restoration を確認したのち(図9f)Solitaire を回収し,TICI 3 の再開通を得た(図9g).手技時間 15 分,来院再開通時間 54 分.

5 1 pass でとれないとき

1 ▶ 展開位置が悪い可能性がある

　ICA 閉塞の症例だが(図10a),Solitaire2 6/30 mm 1 pass 目の展開後(図10b)の flow restroration ではステントの先端部分でわずかに内頚動脈が造影されるのみである(図10c).2 pass 目では flow restoration で写っていないサイフォン部に血栓の近位端があると判断し,1 pass 目よりやや近位側で Solitaire を展開した(図10d).すると flow restoration が出現し(図10e),血栓が回収できた(図10f).すなわち 1 pass 目で flow restoration が不十分になったのは,近位側のステントリトリーバーが足りなかったからである.このように flow restoration を参考に次の手をうつことは重要である.

2 ▶ 血栓の性状がステントリトリーバーに不向き

　脳底動脈閉塞の症例(図11a).ステントリトリーバーだけでは再開通せず(図11b),ACE 68 を脳底動脈本幹に誘導し,Solitaire 4/20 mm を展開した.(図11c).このような場合,われわれは第一選択に Solumbra[1] を試みている.牽引する方向がかわる効果も期待できるし,1 pass に必要な時間も節約することが可能だからである.また ACE 内に回収する際に抵抗を感じれば,CAPTIVE[2],SAVE[3] technique に移行して血栓を回収する(図11d).

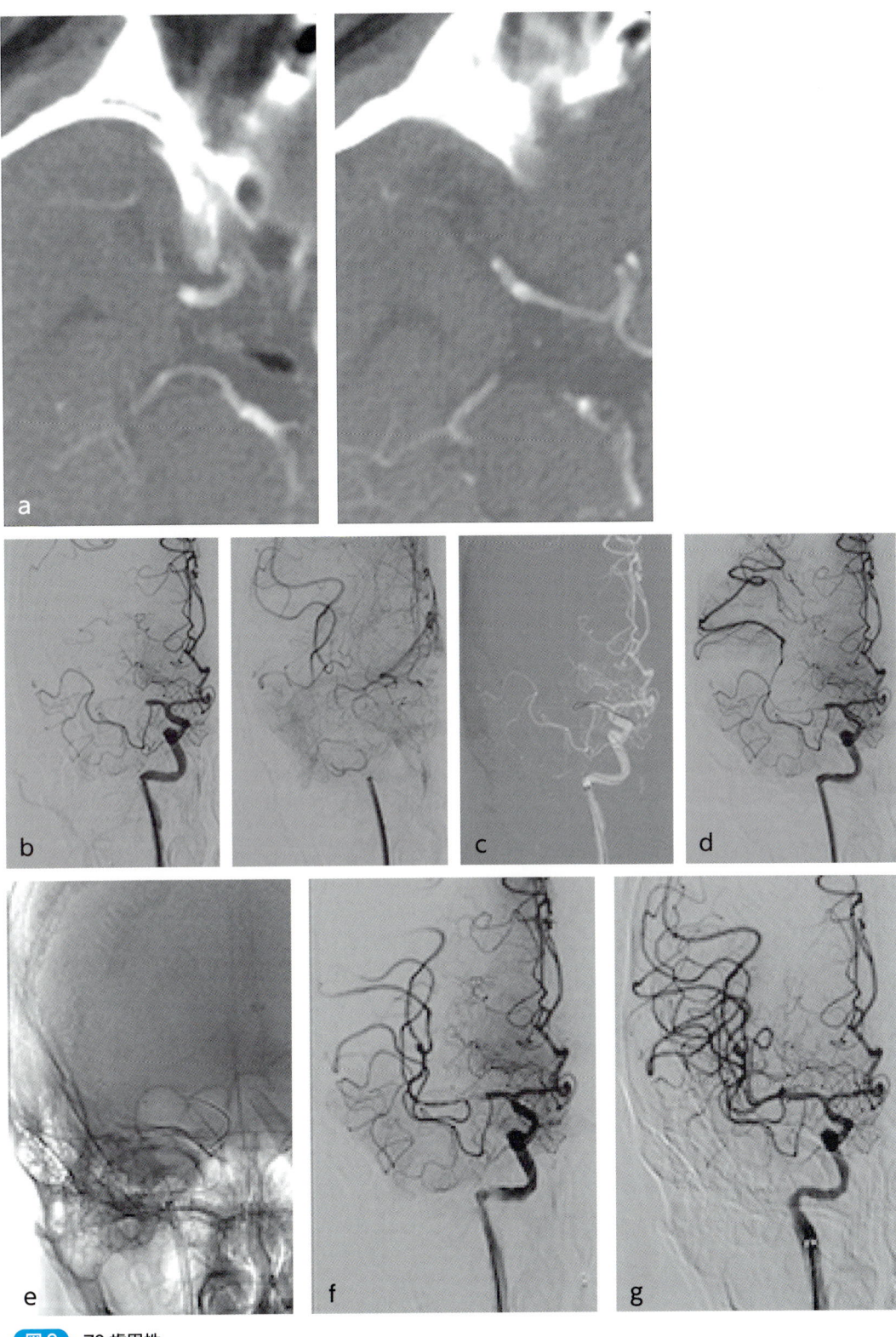

図9 70歳男性

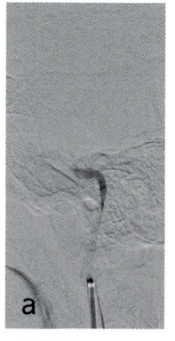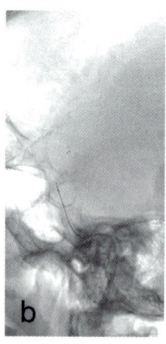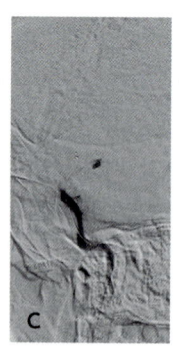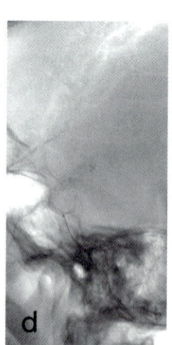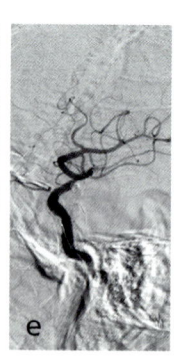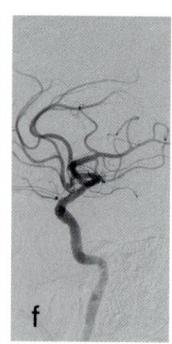

図10 ICA 閉塞症例

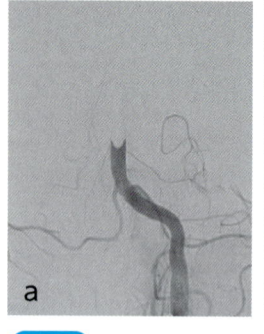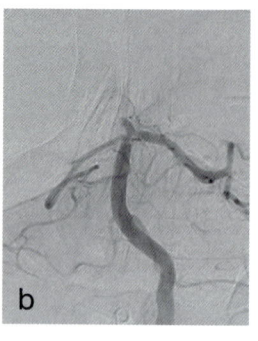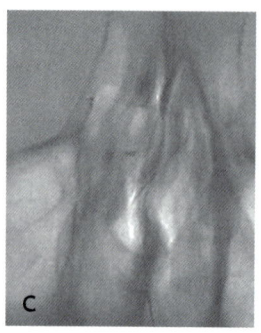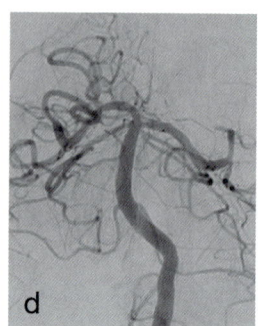

図11 脳底動脈閉塞の症例

*T*echnique

　Solitaire のみで再開通が得られないときには，ACE との combination therapy を試みる．ACE の中にステントリトリーバーを回収する Solumbra technique や，ACE とともにステントリトリーバーを回収する CAPTIVE，SAVE technique などがある．

6　おわりに

　Solitaire は先端から血栓が回収でき，かつ最も長い 40 mm サイズも存在するステントリトリーバーである．さらには Solitaire Platinum になったことで血栓が回収できる範囲

が視認できるため，血栓の位置を十分に把握し，適切な位置に展開することが容易であり，1 pass TICI 3 を目指すことに最も適したステントリトリーバーである．1 pass で回収できなくても flow restoration を利用して，次なる salvage therapy を適切に行うことが患者の予後に間違いなくつながることを強調したい．

［文献］

1) Humphries W, *et al.*：Distal aspiration with retrievable stent assisted thrombectomy for the treatment of acute ischemic stroke. *J Neurointerv Surg* 2015：**7**：90-94.

2) McTaggart RA, *et al.*：Continuous aspiration prior to intracranial vascular embolectomy（CAPTIVE）：a technique which improves outcomes. *J Neurointerv Surg* 2016：**9**：1154-1159.

3) Maus V, *et al.*：Maximizing First-Pass Complete Reperfusion with SAVE. *Clin Neuroradiol* 2017.［Epub ahead of print］.

III　新時代を迎えた急性再開通療法

B.　1 pass TICI3 への道

5 BSNET2018　1pass TICI3 への道－アンケート報告－

京都大学大学院医学系研究科脳神経外科　**石井　暁**

BSNET2018 のファカルティ 34 名を対象に AIS の治療方針に関するアンケート（8 項目）を行い，集計した.

1　治療戦略

　第一選択の方法は 21/34 名がステントリトリーバーと回答し，吸引療法は 4 名に留まった.「その他」には，ステントリトリーバー

表 1　BSNET2018　1 PASS TICI3 への道　アンケート結果（BSNET2018 Faculty 34 名から回答）

Q1　第一選択の方法
A　ステントリトリーバー
B　吸引療法
C　ケースバイケース
D　その他

Q2　ステントリトリーバー使用時の第一選択
A　Solitaire
B　Trevo
C　Revive
D　ケースバイケース
E　その他

Q3　Penumbra システム使用時のセパレーター
A　使用していない
B　使用している
C　ケースバイケース
D　その他

Q4　最後にセパレーターを使用した時期
A　1 年前
B　2 年前
C　3 年前
D　3 年以上前
E　その他

Q5　Penumbra システム誘導時のインナーシステム
A　Penumbra システム
B　他の中間カテ
C　マイクロカテーテル
D　ケースバイケース
E　その他

Q6　ガイディングシステム
A　使えるならバルーン付きガイドカテ
B　通常のガイドカテ
C　ロングシース
D　ケースバイケース
E　その他

Q7　第一選択で中間カテ
A　使う
B　使わない
C　ケースバイケース
D　その他

Q8　中カテ使用時のデバイス
A　Penumbra システム
B　その他
C　ケースバイケース
D　その他

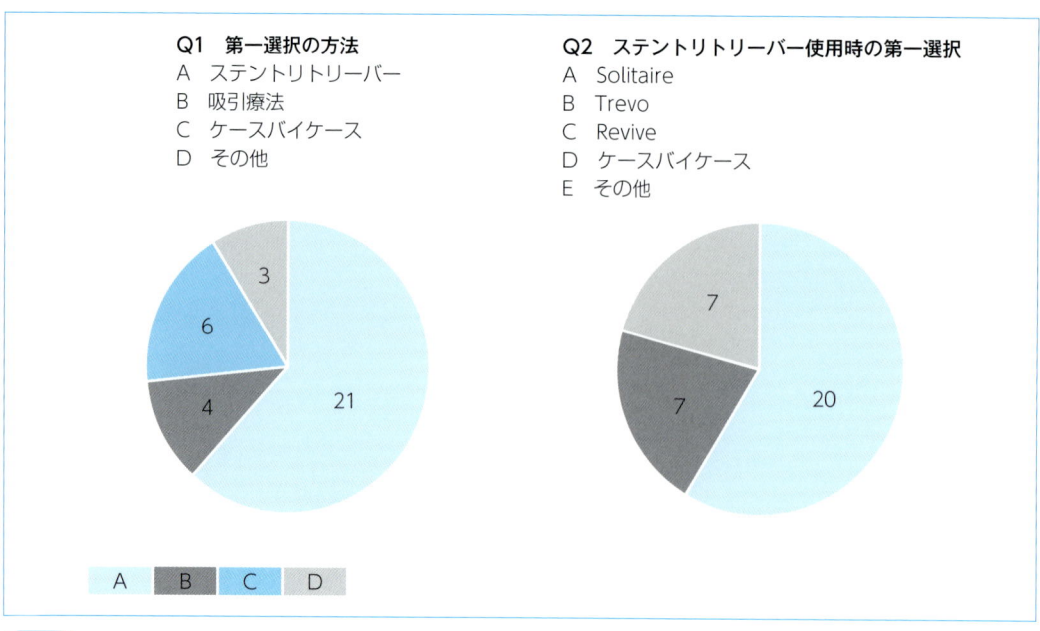

図1 治療戦略

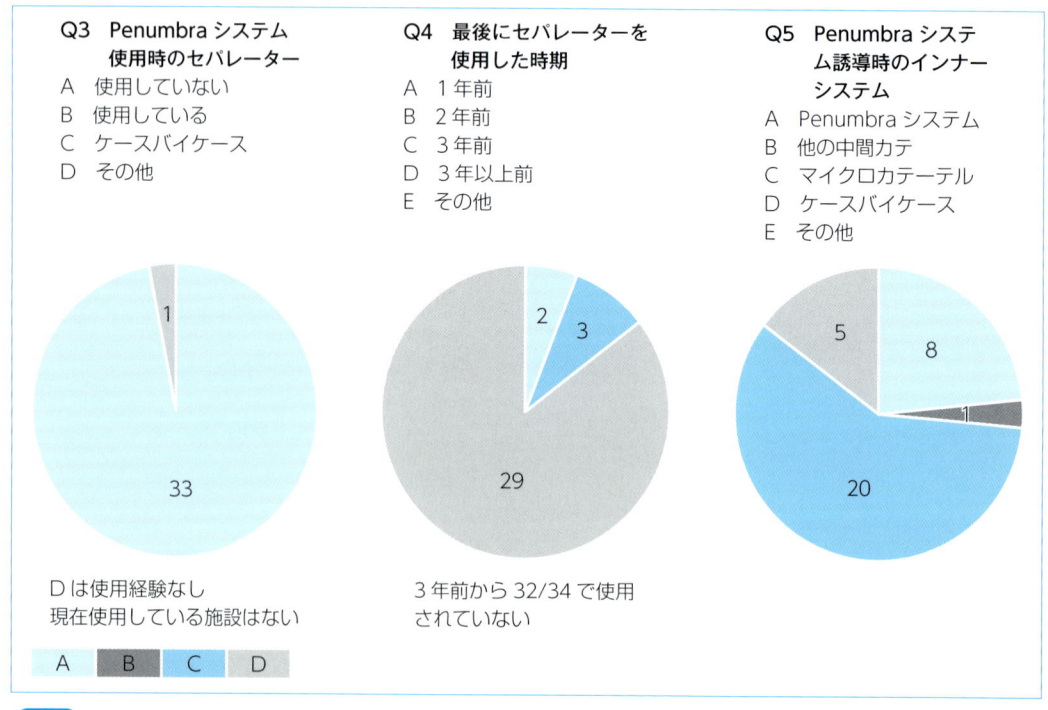

図2 Penumbra システム

と吸引カテーテルを併用する，いわゆる combined technique が含まれているが，3施設に留まった．多くの施設で combined tech

nique は 1st pass が成功しなかった場合の第二選択となっていると考えられる．

使用するステントリトリーバーは，20/34

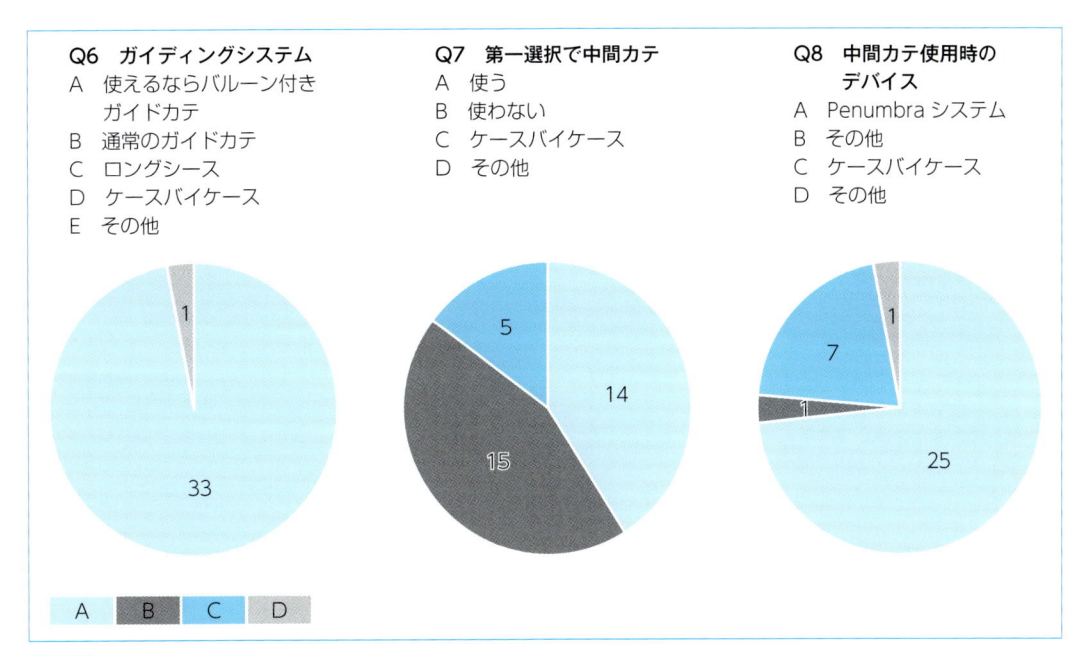

Q6 ガイディングシステム
A 使えるならバルーン付き
　ガイドカテ
B 通常のガイドカテ
C ロングシース
D ケースバイケース
E その他

Q7 第一選択で中間カテ
A 使う
B 使わない
C ケースバイケース
D その他

**Q8 中間カテ使用時の
　デバイス**
A Penumbra システム
B その他
C ケースバイケース
D その他

A　B　C　D

図3 その他

名が Solitaire と回答し，7 名が Trevo と回答した．7 名は「ケースバイケース」と回答しており，使用するステントを規定していない，あるいは，閉塞部位によって規定しているものと考えられる．

という結果であった．最後にセパレータを使用したのは「3 年以上前」と 29 名が回答した．Penumbra システムを誘導する際のインナーシステムは，20 名がマイクロカテーテル，8 名が Penumbra システムと回答した．

2 Penumbra システム

Q3〜5 は Penumbra システムについて調査した．

Penumbra システム使用時に同封されているセパレータを使用しているファカルティは 0 名であり，すべてのファカルティは ADAPT テクニックあるいはステントリトリーバーとの combined technique を用いている

3 その他

ガイディングシステムについては，33/34 名がバルーンガイディングシステムと回答した．中間カテーテルについては，15 名が 1st pass では使わない，14 名が使うと回答した．5 名はケースバイケースと回答した．使用する中間カテーテルは，25 名が Penumbra システムと回答した．

脳血管内治療の進歩—ブラッシュアップセミナー 2018

くも膜下出血のすべて—再開通療法の新時代—

ISBN978-4-7878-2378-6

2019 年 7 月 20 日　初版第 1 刷発行

編　集　者	坂井信幸,江面正幸,松丸祐司,宮地　茂,吉村紳一
発　行　者	藤実彰一
発　行　所	株式会社　診断と治療社
	〒 100-0014　東京都千代田区永田町 2-14-2　山王グランドビル 4 階
	TEL:03-3580-2750(編集)　03-3580-2770(営業)
	FAX:03-3580-2776
	E-mail:hen@shindan.co.jp(編集)
	eigyobu@shindan.co.jp(営業)
	URL:http://www.shindan.co.jp/
表紙・本文 デザイン	株式会社 クリエイティブセンター広研
印刷・製本	広研印刷 株式会社

©Nobuyuki SAKAI, Masayuki EZURA, Yuji MATSUMARU, Shigeru MIYACHI, Shinichi YOSHIMURA, 2019.
Printed in Japan.

[検印省略]

乱丁・落丁の場合はお取り替えいたします.